EN LA FRONTERA

PUNTO CRÍTICO

PUNTO CRÍTICO
Colección coordinada por Enric Berenguer

PUNTO CRÍTICO se propone dar a conocer ensayos que planteen las grandes cuestiones de nuestro tiempo. Su objetivo es ofrecer trabajos que aporten un pensamiento original y provoquen la reflexión, avanzando si es preciso en contra de opiniones mayoritarias. PUNTO CRÍTICO convoca así a diversas disciplinas a la apertura de un debate que tenga en cuenta la complejidad de la historia y de la política, la diversidad de las sociedades y las estructuras familiares, los efectos de la ciencia y la técnica, y las transformaciones de la sensibilidad estética y moral.

ANNE CADORET · *Padres como los demás*
Homosexualidad y parentesco

JEAN-CLAUDE MILNER · *El salario del ideal*
La teoría de las clases y de la cultura en el siglo XX

CHANTAL MOUFFE · *La paradoja democrática*

EN LA FRONTERA

Israel-Palestina: testimonio de una lucha por la paz

Michel Warschawski

Traducción de René Palacios Moré

Título del original en francés:
Sur la frontière
© Éditions Stock, 2002

Traducción: René Palacios More

Primera edición: abril de 2004

© Editorial Gedisa, S.A.
Paseo Bonanova 9, 1°1ª
08022 Barcelona, España
Tel 93 253 09 04
Fax 93 253 09 05
gedisa@gedisa.com
www.gedisa.com

ISBN: 84-9784-012-7
Depósito legal: B. 18.639-2004

Diseño de colección: Sylvia Sans
Impreso por Romanyà/Valls
Verdaguer, 1 - 08786 Capellades (Barcelona)
Impreso en España *Printed in Spain*

ÍNDICE

TERCERA PARTE
Fronteras interiores

©gedisa

ADVERTENCIA

Esta obra no es un trabajo de historiador, y mucho menos un ensayo acerca del conflicto árabe-israelí. Pero tampoco es una autobiografía. Sí es el relato de una experiencia, apasionante y apasionada, vivida en las fronteras que aíslan a Estados, comunidades y realidades que constituyen la trama de lo conocido como «problema palestino». Este relato no es el de un observador desapegado con pretensiones de objetividad, sino el de un actor, el de un ciudadano comprometido, el de un militante de la frontera. Si bien pretende registrar la autenticidad de unos hechos, no por ello deja de ser la expresión de una mirada personal y subjetiva; en este sentido, el relato es únicamente mío y sólo me compromete a mí.

Dudo, sin embargo, de que la nueva aventura que para mí representó el hecho de relatar una experiencia –sin conformarme únicamente con vivirla– hubiese podido ser llevada a buen puerto sin la preciosa ayuda que tuve el privilegio de aprovechar. La de Nicole Lapierre, que no dejó de alentarme a emprender esta aventura, pero también la de Edwy Plenel, su compañero, que hace ya una docena de años me había convencido de que me lanzara a ella. Así como la de mis amigas Michèle Sibony y Simone Bitton, que a lo largo de todo mi trabajo, releyendo y corrigiendo a menudo el manuscrito, no ahorraron sus consejos ni sus críticas, que enseñaron a evitar numerosos traspiés tanto en el contenido como en la forma. Pero es sobre todo a mi hijo Dror a quien debo expresar mi cariñosa gratitud: su lectura atenta del manuscrito, diría que hasta puntillosa, dio pie a un intercambio de notable riqueza, de discusiones apasionadas y de numerosas aclaraciones o correcciones. El diálogo intergeneracional con Dror, especialmente el referido a la religión y el laicismo, o a las estrategias de lo posible, o al multiculturalismo, o a la modernidad y el progreso, podrían ser objeto de una obra aparte. Si bien con frecuencia no he aceptado su punto de vista, cada una de sus observaciones críticas ha sabido dejar su huella en este libro.

Por último, esta obra no habría podido ver la luz sin aquella que, a lo largo de los últimos tres decenios, me acompañó en este periplo de exaltación pero también de dificultades en la frontera, y con quien sigo compartiendo los fracasos y los logros, las penas y las alegrías, las decepciones y las esperanzas. A ella, evidentemente, le dedico este libro.

A Léa,
irreemplazable compañera de viaje y de lucha.

©gedisa

INTRODUCCIÓN

En octubre de 1989 terminaba mi proceso. Había durado unos tres años, y yo había sido condenado, finalmente, a treinta meses de prisión por «prestación de servicios a organizaciones palestinas ilegales». En el transcurso de esos tres largos años se había ido imponiendo un concepto, tanto en las acusaciones del ministerio fiscal como en los argumentos de la defensa, un concepto que paso a paso se había ido convirtiendo en la columna vertebral del pleito: el de frontera.

Una vez fracasada la acusación de apoyo al terrorismo, las partes se enfrentaron en torno al concepto de frontera, en lo que el fiscal del Tribunal Supremo había denominado la *no man's land* entre israelíes y palestinos, pero también entre legalidad e ilegalidad. Si bien fui yo el primero en utilizar tal término, sólo con el curso del tiempo llegué a entender hasta qué punto toda mi vida, personal y militante, había sido el resultado de la deliberada elección de vivir y luchar en la frontera. Mis jueces comprendieron este hecho a la perfección, por lo que dedicaron largos párrafos del veredicto al peligro que supone la frontera para quienes deciden pasar la vida en ella entablando allí su lucha.

De hecho, los últimos treinta y cinco años de mi vida fueron un largo camino por la frontera, o, mejor dicho, por las diferentes fronteras en las que se codean el Estado de Israel y el mundo árabe-musulmán; israelíes y palestinos, pero también judíos e israelíes, religiosos y laicos, judíos europeos y judíos orientales. Es decir, fronteras que se entrecruzan, y que a veces se superponen, más o menos permeables pero nunca infranqueables.

Fronteras que no deben ser atravesadas, pero también fronteras por las que abrirse paso; fronteras de identidad judía que me resultaba importante preservar, pero, asimismo, socialismo sin fronteras; fronteras herméticas entre valores antitéticos, pero también repulsa ante unas fronteras que procuran impedir el intercambio y la coexistencia.

©gedisa

La frontera delimita un más allá que espanta y fascina a la vez. Es ante todo un lugar de separación, entre Estados, entre comunidades, una demarcación entre nosotros y ellos, y, debido a este hecho, es un elemento constitutivo de identidades y de grupos. «La frontera no es un hecho espacial con efectos sociológicos, sino un hecho sociológico que adquiere forma espacial», afirma Georg Simmel,[1] lo que, evidentemente, multiplica las fronteras en las cuales, más o menos conscientemente, uno acaba situándose. La frontera implica un cuestionamiento permanente acerca de lo que «nos» define, así como de quién es el otro, aquel que se halla más allá de ella. Como consecuencia de la pluralidad de nuestra realidad sociológica, nos vemos rodeados por múltiples fronteras, por lo que es necesario tomar conciencia de ello y, para mejor lograr esto, combatir la permanente tentación de reducir la propia identidad a una realidad unidimensional. Pues son muchos los que desean empujarnos a toda costa a definirnos sólo en función de una bandera, de una única pertenencia, recortando de este modo el mundo entre un «nosotros» étnico o nacional y todos los otros. Por el contrario, cuando el subcomandante Marcos se define como un indio negado por la colonización, como un negro enfrentado a la segregación racial, como una mujer oprimida por la discriminación de género, como un judío perseguido por el antisemita, como el homosexual reprimido por su sexualidad, como el obrero abrumado por la explotación, nos está delimitando las fronteras de la elección de una identidad plural, así como las de un rechazo a ser movilizado detrás de una única bandera.

La frontera es un lugar de enfrentamiento, «una zona siniestra de dominio y de terror».[2] Los conflictos fronterizos están destinados a menudo a preservar identidades y a defender su derecho a la autonomía. Pero pueden ser la expresión de un deseo de expansión a la vez que de negación de la autonomía de aquellos que se hallan del otro lado. La falsa expresión inglesa *frontier* no expresa un límite, sino, por el contrario, un espacio abierto presto a ser conquistado.

---

1. Georg Simmel, *Sociologie. Études sur les formes de la socialisation*, traducción del alemán al francés por Lilyane Deroche-Gurcel y Sibylle Muller, París, Presses Universitaires de France, 1999, pág. 607. [Trad. cast.: *Sociología*, Madrid, Alianza, 1986.]

2. Ulf Hannes, «Frontières», *Revue internationale des sciences sociales*, primavera de 2001, pág. 60.

©gedisa

Israel y sus habitantes viven esta doble naturaleza de la frontera como muralla que separa y protege, y como apelación a nuevas conquistas, desde hace más de medio siglo. Encerrado en sus fronteras, en el seno de un mundo árabe que no le otorga ni reconoce ninguna legitimidad, el Estado de Israel se ha negado desde siempre a fijar sus líneas divisorias exactas, y, de hecho, no ha dejado de modificarlas y ampliarlas. Esta dualidad de la frontera ha sabido asignar tareas diferentes, incluso contradictorias, a aquellos que han elegido situarse en ella: o guardia fronterizo o pasador, o ambas cosas a la vez. Cuando el ejército israelí invadió el Líbano, resultaba imperativo desempeñar el papel de guardia fronterizo y animar a los soldados a regresar a sus hogares; lo mismo ocurre con los colonos que ignoran todo límite, a quienes es necesario señalar una frontera detrás de la cual los palestinos puedan expresar y proteger su soberanía nacional.

Si bien delimita territorios, la frontera también separa a veces a los seres humanos según líneas de demarcación nacionales, étnicas o religiosas. Estas fronteras pueden así constituir espacios de conflictos, de indiferencia, o, por el contrario, lugares de solidaridad, de intercambio y de cooperación. Las fronteras entre Israel y el mundo árabe que lo rodea han sido, desde hace cincuenta años, fronteras de odio y de guerra. Ahí, la frontera actúa entonces como «una fuerza física que ejerce repulsión por ambos lados».[3] Cuando a inicios de la década de 1990 se perfilaron perspectivas de paz, ello condujo a construir murallas de separación, no espacios de cooperación. Pero tanto en un caso como en otro, yo elegí ser un pasador entre ambos lados de las líneas del conflicto. Reivindico firmemente mi pertenencia al clan de los hebreos, llamados en nuestra lengua *ivri*, del verbo *avar*, que significa «pasar, ir más allá», e incluso, también, «transgredir».[4] Y en acertada aplicación del hebreo, me reconozco tres veces pasador: pasador de valores de confraternidad, de solidaridad y de perspectivas de coexistencia, una coexistencia basada en el respeto, la igualdad y la cooperación; pasador de fronteras y, asimismo, transgresor de los tabúes que nos conducen a acurrucarnos en una identidad patriotera.

©gedisa

---

3. Georg Simmel, *Sociologie*, *op. cit.*, pág. 608.
4. *Avera* en hebreo significa, por lo demás, «falta» o «crimen».

Ello porque la frontera no es sólo un lugar de separación en el que se afirma la diferencia; puede ser también un espacio de intercambio y de enriquecimiento donde pueden formarse identidades plurales. Es en ella donde tienen lugar encuentros que no podrían producirse en ninguna otra parte porque, ya sea en el seno de tu propia aldea, ya en el corazón de tu tribu, tienes todas las posibilidades de no enfrentarte sino con copias exactas de ti mismo, o de escucharte hablar en boca de otros y afirmarte en tus propias certidumbres.

Así pues, la doble naturaleza de la frontera puede impulsarnos a ser a la vez guardia fronterizo, respetuoso de la soberanía del otro, de su libertad y de su independencia, y pasador que abre al intercambio y al mestizaje unas realidades humanas que la frontera separa. Pero resultaría erróneo creer que la frontera no existe sino entre Estados o comunidades nacionales. Atraviesa también a nuestras sociedades, dividiendo grupos étnicos y comunidades culturales, el centro hegemónico y la periferia de los excluidos. Sus efectos no son menos perversos, y los odios que suscita menos tenaces, que aquellos que generan las fronteras exteriores.

También en el interior es doble la tarea: abrir brechas para facilitar el intercambio y la solidaridad, pero crear asimismo barreras contra los deseos de forjar a toda costa una unión nacional siempre basada en el odio al prójimo y el temor al otro. Conciliación nacional y reconciliación con el enemigo nunca van juntas, y la confraternidad con el enemigo suele pasar por la necesidad de una ruptura, a veces incluso por la de un conflicto fratricida en el seno de la propia tribu. Esta perspectiva no me asusta, sino todo lo contrario. Hasta tal punto aborrezco la idea de tribu, habiéndome negado siempre a que se me encerrara en cualesquiera fronteras clánicas.

Por todo ello experimento verdadero placer al sentirme, en el seno de una sociedad que reivindico como mía, «extranjero en mi casa», tal como el extranjero definido por Georg Simmel, «no como un viajero de paso, sino como el hombre llegado de alguna parte e instalado de manera estable, o al menos duraderamente, aquel que se halla a la vez en el interior y en el exterior».[5] Cierto

5. Georg Simmel, «Digressions sur l'étranger», en Yves Crafmeyer e Isaac Joseph (comps.), *L'École de Chicago. Naissance de l'écologie urbaine*, París, Aubier, 1990.

©gedisa

que soy israelí, pero conservando celosamente mi dimensión ju-
deo-diaspórica, lo que me permite lanzar siempre una mirada crítica hacia mi propia sociedad.[6]

A lo largo de los años, he efectuado muchas marchas y contra-
marchas entre fronteras exteriores y fronteras interiores. En esta
larga marcha por la frontera he comprendido que, a pesar de la in-
comodidad, la marginación, y a veces los peligros, nada en el mundo me hará cambiar mi sitio fronterizo y periférico por una residencia confortable y abrigada en el núcleo de mi tribu.

©gedisa

6. *Ibíd.*

PRIMERA PARTE

EL DESIERTO

INTERLUDIO

EL DISCURSO SOBRE LA FRONTERA

La frontera es un concepto central en la vida de todo israelí: constituye un elemento formador en la vida de todos nosotros, delimita nuestros horizontes, sirve de línea de demarcación entre amenaza y sentimiento de seguridad, entre enemigos y hermanos. En un país que es un gueto a la vez que un búnker sitiado, la frontera está omnipresente, y a cada paso topamos con ella. Sí, la frontera no se halla sólo en el corazón de cada soldado, tal como reza la canción, sino en el de cada ciudadano de Israel, cual elemento constitutivo de su ser.

La frontera es también allí donde la mayoría de los hombres de nuestra sociedad pasan muchas semanas al año en el marco de sus períodos de servicio militar, siendo desde la frontera desde donde pueden arrojar una mirada al otro lado, hacia el Otro, al otro mundo. Yo mismo he servido en el frente, en la frontera del Jordán, al igual que cualquier otro reservista, no sólo porque era ése el lugar asignado regularmente a mi batallón, sino también por haber sido enviado allí cada vez que me negaba a sumarme a mi unidad cuando ésta era llamada a actuar en el núcleo de la población árabe de Cisjordania y de la franja de Gaza. Y desde el puesto de observación al que tantas veces me vi destinado, a cien metros de las orillas del Jordán, me gustaba mirar al otro lado, hacia Jordania, y construir sueños acerca de qué podría ser aquella región si no existiesen guerras ni conflictos.

Y había asimismo otras fronteras, que con mis camaradas del «Yesh Gvoul»[1] no estaba dispuesto a atravesar: la frontera del Líbano, por ejemplo, que tres veces me negué a franquear, o, más aún, la de la represión en los territorios ocupados. Tres veces tuve que pagar mi negativa a obedecer con penas de prisión militar. Se

©gedisa

1. Véase pág. 125.

trata de un rechazo que se debe proclamar públicamente, y no criticando a discreción, ya que se trata de una elección declarada por la que hay que estar dispuesto a pagar un precio; porque la negativa a cruzar la frontera, la repulsa a participar en una guerra injusta y falaz, o el rechazo a participar en la represión, constituyen declaraciones políticas y, en tanto que tales, tienen que ser asumidas en público y con la cabeza alta.

También la ley es una frontera, la que separa lo permitido de lo prohibido. Junto con mis compañeros de lucha, yo opté por respetar esta frontera. No soy un resistente como lo fue mi padre, que luchó contra los nazis empuñando las armas; no soy un «correo de maletas» al modo de amigos míos franceses que pusieron en peligro su libertad ayudando activamente a los combatientes argelinos, algunos de los cuales pagaron a alto precio su solidaridad. Todos ellos habían elegido desafiar a la autoridad planteándose una acción ilegal. Nosotros no optamos por esa vía. Nosotros respetamos la ley, por imperfecta que ésta sea, porque vivimos en un régimen político que nos garantiza, a nosotros, judíos israelíes, libertad de acción, derechos democráticos y los medios –a veces limitados– de ganar apoyos para nuestra causa política intentando convencer de que es preciso cambiar radicalmente la naturaleza del régimen existente. Hay una especie de contrato entre el Estado y yo según el cual, en tanto que él respete sus compromisos para con los ciudadanos, es decir, los derechos humanos y las libertades, respetaré yo las reglas del juego y no transgrediré la frontera de la ley. Se trata aquí de mucho más que una actitud pragmática: se trata de la necesidad de preservar el marco democrático, aun cuando éste sea imperfecto, con el fin de ampliarlo, y no de provocar su reemplazo por un régimen que niegue toda forma de libertad.

Hicimos retroceder la frontera, cada vez un poco más; estuvimos dispuestos a ser arrestados; fuimos condenados por los tribunales; recurrimos a la Corte Suprema. Pero no aceptamos renunciar a aquello que para nosotros era una consecuencia de nuestras libertades, y fue así como pudimos imponer unos derechos que harían soñar a muchos países democráticos. Al forzar la línea fronteriza con riesgo de romperla, se amplían las libertades; al relajarla, alejándose de ella, se las pierde. A ello se debe que me niegue a alejarme de la frontera y permanecer a salvo en el centro de la legalidad; sólo siento desprecio hacia aquellos que prefieren abstenerse porque no están seguros de que tal cosa esté permitida. Mis jueces

©gedisa

me han reprochado el haberme acercado demasiado a esa frontera. Lo lamento, pues es ahí donde he decidido defender nuestras libertades y ampliarlas.

Y hay por lo demás otra frontera, la más significativa tal vez, la que separa a los dos pueblos que viven en esta tierra: la frontera entre Israel y Palestina. Es una frontera hecha de contenciosos, de guerras y de sangre. En esta frontera es donde se verifica el conflicto y se expresan el odio y el miedo. Pero es también el lugar en donde nuestros dos pueblos se encuentran, y es ahí donde es necesario encontrarse para tender la mano y responder con la mano tendida. Nunca creí en una paz que no fuese más que una especie de ausencia de guerra, al estilo de «vosotros en vuestra casa y nosotros en la nuestra, y mandemos al carajo la paz». La paz palestino-israelí será una paz de cooperación, de coexistencia, o no será nada. Y es necesario comenzar a construir esta coexistencia desde ahora mismo mediante el diálogo, la cooperación y la solidaridad. No se pueden realizar estos objetivos en el núcleo del consenso, en la seguridad del centro de nuestra sociedad, incluso en el de nuestra izquierda bienpensante. La cooperación palestino-israelí se construye en la frontera, y únicamente en la frontera. Yo elegí instalarme en ella a partir de 1968; del lado de aquí, en la sociedad que es mía, pero también lo más cerca posible de la otra sociedad. Si hemos contribuido, por poco que sea, a la perspectiva de una paz palestino-israelí, ello se ha debido a ese posicionamiento en la frontera, que ha posibilitado los primeros pasos del diálogo y de la cooperación palestino-israelí. Me niego a ser un guardia fronterizo, quiero seguir siendo un pasador a través de las murallas del odio y de las barreras de la segregación.

Este veredicto está dirigido de hecho a todos vosotros (militantes de la paz). No se debe al azar que el juez Tal haya explicado largamente que la sentencia era de hecho muy liviana, que el tribunal había decidido tomar en consideración los argumentos de la defensa, que se había visto impresionado favorablemente por mi declaración final, y que se habían conformado por último con… treinta meses de prisión, veinte de ellos en firme. ¡Veinte meses de prisión en firme por, según ellos, haber cerrado los ojos! No concuerdo con quienes interpretan las declaraciones del juez Tal como puro cinismo. Él piensa realmente lo que afirma, y el mensaje de clemencia apunta a vosotros, mis queridos amigos, aun cuando la mayoría no comparta mi postura sobre la frontera. A vosotros, que os

acercáis poco a poco a la frontera y contribuís a tejer nuevos vínculos entre israelíes y palestinos. Él os advierte: «¡Cuidado, frontera
cercana!». Y resulta que la frontera es una zona peligrosa. Alejaos
de ella. He aquí la tarifa: veinte meses por cerrar los ojos, resulta
barato. La próxima vez costará mucho más. Alejaos de la frontera.

MICHEL WARSCHAWSKI

[Discurso pronunciado en un mitin en octubre de 1989, unos
días después de haber sido condenado a treinta meses de prisión
por prestación de apoyo a organizaciones ilegales.]

©gedisa

1

CIUDADES FRONTERA

Nací en Estrasburgo, en la frontera. La decisión de mi abuelo paterno de establecerse allí no fue, sin duda, fortuita; tenía que ver con su cualidad de ciudad frontera. Cuando para escapar de sus obligaciones militares había tenido que emigrar desde su pequeño *schtetl** cercano a Lodz, su elección había recaído en Fráncfort del Meno, centro espiritual del judaísmo ortodoxo[1] occidental, donde se inscribió en una escuela talmúdica.* A inicios del siglo XX, Alemania era el destino privilegiado para un joven judío religioso que buscaba reconstruir su vida en el Oeste. Su lengua no resulta alejada del yídish, y la comunidad judía ortodoxa era allí poderosa y poseía numerosas escuelas talmúdicas, así como otras instituciones religiosas. Francia, que atraía a los judíos del Este en busca de modernidad y de asimilación, no suponía una elección natural para quienes permanecían aferrados a su modo de vida religiosa.

Desprovisto de papeles en regla, mi abuelo tuvo sin embargo que dejar Fráncfort y continuar su periplo hacia el oeste, hacia Francia. Se detuvo en Estrasburgo, justamente porque esta ciudad se hallaba en la frontera de dos mundos: situada en el país de Rousseau y de Voltaire, era, no obstante, la menos latina de las ciudades francesas. Su cultura y su lengua eran, al menos en parte, alemanas.

Estrasburgo es la Francia periférica, que a lo largo de tres generaciones cambió cinco veces de nacionalidad, y que nunca fue verdaderamente alemana ni verdaderamente francesa. Una ciudad mixta, una población de doble identidad. También un lugar de paso, tanto para los refugiados que huyen de la opresión o la mi-

---

* Para las palabras seguidas de un asterisco, remitimos al Glosario de pág. 265 y ss.

1. Judaísmo ortodoxo: los judíos ortodoxos cumplen con los cánones de la religión judía en todos sus detalles, según los preceptos de los textos rabínicos.

seria como para los ejércitos conquistadores que la recorren a los gritos de «¡À Berlin!» o «Nach Paris!».

El alsaciano considera con cierta distancia a aquellos a quienes llama, en su lenguaje cotidiano, «la gente del interior». Incluso cuando tensa la fibra patriótica, no se trata de un nacionalismo franchute, sino más bien de un patriotismo que remite al del inmigrante recientemente naturalizado. Ello porque el estraburgués posee una mirada permanentemente volcada hacia lo exterior, hacia el otro lado del Rin. Lo quiera o no, el alsaciano de abolengo muestra más afinidades con los habitantes de Stuttgart que con los de Montpellier. Su educación es francesa, pero sus costumbres suelen ser germanas.

La periferia es lugar siempre conveniente para los inmigrantes, y, en especial, para los judíos errantes. En tanto que judío, me iba bien esta identidad equívoca, esta no identificación con un colectivo nacional bien determinado. Me posibilitaba sentirme francés manteniendo una mirada algo distante, exterior, a veces incluso irónica, hacia lo francés acendrado, lo francés del interior. Pero vivir en la frontera no significa forzosamente tener que cruzarla: sólo mucho tiempo después de haber salido de Estrasburgo llegué por vez primera a Alemania. Y, sin embargo, hubiese bastado con cruzar el puente de Kehl.

El Rin no era la única frontera que estructuraba el entorno en el cual fui creciendo. Muy pronto aprendí a identificar muchas otras. En primer término, la que separaba a judíos de no judíos. El concordato, esa particularidad alsaciana que hace de la religión un elemento constitutivo de la República, obligaba de hecho a cada cual a definirse con relación a una confesión: se era católico, luterano, calvinista o judío (entre las décadas de 1950 y 1960 no existían los musulmanes, o habría que decir que se evitaba verlos). En la escuela pública, los pocos alumnos que no querían participar en alguno de los cursos de educación religiosa tenían que solicitar una dispensa especial, lo que por lo general estaba bastante mal visto. Así pues, nuestra identidad judía no era un asunto privado: pertenecía al dominio público, lo que convertía a la comunidad en un subconjunto definido por líneas de demarcación muy claras, y representado por instituciones oficiales apremiantes. Se trataba, en realidad, de un gueto, sin muros y sin policía, pero de un gueto al fin y al cabo. Nuestra cultura era francesa y nosotros participábamos apasionadamente de la vida política nacional, pero muy raramente salíamos de los muros invisibles de ese gueto.

©gedisa

Durante más de quince años no tuve la ocasión de conocer a no judíos. Mi vida entera, así como por otra parte la de la mayoría de mis amigos, se desarrollaba en el seno de la comunidad: de la escuela judía a la sinagoga, del movimiento juvenil judío a la tienda de comestibles *casher*.* Un gueto voluntario, del que nunca se tenía ocasión ni necesidad de salir. Con los no judíos se cruzaba uno en la calle, en los grandes almacenes y en el estadio de Meinau. Desde luego, en el instituto muchos profesores no eran judíos, pero nosotros no entablábamos ninguna relación con ellos fuera de clase, contrariamente a los profesores judíos con quienes coincidíamos regularmente en distintas actividades comunitarias o celebraciones familiares. Se trataba de un peculiar instituto de nombre Akiba: un fuerte espíritu familiar se conjugaba en él con métodos pedagógicos y disciplinarios retrógrados, que no habían sido todavía desempolvados por el espíritu de Mayo del 68. Los notables de la burguesía judía local marcaban allí la tónica, aunque los profesores solían mostrarse discretamente rebeldes ante el espíritu dominante, infinitamente mezquino y burgués.

Así pues, gracias al concordato, la comunidad judía de Estrasburgo era poderosa, se mostraba organizada y resultaba sobre todo visible. Al lado de mi padre, gran rabino de la ciudad, asistí a numerosas revistas militares propias del 14 de julio y del 11 de noviembre, en la tribuna, junto al general gobernador militar de la ciudad, el arzobispo y el gobernador civil. La educación republicana dictada en la escuela, así como en la mesa del viernes por la noche, añadida al hecho de que en Alsacia el judaísmo era religión reconocida por el Estado, nos permitía asumir con sencillez el hecho de ser judíos a la vez que franceses. Nada nos impedía salir del gueto o cruzar la frontera, pero no experimentábamos la necesidad de hacerlo. La pertenencia a una comunidad nacional era formal y cultural; la pertenencia a la comunidad religiosa, real y social.

A las fronteras nacionales y comunitarias se añadían unas fronteras intracomunitarias todavía más marcadas. Contrariamente a las otras, éstas no eran explícitas y no reivindicaban ninguna legitimidad. Eran fronteras aún más perversas. Fronteras sociales, culturales y étnicas entre judíos alsacianos de pro y *Ost-Juden*,[2] así como otros me-

---

2. El término designa a los judíos originarios de Europa del Este.

tecos[3] provenientes de cualquier otro sitio. Antes de la guerra no se frecuentaba a los inmigrantes llegados del Este, y no se sentía sino desprecio por ellos. «¡Mejor una no judía que una polaca!», exclamaba la burguesa al enterarse de que su hijito médico tenía intenciones de casarse con una estudiante de origen polaco. Desde luego, la expulsión de los judíos de Estrasburgo, cualquiera que fuese su origen, así como la terrible suerte común que les esperaba, permeabilizaron las relaciones de posguerra entre esas comunidades; pero sólo hasta cierto límite: no desaparecieron la frontera ni el sentimiento de superioridad de los nativos. Así fue cómo el matrimonio de mis padres –hijo él de inmigrantes que sólo hablaban el yídish, y ella descendiente de una antigua familia rural judeoalsaciana– era todo menos evidente, como también el hecho de llamarse Warschawski y ser el rabino de una comunidad cuyo núcleo autóctono era extremadamente celoso de su identidad propia, de sus ritos particulares y de su folclore.

Así pues, con mis raíces en ambas comunidades, obtuve lo mejor y aprendí lo peor de los dos lados. Porque el sentimiento de superioridad de los unos no hacía sino reforzar el desprecio de los otros, orgullosos de su rica tradición talmúdica ante un judaísmo próspero y devoto, pero con frecuencia basto e inculto. Era una vieja historia judía el pretender que la riqueza de la educación y de la cultura reemplazara la de los bienes y la pertenencia al terruño. La venganza última de mi abuelo fue, sin duda, que su hijo llegara a ser el guía espiritual de la comunidad local. Para convertirse en el gran rabino de los judíos de Estrasburgo, mi padre tuvo que cruzar la frontera y, al igual que a menudo entre los inmigrantes de la segunda generación, volverse más alsaciano que los alsacianos. Postrero guardián de los ritos, de la lengua y del folclore judeoalsaciano, experto en la historia del judaísmo local, sólo su nombre sugería que no era sino un meteco. Nosotros, sus hijos, fuimos educados como alsacianos hasta experimentar cierta aversión hacia la cultura yídish, en especial hacia su música litúrgica, que considerábamos demasiado lacrimosa. Sospecho con todo que mi padre sentía una fuerte nostalgia por los ritos de su infancia y la cultura yídish.

---

3. Término despreciativo empleado para designar a los inmigrantes en la Francia de la década de 1950 y 1960, fue ridiculizado a su vez en un famoso tema de Georges Brassens, *Je suis un méthèque*. [N. del T.]

En el transcurso de un año sabático que había pasado en Jerusalén, lo sorprendí numerosas veces orando en sinagogas de rito polaco con una mirada y un fervor que no le conocía. Sí, al igual que muchos inmigrantes que optaron por la asimilación, creo que se sentía permanentemente como si estuviera lisiado; le faltaba dolorosamente lo que había dejado al otro lado de la frontera.

Volví a vivir esta alteridad en el propio seno de la comunidad judía ante la inmigración en masa de los judíos del norte de África; primero, de Marruecos, después del terremoto de Agadir; y luego, de Argelia, en vísperas de la independencia de este país. Frente a estos recién llegados, los judíos de origen polaco eran ya nativos. Los contemplaban con la misma mirada sorprendida y condescendiente de la que habían sido blanco apenas unos decenios antes. Quizá por ser nieto de inmigrante, tal vez simplemente por puro espíritu rebelde, me sentí de inmediato más cerca de los jóvenes provenientes de Agadir o de Orán que de los hijos de las familias burguesas de la Avenue des Vosges. Para gran asombro de las candorosas almas de la comunidad, opté por cruzar la frontera sociocultural que me separaba de los barrios populares del extrarradio y de los internados. Hace ya dos años, describí en el portal de Internet de la comunidad de Estrasburgo lo que para mí había significado la llegada de aquellos a los que se conocía como «los repatriados de Argelia»:

> De un solo golpe, mis nuevos colegas de curso habían metamorfoseado nuestro entorno. La atmósfera pesada y gris de la escuela Akiba se había visto iluminada, y un nuevo ardor se imponía paso a paso en la clase. El acento *pied-noir*,[4] la manera de vestirse y de peinarse de todos ellos contribuían a la nueva atmósfera, pero también lo hacían cierta ligereza en su forma de enfrentarse a la vida y a sus dificultades, que nosotros ignorábamos. Con todo, la cosa no les resultaba fácil a ellos, que acababan de perder para siempre el mundo en el que habían crecido para acudir a vivir a un país donde todo era diferente. De Argelia, la blanca y mediterránea, a Estrasburgo, la imperial y tan continental, el cambio había sido radical.

Para mí, lo que aquella gente aportaba era el sol, así como otra manera de vivir la vida, incluso como bachilleres. Por ejemplo, la

---

4. *Pied-noir*. Se dice, despreciativamente, de los habitantes europeos de Argelia. [*N. del T.*]

importancia otorgada al tiempo libre, y la escasa atención presta-
da por mis nuevos amigos a los valores de competitividad y de excelencia en los que nosotros nos habíamos criado, o, más aún, la
importancia central del cuerpo. Las muchachas, en especial, no
ocultaban el suyo y no les disgustaba ser tocadas. Si algunos de nosotros se veían atraídos por la oratoria sefardí,* ello no se debía
únicamente a la participación activa de los fieles, a los aires nuevos
y al ambiente menos solemne y estereotipado que el de la sinagoga
askenazí,* sino también a que a la salida de la oración se acostumbraba a expresar *Shabat shalom!* en medio de besos.

Así pues, puede afirmarse que viví los quince primeros años de
mi vida en una ciudad frontera al margen de la Francia profunda.
Esta situación periférica se convirtió en un elemento tan constitutivo de mi personalidad que nunca se me ocurrió la idea de vivir algún día en París. ¿Es por tanto azaroso el que más adelante haya
elegido vivir en Jerusalén, la ciudad frontera por excelencia?

Cuando a la edad de dieciséis años decidí dejar Estrasburgo
para emprender estudios talmúdicos de mayor calado, opté por en-
caminarme a Jerusalén. Había residido dos años antes allí para seguir un curso acelerado de formación teológica, y la ciudad me había fascinado.

Jerusalén, no Israel. Porque había experimentado que existían
en Israel el centro israelita y la periferia judía. El centro era Tel
Aviv: una ciudad moderna, laica, occidental. Y también Haifa la
Roja, con su puerto y su industria petroquímica. Los *kibutzim**
eran el centro del centro, con sus hombres de pelo en pecho y grandes mostachos dorados por el sol, y sus mujeres en *shorts* con la
metralleta Uzi en bandolera. Por el contrario, Jerusalén era una
ciudad judía, una excrecencia de la diáspora. Desde luego, no era
un azar que Ben Gurion y los dirigentes laboristas de las décadas
de 1940 y 1950 viviesen y trabajasen en Tel Aviv. Jerusalén era la
capital formal del Estado sólo por razones de política exterior, pero
en realidad la despreciaban. Con sus sinagogas, sus propios guetos
y su mercado oriental, sus judíos en caftán y con sombrero de piel,
les recordaba demasiado la diáspora, que tanto odiaban. Pero a
mí, lo que más me atraía de esta ciudad era precisamente lo que los
padres fundadores de Israel despreciaban.

Con todo, yo no había experimentado un flechazo. La Jerusalén de la década de 1960 tenía algo de repelente: los grandes espacios vacíos entre barrios, y sobre todo los paredones de hormigón

en los que acababan de manera brutal las principales arterias de la ciudad, cual vendajes de miembros amputados, le otorgaban un carácter de algo inacabado. Necesité de cierto tiempo para superar el malestar que provocaba esta imperfección y convertirlo en un afecto profundo y perverso, el mismo que muchos de mis amigos berlineses reconocen haber experimentado antes de la caída del Muro. ¿Se trata del apego del prisionero por su celda, del sentimiento de complicidad que lo une a sus compañeros de infortunio? ¿O quizá del simple hecho de no tener por qué hacerse preguntas, puesto que se está al final del camino? ¿O, más aún, de una espera inconsciente, provocada por la percepción de una anomalía provisional?

Hasta junio de 1967, toda Jerusalén se encontraba fuera de Israel. Y no sólo su parte oriental bajo dominio jordano –donde no podían entrar sino los empleados de Naciones Unidas, los diplomáticos y los curas católicos–, sino también Jerusalén Oeste. Geográficamente, la ciudad, encaramada sobre los montes de Judea, se hallaba en el extremo de un estrecho pasillo cercado a un lado y otro por Jordania. Era una brecha, un resto de las líneas establecidas por el alto el fuego, originadas en la guerra de 1948. Hacia aquella época, «subir a Jerusalén» –un concepto topográfico a la vez que espiritual– suponía una verdadera aventura: si se seguía la carretera, la chatarra de los camiones blindados de 1948 nos recordaba que esta vía estrecha y tortuosa por la que se subía a no más de sesenta kilómetros por hora era el único vínculo de la ciudad con el resto de Israel, así como que el enemigo se hallaba por todas partes y sólo al alcance de un disparo. Los que disponían de mucho tiempo que perder tomaban el tren, que atravesaba el territorio jordano en más de un kilómetro. Con el fin de ofrecer cierta ilusión protectora a los viajeros, una escolta de guardias fronterizos armados con ametralladora montaban en la estación de Bar-Giora, a una quincena de kilómetros al oeste de Jerusalén. La frontera era algo que estaba en todas partes, pero no se indicaba en ningún sitio. En mayo de 1966, de excursión con unos amigos, me interné en Jordania sin saberlo, y fue una patrulla israelí la que nos recondujo al ferrocarril, en zona extraterritorial, donde se nos obligó a montar en el tren siguiente. Por entonces, ¡ni siquiera nos preguntamos qué hacía una patrulla israelí en pleno territorio jordano!

En aquellos tiempos, para el israelí del interior, Jerusalén era el fin del mundo, el término de un recorrido jalonado por carteles que rezaban «¡Cuidado, frontera!».

Más allá de Jerusalén comenzaba el territorio enemigo, hostil, espantoso a la vez que fascinante. Ello porque detrás de los muros de hormigón, los campos minados, las alambradas de púas y la *no man's land*, el otro lado de la frontera fascina. Vivir en la frontera permitía echar una mirada desde lo alto del techo de Notre-Dame-de-France hacia la cúpula dorada de la mezquita de Omar. Desde el observatorio de Abu Tor se podía situar el emplazamiento del Muro de las Lamentaciones. Junto con otros jóvenes condiscípulos del colegio talmúdico, acudía yo allí cada semana para rezar y soñar con la Jerusalén del pasado. Y los había que hacían votos para el futuro, deseando que cayesen los muros de hormigón y que Jerusalén acabase siendo reunificada bajo soberanía israelí.

Para los israelíes, el mundo árabe situado al otro lado de la frontera es un desierto amenazador, vacío a la vez que ocupado por una población hostil. Desde el observatorio en el que a menudo me encontraba y desde el que tenía, con todo, una vista bastante amplia de Jerusalén Este, no recuerdo haber reparado por entonces en desplazamientos de transeúntes o de coches, en lo que podría llamarse una vida civil y común. No se veía nada, a no ser las garitas de la Legión jordana y las imágenes de postal de la Jerusalén bíblica.

Al igual que muchas ciudades de montaña, Jerusalén está cerrada sobre sí misma.[5] En tanto que Tel Aviv se abre hacia el mar, y a través de éste hacia el espacio mediterráneo y Europa, Jerusalén se halla en la linde del desierto, cuya austeridad y dureza comparte.[6] Si el calor de Tel Aviv es húmedo, el sol de Jerusalén quema y su luz ciega. Jerusalén ha sido, desde siempre, una ciudad de fanáticos, nacionalistas o religiosos, y de místicos de todo tipo, desde Jesús hasta las actuales víctimas del síndrome de Jerusalén; este extremismo fue, por lo demás, lo que más incidió en su caída en época romana. Ignora la alegría de vivir de las ciudades mediterráneas, Alejandría o Marsella, Beirut o Túnez, semejándose más a las ciudades continentales y montañosas como Damasco, Hebrón o Fez.

Situada fuera de Israel, o más bien en su periferia, Jerusalén lo está también en cuanto a su rechazo de la modernidad sionista, de la que Tel Aviv se jacta ser la joya. Antes de 1967, Jerusalén era una

---

5. Véase, a este respecto, Salim Tamari, «Austérité montagnarde, indolence balnéaire...», *Revue d'études palestiniennes*, núm. 16, verano de 1998, págs. 43-55.

6. Véase Uri Einzensweig, *Territoires occupés de l'imaginaire juif*, París, Christian Bourgois, 1980, págs. 293-320.

ciudad donde la huella del sionismo se hacía sentir poco, debido a que era muy anterior a la existencia de éste. Todavía hoy recuerda más a Vilna o a Marraquech que a Herzliya o a Ramat Gan. Sus viejos barrios askenazíes, como Mea Shearim o Geula, recuerdan a los *schtetls* de Europa Oriental con sus patios interiores, sus innumerables sinagogas y escuelas talmúdicas, sus comedores de beneficencia y sus habitantes en caftán negro y sombrero con cola de zorro. Al igual que allí, la extremada pobreza es más corriente que la opulencia. Esta población originaria de Polonia, Lituania o Transilvania no se siente israelí, y por cierto que nada sionista. Esta gente vino a Tierra Santa en su mayor parte antes del sionismo, y no muestra hacia el Estado de Israel una actitud muy diferente de la que hubiesen podido tener hacia la Polonia de entreguerras o hacia Francia. Detentan su ciudadanía, pero carecen de todo deseo de pertenecer a la nueva nación que los dirigentes sionistas pretenden construir. Y no sólo no se identifican con ella, sino que la consideran como una amenaza mortal para el judaísmo tal como lo entienden. Para muchos de ellos, el Estado judío es peor que el de los gentiles, dado que aquel les niega el derecho a ser lo que son. Cuando menos, el Estado hace todo lo posible para animarles a la asimilación; si ellos se resisten, no duda en arrojarles al margen del colectivo ciudadano.

En cuanto a los antiguos barrios sefardíes, como los de Nahlaot, construidos a inicios de siglo por los judíos provenientes del Kurdistán y de Yemen, e incluso el barrio de los judíos originarios de Bujara, siguen pareciéndose a los *mellahs** marroquíes o al barrio judío de Damasco.

En 1967, Jerusalén Oeste no es realmente una ciudad, sino más bien un conjunto de barrios inconexos, separados por inmensos espacios vacíos y solares. Cada barrio cuenta con su propia población: Knesset Israel es una aldea de Europa Oriental; Rehavia, con sus arriates de flores, sus jardines bien cuidados y su carnicero no *casher* al que se le puede comprar jamón, es un pequeño Hamburgo donde se escucha hablar más el alemán que el hebreo; Guivat Mordejai es un poblado de jóvenes parejas religiosas que viven en casas modestas con techos de tejas rojas y rodeadas de jardines. En Mahané Yehuda, los Pinto, Gabai y Eliásar –los llamados «sefardíes de abolengo»,[7]

©gedisa

---

7. Sefardíes de abolengo, en hebreo *sepharadi tahor* (puro): judíos que se consideran descendientes de los judíos de España y que reivindican la cultura judeoespañola y el ladino como lengua.

verdadera aristocracia local antes del dominio sionista sobre la comunidad judía– hablan ladino* en los bares donde se juega al backgammon mientras se bebe *arak* al son de las canciones de Farid el-Atrashe.

Lo que tanto me sedujo de Jerusalén fue no sólo su carácter ajeno a Israel, su marginalidad, sino también la diversidad de las comunidades judías que en ella cohabitan. Antes de la Guerra de los Seis Días, Jerusalén era de algún modo el negativo de Israel, un microcosmos de la diáspora, un gueto judío en la frontera entre Israel y el mundo árabe. Pero contrariamente a otras ciudades frontera, no era un lugar de paso y parecía impermeable a las influencias exteriores. Su riqueza provenía de la interacción entre las muy diversas comunidades que en ella se codeaban, muy diferentes unas de otras, pero siempre unidas en la complicidad originada en una vida casi insular, así como en el estado de sitio en el que se hallaba dada su situación geográfica. Más que la partición, lo que había de común entre Jerusalén Oeste y Berlín Oeste era su apartamiento del país matriz, al que ambas no estaban ligadas sino por un cordón umbilical frágil y aleatorio.

Porque, a pesar de su diversidad, hay algo poderoso que vincula a Jerusalén con sus habitantes. Los israelíes del interior reconocen a quien es originario de la ciudad santa por la manera en que pronuncia determinadas palabras, o por el modo en que sus niños juegan a la rayuela. La capital de Israel, tal como se obstinaban en proclamarlo los prospectos de la época, y en contra de cualquier realidad lógica, no era de hecho sino una aldea provinciana donde todo el mundo se conocía, se fuese originario del Kurdistán o de Besarabia o se formase parte de aquella élite particular de los sefardíes de abolengo, instalados en Palestina desde muchas generaciones atrás.

El centro de la ciudad es el punto de encuentro de todas esas diversas comunidades que, en conjunto, constituyen Jerusalén. Pero incluso considerado así, nos hallámos muy lejos de la modernidad de Tel Aviv: por ley, todas las casas están recubiertas de piedra natural, y está prohibido construir edificios de más de tres pisos. La principal arteria de la ciudad, la calle Jaffa, no tiene más de diez metros de ancho, siendo ahí donde todo el mundo se encuentra los viernes, cuando se va de compras a tiendas sumamente personalizadas: los pasteles en Neuman, el calzado en Comfort, las pipas de girasol (que, en sábado, ayudan a prescindir de los cigarrillos) en Beeri, y los periódicos en la tienda del viejo Gluck, que habla con soltura el árabe, aunque con un acento polaco sumamente espeso. Los estudiantes, que andan por todas partes –hay que tener en cuenta que la Universidad Hebrea de Jerusalén era en esa época la única del país–, se adaptan casi por necesidad a la atmósfera y el ritmo lento de la ciudad, hasta acabar convirtiéndose en jerosolimitanos* de adopción.

Si el hombre del litoral no comprende cómo se puede vivir en la frontera, en una ciudad en perpetuo estado de sitio donde los símbolos religiosos y los límites que éstos imponen a sus habitantes son omnipresentes, donde todo se adormece después de las ocho de la noche, el jerosolimitano a su vez se siente un extranjero cuando baja a Tel Aviv. Y por ello retorna con alivio a su gueto, a su tensión permanente a la que no presta atención, entre el olor particular de sus viejos muros, indescriptible mezcla de fragancia de jazmín y tufo a orina.

A fin de cuentas, de Estrasburgo a Jerusalén el cambio no fue tan grande: de un gueto a otro, siempre a gran distancia del centro, donde predomina la tendencia a replegarse sobre sí mismo, sobre la frontera, allí donde la existencia se fragua por relación con lo que es lo otro. Ese otro siempre presente por el hecho de que la frontera, por definición, siempre presenta dos lados.

Pero el 6 de junio de 1967 los paracaidistas del coronel Mota Gour trataron de acabar con esta especificidad. De ciudad frontera, Jerusalén habría de convertirse en el corazón del país; abandonando su situación periférica, se vio súbitamente empujada al centro. La conquista de Jerusalén Este iba también a suponer la normalización de Jerusalén, su «naturalización» israelí.

2

DAVID SE CONVIERTE EN GOLIATH

Aun cuando nací después de la guerra, tuve una infancia y una adolescencia inmersas en los recuerdos de la ocupación nazi. Por entonces no se empleaba todavía el término «Shoah». La palabra que remitía al mal absoluto, al miedo, al odio, al racismo y a la muerte era «ocupación». En la vida cotidiana, todo evocaba los recuerdos de los años negros que habían vivido mis padres y su generación. Mi madre había llevado la estrella amarilla entre 1940 y 1944 en el París ocupado; mi padre, replegado hacia Limoges con la mayoría de la comunidad judía de Estrasburgo, se había incorporado en 1944 a la compañía de Marc Haguenau, un grupo de guerrilleros del suroeste constituido por los Exploradores Israelitas de Francia.

Muchas veces al año, en familia o con los *scouts*, íbamos en peregrinación al campo de Struthof-Natzwiller, único campo de exterminio del oeste de Alemania, a unos cincuenta kilómetros de Estrasburgo. La noche del sábado anterior al nuevo año judío recordábamos en la sinagoga el momento de la deportación, seguido de una velada con desfile de antorchas hasta el cementerio de Kronenbourg. Para muchos de los jóvenes judíos de mi edad, se trataba de uno de los momentos más duros del año. El antifascismo y el rechazo visceral de toda forma de racismo quedaron anclados en mi educación con tanta firmeza como los principios de la práctica religiosa; pero, contrariamente a éstos, han sabido permanecer en mí hasta hoy. Recuerdo una memorable bofetada recibida por haber utilizado el término «negro» en la mesa durante la cena del viernes; el apoyo a la independencia argelina era para nosotros tan evidente como la prohibición de encender luces en sábado. La identificación con los oprimidos, los débiles y los humillados pasó a formar parte de mi identidad judía.

La educación religiosa en la que crecí era indiferente al sionismo, y no tenía más que un conocimiento muy limitado de la génesis del Estado judío y del conflicto árabe-israelí. La Guerra de junio de 1967 fue lo que me hizo descubrir Israel, no la Tierra Santa sino el Estado de Israel en tanto que realidad temporal y política, en guerra con el mundo árabe que lo rodeaba. Hacia el mes de mayo, cuando la crisis diplomática con Egipto se exacerbaba y el ejército movilizaba a sus reservistas, dejé el colegio talmúdico para ofrecerme como voluntario, primero en un instituto de niños ciegos y después en un *kibutz*. Al igual que todo el mundo en Israel, estaba convencido por entonces de que los árabes querían arrojarnos al mar y de que un peligro real amenazaba al Estado judío y a su población.

Llegado el último día de la guerra, me encontraba en el *kibutz* Shaalvim, por entonces uno de los dos únicos *kibutzim* ortodoxos del país. Shaalvim se encontraba en la frontera con Cisjordania, a pocos cientos de metros de la abadía de los trapenses de Latroun. Aquella noche, el rabino Schlesinger, director del colegio talmúdico local, me pidió que lo acompañase en su recorrido alrededor del *kibutz*. Entonces vi, a menos de un kilómetro del sitio donde nos hallábamos, un cortejo que me recordó las imágenes de tiempos pasados tantas veces descritas en mi infancia y adolescencia: cientos de hombres, mujeres y niños que avanzaban hacia el este cargados de bultos de todo tipo. Todos los deportados se parecen, sean de Polonia, Palestina o Kosovo. Acababa de ser testigo, sin saberlo ni comprenderlo, de la deportación de los habitantes de tres poblados palestinos de los alrededores de Latroun: unas semanas después, Yallu, Beit Nuba y Emaús habrían de ser demolidos para dar lugar al «parque Canadá». En la actualidad, las familias israelíes realizan allí sus picnics de fin de semana, y grupos de escolares estudian en él la flora de *Eretz Israel*.[1]

Un recuerdo de julio de 1967, en el mercado de Hebrón. Al igual que para todos los residentes en Israel, el verano de 1967 fue para mí un verano de visita a los territorios que el ejército acababa de ocupar. Era aquella la ocasión de orar en los emplazamientos históricos, así como de ver a los árabes, que hasta entonces habían resultado invisibles para la gran mayoría de nosotros. Mi padre, llegado con una delegación de su comunidad para visitar aquellos lugares de la historia bíblica, me pidió que le reemplazara al frente

---

1. *Eretz Israel*. Tradicional denominación sionista de «la gran tierra de Israel» o «El Gran Israel». [*N. del T.*]

©gedisa

de su grupo en una visita a la ciudad de Hebrón. Sumamente orgulloso de ser israelí, conduje a ese grupo de alsacianos por las calles de una ciudad extranjera en la que me sentía no sólo en casa, sino verdaderamente propietario de aquellos lugares. Pero tuve oportunidad de ver la mirada sumisa y humillada del comerciante árabe a quien le intentaba regatear una piel de carnero con la arrogancia propia de todos los colonizadores del mundo. Cual un puñetazo en pleno rostro, tomé conciencia de que esta vez el oprimido era él, y de que yo me encontraba al otro lado de la frontera, aquel en el que se encuentran los fuertes, donde reside el poder. Y fue inmediato, espontáneo, mi rechazo a situarme de ese lado. Tal reacción no tenía nada de ideológico o de político; yo seguía creyendo que los árabes eran responsables de la guerra y que los israelíes se hallaban del lado «bueno». Pero de ahí a aceptar ser un ocupante mediaba un paso demasiado grande: con total naturalidad, mi compasión se volcaba hacia el ocupado. A partir de esa misma noche tuve la suerte de encontrar el apoyo de mi padre, quien me dijo: «Toda ocupación es malvada y corrompe moralmente a quienes toman parte en ella; roguemos al cielo que ésta acabe cuanto antes».

Pero la sociedad israelí estaba muy lejos de semejante toma de conciencia.

La Guerra de junio de 1967 había unificado al pueblo israelí en un consenso sin precedentes. En seis días había desaparecido cualquier forma de oposición política, ideológica o cultural. Durante más de seis años iba a triunfar el unanimismo, a la vez que el triunfalismo habría de sostener la unanimidad. Toda una sociedad iba a comulgar en un sueño dulce y eufórico, hasta el doloroso despertar del Yom Kipur de 1973.

Esta euforia combinaba la buena conciencia de un pequeño David, eterna víctima de todos los Goliath de la historia humana –de Amalec a Nasser pasando por Torquemada y Hitler–, con un nuevo sentimiento de invencibilidad y omnipotencia. En 1967, la opinión pública occidental apoyaba de manera casi unánime a Israel en sus ilusiones. Sólo el general De Gaulle intentó moderar, en el Oeste, la arrogancia del Estado judío conquistador. Pero lejos de animar a los dirigentes israelíes –o al menos a una parte de la opinión pública local– a reflexionar acerca de las relaciones de fuerza y a meditar sobre la historia de anteriores ocupaciones, las posiciones críticas expresadas en la Asamblea General de las Naciones

Unidas (en la que los países del Tercer Mundo y del bloque soviético eran mayoritarios) no consiguieron sino reforzar el sentimiento israelí de enfrentarse a solas contra todos. Tal como rezaba una
canción infantil de la época: «El mundo entero está contra nosotros; no importa, podremos con ellos».

En un verdadero trance, Israel va a desarrollar su estrategia, o
más bien su falta de estrategia: Moshe Dayan, ministro de Defensa, habla de «cien años sin guerra ni paz», y un joven general de
nombre Ariel Sharon no duda en afirmar que el ejército israelí puede garantizar el orden desde Marruecos hasta Turquía, y que ni siquiera el ejército soviético le da miedo.

Sin duda alguna, la derrota árabe es colosal, como real es la
prosperidad económica que se perfila a partir de 1969 gracias al
dinero que afluye –en especial de Estados Unidos– y al espectacular
desarrollo de un complejo militar-industrial que progresivamente
se convertirá en el pilar dominante de la estructura socioeconómi-
ca israelí, así como de su clase política. Pero los músculos hiper-
trofiados del Tsahal* y la grasa que paulatinamente habrá de recu-
brir el cuerpo social tendrán efectos devastadores en la sensibilidad
moral de la sociedad, en la capacidad de percepción de su dirección
política, como, por otra parte, en la de sus intelectuales.

De manera general, la Guerra de junio de 1967 provocó un giro
a la derecha del conjunto del discurso político israelí. Tendría que
transcurrir toda una década para advertirlo, pues la idea según la
cual Israel no hacía sino reaccionar ante el rechazo árabe era todavía
suficientemente creíble como para ocultar opciones políticas cada
vez más deliberadamente expansionistas e intransigentes.

Con todo, el viraje político estaba claro a partir de 1967. Por
pura curiosidad, acudí al congreso constituyente del Movimiento
por el Gran Israel. Los ex fanfarrones de la tristemente célebre Unidad 101 (comandada por Ariel Sharon)[2] y los veteranos del sionismo obrero radical se codeaban allí con los portavoces de sectas

---

2. Comando 101: unidad del ejército israelí constituida a inicios de la década de
1950 para organizar acciones punitivas y establecer nuevas y no convencionales normas de combate. Ben Gurion negaría largo tiempo la existencia de esta unidad, y, por
tanto, sus operaciones, entre ellas la masacre de Kibya (15-10-1953), que causó sesenta y nueve muertos, fundamentalmente mujeres y niños. Véase Benny Morris, *Israel's Borders War, 1949-1956*, Tel Aviv, Am Oved Publishers, 1996, págs. 274-284.
El creador y comandante del Comando 101 era un joven oficial llamado Ariel Sharon.

©gedisa

místico-nacionalistas para anunciar de común acuerdo el advenimiento de la era mesiánica y la muy cercana reconstrucción del Tercer Templo. Hacia 1967 este discurso era todavía extremadamente minoritario, pero podía percibirse que los organizadores se sentían llevados en volandas por el viento de la historia. Diez años después, serán ellos quienes llevarán la voz cantante, determinando la política de asentamientos en Cisjordania y en la franja de Gaza, precisamente la política que habría de convertirse en el principal obstáculo para la paz palestino-israelí.

La escuela talmúdica que yo acababa de dejar era conocida por el mesianismo político predicado por su decano, el rabino Zwi Yehuda Kook. Esta filosofía religiosa la situaba al margen del mundo religioso que, en su gran mayoría, consideraba heterodoxo tal mesianismo. Pero la percepción del sionismo en tanto que brazo secular de la voluntad divina iba a calar hondo; así, mis compañeros de estudios Hanan Porat, Zalman Melamed, Menahem Felix y Haim Druckman habrían de convertirse en los dirigentes de la derecha israelí. Primero, en el Parlamento; pero sobre todo en las colinas de Cisjordania, donde realizaron la segunda fase de la colonización sionista, reemplazando la bandera roja y la camisa azul del sionismo obrero por los escritos del rabino Kook y el gran gorro de punto. A mí, que había conocido su misticismo muy de cerca, me resultaba claro que la conquista de Hebrón, de Nablus y de Jericó acabaría insuflando un viento de cruzada en sus corazones.

Cuán irrisorio resultaba entonces, en paralelo, el congreso constituyente del efímero Movimiento por la Paz y la Seguridad, en el que prestigiosos intelectuales de izquierda procuraban organizarse contra aquel fanatismo expansionista afirmando que si bien los territorios no eran territorios «liberados», tal como sostenía la derecha, tampoco podía decirse que fuesen territorios ocupados. Así que se decidió denominarlos «territorios administrados». Esta negativa a hacer frente a la realidad de la ocupación era la esencia del nuevo consenso.

Antes de la guerra, la izquierda había planteado, sin embargo, una batalla valiente y coronada de éxitos por la abolición de la administración militar que regía la vida de los ciudadanos palestinos de Israel desde 1948. Esta izquierda se mostraba todavía animada por principios democráticos y valores socialistas importados de Europa. A lo largo de las décadas de 1950 y 1960 había luchado por acabar con lo que describía como el «Estado Mapai»,* una democracia étnica totalmente controlada por el partido de Ben Gurion y su nomenclatura, un régimen que recordaba en muchos aspectos a los países del Este, los del socialismo real. La histeria nacionalista de junio de 1967 iba a enterrar a esta oposición durante al menos una decena de años.

En el otoño de 1967, el diputado contestatario Uri Avneri votaba por la anexión de Jerusalén Este; dado que la justificación de semejante decisión no podía ser referida a la seguridad pública, apelaba a la argumentación histórico-religiosa que habría de convertirse en un elemento esencial del nuevo discurso consensuado israelí, el mismo que tendría que justificar la política de colonización generalizada en el futuro. Dos años después, el mismo Avneri seguía afirmando: «La ocupación por parte del ejército israelí es una ocupación liberal». Aun cuando unos pocos y raros intelectuales, como Amos Oz e Isaac Orpaz, advertían sobre la quimera del «Gran Israel», la mayoría de los viejos liberales se sumaban a la avanzadilla de la nueva cruzada expansionista. Por ejemplo, Abraham Knaani escribía en el *Haaretz* del 15 de septiembre de 1967: «Hay que plantear la cuestión: lo que Isaac Orpaz *(Haaretz* del 8-9-1967) afirma, ¿no es aplicable a las conquistas israelíes de la guerra de independencia? Anexarse Jaffa o Nazaret sería algo legítimo, ¿pero no lo sería hacer lo propio con Jenín o Nablus? ¿Por qué? ¿Acaso la antigua ciudad de Jerusalén es menos árabe que la ciudad de Ramlé en 1948? ¿Acaso en 1948 Nazaret era más judía que Nablus en 1967? ¿Acaso lo único que cuenta es la fecha de conquista?».

Otro ejemplo típico de esta dimisión de la izquierda es el caso del Manifiesto contra la Represión en los Territorios Ocupados, puesto en marcha en marzo de 1968 por ochenta y ocho firmas, cercanas en su mayoría al Matzpen* y al Partido Comunista Israelí. El llamamiento denunciaba las violaciones de los derechos humanos, y en especial las detenciones administrativas y las destrucciones de casas. Entre los firmantes se contaba Aarón Cohen, célebre orientalista del *kibutz* Shaar Ha'amakim y antiguo teórico y miembro de la dirección nacional del partido sionista de izquierda Mapam*. Amenazado con ser expulsado del *kibutz* o enviado a trabajar diez horas diarias en los campos de trigo, lo que evidentemente le impediría continuar con sus investigaciones científicas, Cohen se desmoronó y se retractó en un estilo digno de los procesos de Moscú. En un comunicado publicado por el periódico laborista *Davar,* expresaba: «He sido convencido por los argumentos de mis camaradas de que en ese llamamiento del que fui uno de los cofirmantes, se debería también tomar posición acerca de los actos terroristas de los árabes [...]. Acepto asimismo la posición de los camaradas [del Mapam] según la cual, en las condiciones presentes de lucha de Israel en pro de su seguridad y su existencia, es importante considerar no sólo lo que se dice, sino también su porqué. La posición unilateral y hostil hacia Israel del Rakah* lo excluye del debate público, tanto como a todos sus miembros. Declaro solemnemente que el caso del comunicado constituye por mi parte una grave falta de la que es preciso que aprenda a extraer la lección debida».[3]

Pero no todos se retractaron. Ilan Shaliff, miembro del *kibutz* Negba, uno de los florones de la izquierda laborista, se negó a la retractación pública y fue expulsado por la asamblea general del *kibutz*. El secretariado quiso explicarse en el periódico de los jóvenes del Mapam: «Creemos que no hay que expulsar a nadie del *kibutz* debido a sus opiniones, por lo que contamos en nuestro seno con una amplia gama de opiniones políticas. Pero Ilan ha reconocido hace ya mucho que había dejado el Mapam y que se había vinculado al Matzpen. Se ha negado obstinadamente a retractarse de su firma en la declaración en cuestión, y no quiere comprometerse a abstenerse de propagar sus ideas en el *kibutz*.

Después de la Guerra de los Seis Días, se atreve a expresar públicamente, y sobre todo entre los niños y distintos residentes temporales, sus opiniones críticas sobre materias y acontecimientos relacionados con la seguridad, y de una manera que no puede sino colmar de furia a nuestros jóvenes camaradas soldados o reservistas, e incluso a nuestros camaradas mayores y más ponderados. Sus declaraciones sobre la Guerra de los Seis Días constituyen una inmensa afrenta a los vivos y a los muertos, y al ejército en especial».[4] Ilan Shaliff apeló ante los tribunales, por lo que la expulsión fue diferida algunos meses. Esto fue demasiado para algunos «camaradas», que publicaron entonces la siguiente octavilla:

> ¡Cuidado! ¡No olvidemos la decisión de la asamblea general del *kibutz* de apartar a Ilan Shaliff de nuestras filas! ¡Esta decisión es para nosotros más poderosa que cualquier ley ajena, y tenemos que

3. *Davar*, 18-3-1968.
4. *Hotam*, 5-6-1969.

ser capaces de probar que actuamos con fidelidad al espíritu que ha guiado la decisión de la asamblea general del *kibutz*! Es hora ya de ponerlo en cuarentena para mostrarle claramente que la decisión de expulsarle sigue estando vigente. Pedimos a nuestros camaradas que:
  –No se le hable.
  –No se permanezca en su presencia.
  –No se siente nadie a su lado en el comedor, y que se abandone la mesa en la que él se siente.
  A los espíritus sensibles que hay entre nosotros, nos permitimos recordarles que tomamos estas medidas desagradables sólo en el interés de todos. ¡Así pues, que nadie se moleste!

No contentos con incitar al odio, estos *kibutznikim* pasaron a los hechos. En más de una ocasión le dieron una tunda al disidente, que, por último, fue excluido de Negba en nombre del socialismo y de la amistad entre los pueblos, evidentemente.

Pero Sodoma también tenía sus justos: Yeshayahu Leibovitz, el más grande de los intelectuales israelíes religiosos, que desde 1968 denunciaba en términos extremadamente duros y a veces provocadores la nueva filosofía nacional mesiánica; Israel Shahak, antiguo deportado y presidente de la Liga de los Derechos Humanos, para quien los valores del liberalismo filosófico no podían estar sometidos a compromisos; Felicia Langer, abogada comunista que desde 1967 se dejaba cuerpo y alma en la defensa de los detenidos palestinos; y sobre todo los militantes del Matzpen, entre los cuales me honro haberme contado. Durante media docena de años, este grupúsculo de extrema izquierda acabaría simbolizando a ojos de la opinión pública israelí la lucha contra la ocupación y a favor de los derechos nacionales de los palestinos.

Con la decisión de rechazar el mullido confort del consenso, aferrándose a sus propios valores morales y a un análisis racional de la realidad como a un salvavidas, estas pocas decenas de hombres y mujeres salvaron el alma del pueblo de Israel.

3

PREDICAR EN EL DESIERTO

En 1962, un pequeño grupo de disidentes era expulsado del Partido Comunista Israelí. Su falta: exigir saber más de su propia fuente acerca del conflicto chino-soviético; acerca de la victoria de la Revolución cubana sobre y contra la política del PC local; y sobre todo acerca de la derrota sangrienta y reciente del Partido Comunista Iraquí, el más poderoso de los partidos comunistas árabes, que había parecido en condiciones de tomar el poder. En suma, una exigencia de democratización y una mirada más crítica sobre los dogmas del movimiento comunista internacional.

Muy pronto, los disidentes expulsados se vincularon a un grupo de comunistas de oposición que, desde la década de 1930, habían cuestionado el conjunto de la política estalinista, sus crímenes y sus traiciones, y defendido un retorno a los valores de un socialismo democrático y realmente internacionalista. El interés de este grupo residía en un análisis riguroso del sionismo y del nacionalismo árabe, fruto de una experiencia acumulada en el transcurso de muchos decenios, y desarrollado en numerosos textos de gran valor, que casi nadie había leído.

Los jóvenes excluidos, universitarios en su mayor parte, se embebían de las palabras de los «viejos», en especial de las de Jabra Nicola, personalidad conocida y respetada entre los palestinos de Haifa y hermano enemigo de los dirigentes árabes del PCI, Émile Habibi y Émile Tuma. Este autodidacta, antiguo redactor del periódico literario del partido, *Al Jadid,* se ganaba a duras penas la vida traduciendo novelas policíacas, aunque también traducía a Tolstoi. Su compañera Aliza, militante comunista judía de origen alemán, se encargaba de las tareas de la casa. Su profundo conocimiento de la realidad árabe se conjugaba con el rigorismo y la cultura marxista de Yankel Taut, que había huido del nazismo en 1934 para encontrar, al igual que otros miles de judíos comunistas alemanes, refugio provisional en Palestina. Lo provisional habría de volverse permanente. En 1947, Taut fue herido de gravedad en un atentado árabe[1] contra las refinerías de petróleo de Haifa, donde trabajaba. Tras varios meses de hospitalización y convalecencia renunció a la perspectiva de un retorno a Alemania, lo que había sido la decisión de muchos de sus camaradas. En la década de 1960, Taut era un dirigente obrero conocido y respetado en el centro industrial de la bahía de Haifa.[2]

De común acuerdo, los antiguos disidentes y los recién excluidos crean la Organización Socialista Israelí, más conocida por el nombre de su periódico mensual, *Matzpen* (La Brújula). La organización propone una crítica radical del sionismo: en ruptura con la línea tradicional del PCI, analiza la guerra de 1948 como una guerra de depuración étnica[3] y no como una guerra de liberación nacional; el proyecto que defiende es el de una democratización, una «desionización» de Israel y su integración en el Oriente Próximo árabe que, detrás de Gamal Abdel Nasser, intenta liberarse de la tutela occidental para emprender un gran proyecto de modernización y de reunificación nacional. Algunos de sus militantes, en especial Akiva Orr, que había sido uno de los dirigentes de la huelga de marineros en 1952, poseen una rica experiencia sindical y llevan a cabo a mediados de la década de 1960 una lucha que cuestiona el papel de la Histadrut*. Esta inmensa nomenclatura laborista es una institución paraestatal que administra la cultura y los deportes; hace las veces de seguridad social; posee el mayor parque industrial, que emplea a más del 40 por ciento de los asalariados del país, y juega asimismo el papel de confederación sindical.

Fuera de los círculos sindicalistas de vanguardia, de los campus y de los cafés de la bohemia de Tel Aviv y de Jerusalén, nadie

---

1. La deflagración que el 30 de diciembre de 1947 provocó la muerte de treinta y nueve trabajadores judíos en las refinerías de petróleo de Haifa fue un acto de represalia después de un atentado organizado el mismo día por el Irgún delante de esas mismas refinerías, y que había dejado una cincuentena de víctimas árabes, muertos o heridos de gravedad.

2. Alain Brossat y Sylvia Klingberg, *Le Yiddishland révolutionnaire*, París, Balland, 1983, págs. 309-319.

3. Depuración étnica: contrariamente a lo que a veces se considera, este concepto ha sido utilizado en el contexto palestino-israelí desde 1948; por consiguiente, mucho antes de Bosnia y Kosovo. Los documentos de la Haggana y los informes del ejército israelí emplean el concepto de depuración (en hebreo, *tihur*) para describir la expulsión de los árabes de sus poblados y de su país.

©gedisa

ha oído hablar del Matzpen, que no cuenta con más de una veintena de militantes, judíos en su mayor parte. Habrá de ser la Guerra de junio de 1967 la que otorgará al Matzpen un lugar político y un renombre que nadie hubiese podido esperar.

Octubre de 1967. Me inscribo en la Universidad Hebrea de Jerusalén para estudiar filosofía. No se trata todavía del horrible búnker construido a finales de la década de 1960 en el emplazamiento del antiguo campus del monte Scopus, abandonado después de la guerra de 1948. En 1967, la Universidad Hebrea se encuentra todavía en Jerusalén Oeste, en unos edificios modestos separados por agradables parcelas de césped sobre las cuales los estudiantes dejan transcurrir lo esencial de su tiempo.

Delante de mí veo una aglomeración, escucho insultos, allí se intercambian golpes. Dada mi curiosidad innata, me acerco. Un grupo de estudiantes distribuye un folleto provocador titulado «¡Hasta la coronilla!». En la primera página, un poema de Dan Omer, joven y talentoso traductor de la poesía contestataria americana, y cuyo título carece de ambigüedad: «La sangre corre debajo del puente Damia». Describe en él la masacre en el Jordán de refugiados que intentaban retornar a su país. En letra destacada, la descripción del éxodo de los habitantes de los tres poblados de Latroun y la destrucción de éstos. A los allí presentes no les gusta lo que se les hace llegar, y lo expresan mediante una acumulación de insultos: «calumniadores», «traidores», «idos con Nasser». Entonces recuerdo aquello de lo que había sido testigo unos meses antes, y se me ocurre la desgraciada idea de comentar: «¡Estáis equivocados, lo que escriben es la exacta verdad, lo he visto con mis propios ojos!». Resultado: me gano el derecho a mi porción de tortas y de insultos, y el gran gorro que llevo no hace sino agravar mi caso. Es éste mi primer encuentro con el Matzpen.

De vuelta a casa, leo el folleto por entero y no puedo evitar pensar que lo escrito, y más aún el tono que de él se desprende, están en consonancia con lo que yo experimento en lo más profundo de mí mismo: un rechazo visceral de la opresión y una profunda empatía hacia las víctimas. Por el contrario, permanezco indiferente al análisis subyacente en todo el resto. En los días siguientes vuelvo a ver a esos estudiantes cuya valentía y pasión admiro. Lo que me comentan –en especial algunas consideraciones acerca de la guerra de Argelia y de Sudáfrica– me parece pertinente. Uno de ellos en particular, un joven profesor de matemáticas llamado Moshe

Machover, parece decidido a encargarse de mi educación política, y yo no me muestro insensible a su adoctrinamiento.

Mi educación religiosa no se veía contrariada por la ideología marxista y antisionista de todos ellos, pero sí me chocaba su aspecto exterior: los pelos largos, los vaqueros y las minifaldas generaban en mí un malestar que habría de persistir durante muchos meses.

Cuando Israel comulga con una euforia mesiánica y nacionalista, *Matzpen* titula su edición de agosto de 1967: «Historia antigua – Rebelión contra una ocupación extranjera», con una foto del toque de queda en una ciudad de Cisjordania. En el cuarto día de la guerra de junio, el *Times* londinense había publicado ya, bajo los auspicios de la Asociación Bertrand Russell, una declaración conjunta del Matzpen y del Frente Democrático Palestino, que denunciaba la guerra y afirmaba que el conflicto proseguiría en tanto no se diese una solución justa a la cuestión palestina y no se desionizase el Estado de Israel. Una segunda declaración conjunta, redactada un mes después, afirmaba: «Lo decimos en voz alta y claramente: una paz dictada por Israel, una *pax americana* pública o secreta con el rey Hussein, por ejemplo, no resolverá el conflicto entre Israel y los Estados árabes; a lo sumo, lo congelará. La creación de un bantustán sionista para los árabes de Palestina, en la medida en que siga la política de segregación y de represión, no resolverá la cuestión de Palestina, así como los bantustanes de Suráfrica no pueden resolver los problemas que se derivan del carácter racista de Suráfrica. Una solución viable exige la transformación de Israel en un país normal, es decir el Estado de todos sus residentes, así como la repatriación de los palestinos a su país; sólo a los palestinos les corresponde decidir libremente su futuro político. Como sabemos a ciencia cierta que los dirigentes políticos respectivos no tienen la menor intención de actuar en este sentido, no tenemos la menor duda de que el conflicto continuará. A todos los que se hacen ilusiones al respecto les repetimos: la superioridad económica o política de un grupo humano sobre otro nunca ha sido un medio para resolver los problemas políticos que oponen a las naciones».[4]

El solo hecho de redactar un comunicado conjunto con los árabes era percibido como un acto de traición, a lo que respondían

4. *Matzpen*, núm. 36, junio de 1967.

©gedisa

anticipadamente los redactores del primer comunicado: «Vosotros, con vuestra buena conciencia, nos tratáis de traidores. ¿Qué se supone que traicionamos? ¿Un supuesto interés nacional? ¿Vuestros prejuicios racistas? ¿Cómo traicionar una causa que nunca ha sido la nuestra? Lo que nosotros expresamos al rechazar toda forma de chovinismo y de racismo es nuestra dignidad humana».

A contracorriente, solo contra todos –y fue esto lo que dio rápidamente al Matzpen un renombre no justificado realmente por sus dimensiones, propias de un grupúsculo: durante más de cinco años, todo lo que se agitará en Israel será atribuido al Matzpen, desde la huelga de los estibadores del puerto de Ashdod de 1969 hasta las manifestaciones de los alumnos de enseñanza secundaria por el derecho a llevar el pelo largo, pasando por una bomba puesta en las instalaciones de las refinerías de Haifa por un comando palestino–, el Matzpen se había convertido en el enemigo interior, en la quinta columna, en una obsesión: por ejemplo, en el transcurso del mes de marzo de 1969 es mencionado una quincena de veces en el periódico *Yediot Aharonot*. Entre otros titulares hay que destacar: «El Matzpen toma la iniciativa de una lista [para las elecciones a la Knesset*] que exige el retorno a las fronteras de la partición de 1947» (16-3-1969); «Uno de los jefes terroristas declara: "Mantenemos contactos con el Rakah y el Matzpen" (17-3-1969); «Judíos israelíes ayudan a Al Fatah*» (18-3-1969). A los artículos «de información» se le añaden los comentarios. En el mismo periódico, el periodista liberal Yeshayahu Ben Porat escribe (15-3-1969): «Es hora de que los servicios de seguridad se interesen en este grupo, ya que existe una diferencia entre la democracia y el descuido. Ha llegado el momento de trazar una frontera que impida que se cometan errores que amenazan con convertirse en trágicos».

Unos días después, el escritor de izquierda Amos Keinan escribe: «La sangre corre por el valle del Jordán y el Matzpen llora lágrimas de tinta», añadiendo que sólo por cobardía esta organización no acude a poner bombas en los mercados (20-3-1969). La sangre en cuestión no es, evidentemente, la de los refugiados que procuran retornar a sus hogares, sino la de los soldados caídos en emboscadas de guerrilleros palestinos, que intentan infiltrarse en Cisjordania y se hacen diezmar por un ejército infinitamente más numeroso y mejor equipado.

Evidentemente, no es por azar que los intelectuales de izquierda sean los que se muestran más rabiosos en sus ataques al Matzpen. En Europa, la opinión pública progresista que se había identificado con Israel en 1967 comienza a tomar distancia en lo tocante a la ocupación y la represión, y empieza a simpatizar con la Resistencia palestina. La izquierda europea tiene dificultades para comprender a sus antiguos amigos israelíes, no llegando a diferenciarlos del gobierno ni de la derecha. *Matzpen* se convierte entonces en una referencia a la vez que en una fuente de información tanto más preciosa cuanto que proviene de israelíes, muchos de los cuales fueron soldados durante la guerra de junio de 1967. Los Avneri, Keinan, Ben Amotz y otros como Moshe Sneh –todos intelectuales de izquierda muy apreciados con anterioridad en los salones de Londres y París– se ven obligados a responder a las interpelaciones de los militantes del Matzpen, retomadas por la izquierda occidental. Y reaccionan cual fieras heridas. El periodista de izquierda Boaz Evron habla de «neoantisemitismo»; en su semanario, Avneri compara a sus antiguos amigos con los colaboracionistas del nazismo y llama a los militantes del Matzpen «Al Fatah *girls*». Y se desenfrena en el periódico *Yediot Aharonot,* en el que afirma que los miembros del Matzpen «comenzaron, después de la Guerra de los Seis Días, a defender una línea que no reconoce el Estado de Israel, y hoy prestan gran ayuda a Al Fatah».[5] En cuanto al inefable secretario general del Mapam, Meir Yaari, prefiere amenazar: «Los militantes del Matzpen tienen buenas razones para no abandonar su clandestinidad y no hacerse ver a la luz del día».

Pero existe otra razón para esta obsesión anti-Matzpen: la cultura israelí es una cultura tribal, en la que toda forma de oposición o de disidencia es percibida como una grave anomalía, necesariamente pasajera. La Guerra de junio de 1967 había posibilitado que los disidentes de ayer se reencontrasen en el regazo materno de la sacra unión y volviesen a reunirse, todos, en la cálida atmósfera del consenso nacional y de la tribu reunificada. Los ataques de los intelectuales de izquierda al Matzpen tienen asimismo por objetivo mostrar a los adversarios de ayer que ellos han sabido volver al redil ya que, como prueba de su patriotismo, están dispuestos a ocupar los puestos avanzados de la lucha contra los traidores y sus aliados extranjeros.

Vivíamos de trabajillos, y aquellos de nosotros que éramos estudiantes considerábamos el campus más como un campo de bata-

5. *Yediot Aharonot,* 22-10-1969.

lla política que como un lugar de estudio y de investigación. De manera general, la universidad era todavía un lugar privilegiado para la actividad política. Una minoría nada despreciable, de todas las tendencias políticas, debatía acerca de la cuestión árabe-israelí, repartía y vendía folletos, organizaba manifestaciones y, a veces, se peleaba a puñetazos. El Matzpen se distinguía no sólo por sus posiciones de ruptura con el consenso dominante, sino también por su omnipresencia: no se tomaba ninguna iniciativa política o cultural sin que los militantes del Matzpen estuviesen presentes en forma de al menos una octavilla redactada para la ocasión.

Esta hiperactividad es asimismo lo que otorga a la organización una presencia sin relación con su importancia numérica: en enero de 1969, el Matzpen llama a todos sus militantes y simpatizantes para manifestarse contra la violenta represión que se había traducido en muertos en Rafah, en la Franja de Gaza. Más de una cincuentena de personas acudieron desde los cuatro rincones del país. Debido a un cúmulo de circunstancias, esa misma noche tenía que reunirse el Parlamento de Estudiantes que cada tanto suele deliberar acerca de temas de actualidad. Esta vez se trataba de posicionarse acerca de las nuevas colonias de asentamiento en los territorios ocupados. Era invierno y nevaba en Jerusalén. Aparte de uno o dos *aparatchiks* de la Unión de Estudiantes, únicamente los militantes del Matzpen habían hecho el esfuerzo de acudir, y todos los intentos de los funcionarios por anular la reunión fracasaron, incluido el corte de electricidad. Esa noche, en medio de la oscuridad, el Parlamento de Estudiantes de la Universidad Hebrea de Jerusalén votó por unanimidad una moción por la que exigía el desmantelamiento de todas las colonias, la retirada inmediata e incondicional de los territorios ocupados, ¡y la abolición de todas las leyes e instituciones que afirman y garantizan el exclusivo carácter judío del Estado de Israel! Fue ésta la última vez que dicho Parlamento se reunió…

Si bien cientos de personas pasaron por los círculos de discusión del Matzpen, en general para escuchar un análisis no convencional, y a veces para discutir, raros eran los que acudían con la intención de abrirse realmente a las ideas que exponían brillantes oradores como el matemático Moshe Machover, o personalidades impresionantes como Akiva Orr o Haim Hanegbi, nieto del antiguo rabino de la comunidad sefardí de Hebrón y periodista de talento, a quien todos los periódicos se negaban a emplear. El odio circundante contra aquellos a quienes todo el santo día se describía como traidores era demasiado fuerte como para permitir una verdadera confrontación de ideas. Sólo después de un cuarto de siglo, los que pasaron por esos círculos estarían dispuestos a reconocerlo, a menudo con cierto orgullo.

No obstante, poco a poco, un grupo había desarrollado vínculos más serios con los militantes del Matzpen, aceptando colaborar con ellos en la lucha contra la ocupación: la Unión de Estudiantes Árabes. Minoría marginada en las universidades, los estudiantes árabes vivían en un verdadero gueto.[6] Provenientes de sus poblados de Galilea o del Triángulo –única región en el centro del país donde había fracasado la depuración étnica de 1948–, constituían una pequeña minoría privilegiada que había conseguido ingresar en las universidades israelíes, a pesar del muy bajo nivel de estudios de los institutos árabes de enseñanza secundaria y las tasas de inscripción exorbitantes que una familia árabe media no podía ni soñar pagar. Hasta la guerra de 1967, la tendencia general había sido no hacerse notar, y la Unión de Estudiantes Árabes tuvo muchas dificultades para reclutar adeptos; con mayor razón, para entablar un combate público por los derechos de los ciudadanos árabes, que, hasta 1965, habían vividio bajo un gobierno militar. La Unión de Estudiantes Árabes llevaba una existencia casi clandestina, y sus dirigentes estaban sometidos al tratamiento reservado a todos los militantes árabes, fuesen nacionalistas o comunistas: arrestos domiciliarios, prohibición de circular fuera de determinadas zonas, detenciones constantes seguidas de interrogatorios durísimos, y, a veces, también prisión preventiva. Jalil Toamé, secretario de la Unión de Estudiantes Árabes de la Universidad Hebrea y militante del Matzpen, decidió después de 1967 comprometer a los estudiantes en la solidaridad con sus hermanos palestinos de los territorios recientemente ocupados. Sería rápidamente arrestado y condenado a doce meses de prisión, pero su ejemplo sería seguido por cada vez más estudiantes, cuya conciencia política se afirmaría al ritmo de las iniciativas de las organizaciones de resistencia palestinas. El Matzpen les servía de escuela de formación política e ideológica; para estos estudiantes, se trataba a menudo de la primera

6. Véase Adnan Abed Elrazik, Riyad Amin y Uri Davis, «The Destiny of Arab Students in Institutions of Higher Education in Israel», en Amun, Davis, Sanallah, Elrazik y Amin, *Palestinian Arabs in Israel: Two Case Studies*, Londres, Ithaca Press, 1977, págs. 93-99.

©gedisa

oportunidad para conocer su propia historia, tras haber optado sus padres por callarse.

Muchos años después, en una época en que la juventud palestina se había vuelto a apropiar de su historia, mi amigo Mahmud Hawari relataba en el hermoso filme de Bernard Mangiante *Galilée des pierres* cómo, estudiando en Jerusalén, se había enterado en un círculo del Matzpen de que su poblado natal, Tarshiha, había sido bombardeado en 1948. Sólo después de esto pudo convencer a su padre para que le contara cómo una parte de su familia más cercana había sido eliminada por las bombas israelíes. «Cuando le pregunté por qué no nos había dicho nada de eso, mi padre me contestó: "No quería que tuvieses problemas, que te rebelaras"».

Este silencio de los supervivientes de la tragedia palestina de 1948, la Naqba,* me recordaba evidentemente el silencio de mis abuelos paternos, que habían perdido a la mayoría de sus parientes en el genocidio de los judíos europeos, algo de lo que jamás hablaban. Quizá se sintiesen culpables de haber sobrevivido; o tal vez también ellos preferían que las nuevas generaciones no se volviesen hacia el pasado para encontrar allí el sentido de su rebelión, y que dedicasen sus energías a construir una vida normal y a integrarse en la sociedad dominante.

El impacto del Matzpen en la juventud palestina de Israel desbordará rápidamente los límites de los campus. La joven generación de aquellos a quienes todavía se llamaba «árabes israelíes» se ve sumamente influida por la nueva Resistencia palestina, y paulatinamente menos satisfecha por el discurso insignificante del Partido Comunista Israelí (Rakah), en el que milita a falta de algo mejor. Este partido insiste en considerar la guerra de 1948 como una guerra de liberación nacional, definiéndose como «partido patriótico israelí» y limitando su acción a la lucha por la igualdad cívica dentro del marco del Estado judío. Hasta mediados de la década de 1970, la prensa del Rakah definirá a las organizaciones de la Resistencia palestina como organizaciones terroristas.

El discurso radicalmente antisionista del Matzpen y su incondicional apoyo a la lucha de liberación nacional palestina se convierten en fuente de inspiración para la joven generación palestina que vive en Galilea y en lo que queda, después de 1948, de los poblados árabes en el centro del país. Son cientos los jóvenes que devoran la literatura del Matzpen y acuden a escuchar las enseñanzas en sus círculos de formación. Algunos se incorporarán a las organizaciones de resistencia; la mayoría conformará, después de la

Guerra de octubre de 1973, diversas organizaciones nacionalistas radicales, conocidas bajo el nombre de la más importante de ellas, Abna al-Balad [Los Hijos del País], que no sólo pondrán fin a la hegemonía del Partido Comunista en el seno de la juventud palestina de Israel, sino que lo obligarán a adoptar paulatinamente una línea política más crítica hacia el sionismo y más ostensiblemente palestina. Sin embargo, para llegar a esto habrá que esperar muchos años y aguantar los insultos y los ataques del servicio de orden del PCI cada vez que, en las manifestaciones, militantes nacionalistas y miembros del Matzpen entonen juntos el eslogan «De Hebrón a Galilea, ¡un único pueblo, un único combate, un único porvenir!».

Pero la influencia del Matzpen no se limitaba únicamente a la juventud palestina. Más sensible al anticonformismo, pero sobre todo menos impregnada que la generación anterior de la mala conciencia de los crímenes de 1948, la juventud urbana israelí de los institutos de secundaria se sentía fascinada por aquellos a los que los medios presentaban como responsables de todos los males del país. Tanto más cuanto que el Matzpen no ahorraba su presencia en tales medios, y que sus militantes se prodigaban regularmente a las puertas de los principales institutos de Tel Aviv, Jerusalén y Haifa para distribuir en ellos sus folletos y discutir de política. Sin adoptar necesariamente el conjunto del análisis político que les era presentado, cientos de alumnos de los institutos se identificaban con el antimilitarismo y con la exigencia de justicia que chocaban con el ambiente general. El Matzpen puede reivindicar legítimamente la paternidad de la Llamada a los Estudiantes de Secundaria de 1970, en la que muchas decenas de esos estudiantes interpelaban a Golda Meir, la primera ministra, que acababa de prohibir al presidente del Congreso Judío Mundial, Nahum Goldman, que se encontrase con el presidente Nasser después de que éste hubiese expresado públicamente su deseo de encontrar una solución negociada con Israel. Estos estudiantes de secundaria –entre ellos el hijo de Victor Shem-Tov, ministro de Sanidad– se preguntaban si, ante ese rechazo categórico a dialogar, no tendrían que pensárselo dos veces antes de cumplir con su servicio militar. Schmulik Shem-Tov y sus amigos habían recibido gran parte de su formación dentro de los círculos del Matzpen.[7]

7. Véase Shimshon Wigoder y Meir Wigoder, «Le Mouvement Matzpen», en *Fifty to Forty-Eight, Critical Moments in the History of the State of Israel*, Jerusalén, The Van Leer Institute, 1998, págs. 199-204.

©gedisa

Luchar contra la perversión de los jóvenes por parte del Matzpen pasó a convertirse en una prioridad: algunos directores de instituto llamaban a la policía, otros organizaban pandillas de estudiantes para alejar por la fuerza a los agitadores, otros más practicaban la caza de brujas entre sus alumnos. El Ayuntamiento de Haifa llegó a organizar en 1973 un seminario obligatorio para todos los alumnos de sexto año y de los últimos cursos del bachillerato que tituló, muy simplemente, Seminario Anti-Matzpen. Esta iniciativa, que pronto se reveló como un excelente medio de dar a conocer al Matzpen en los institutos en los que la organización no se hallaba todavía presente, fue sustituida por una verdadera cruzada policial dirigida por el responsable de la brigada de la juventud, el comisario Hemu, con la fe de quien se siente investido de una misión sagrada.

4

SOCIALISMO SIN FRONTERAS

Con el fin de merecer su reputación, los militantes del Matzpen tenían que trabajar duramente. Desde la mañana hasta la noche distribuían folletos, vendían su periódico, organizaban manifestaciones que solían terminar en comisaría, preparaban cursos de formación y círculos de discusión sobre el sionismo, la revolución árabe y la situación internacional, ya se tratase de hablar de Cuba o de las perspectivas revolucionarias abiertas por Mayo del 68 en París, Berlín o Milán.

Porque en el Matzpen se piensa en términos de revolución internacional. Si sus militantes se sienten excluidos –o se excluyen a sí mismos– del colectivo nacional, lo hacen para verse integrados en un marco mucho más amplio. El internacionalismo del grupo determina una ruptura suplementaria con el discurso dominante marcado por el concepto de especificidad judía o israelí, inscribiéndose en la voluntad de aprehender la realidad política local con claves de lectura universales, en especial la de la lucha anticolonialista. Estas referencias tienen, evidentemente, la inmensa ventaja de provocar una inversión de la percepción de mayoría o minoría: no es el Matzpen una minoría marginada e insignificante en Israel, son Israel y su población lo que constituye una pequeña minoría en el contexto de la descolonización del mundo árabe al defender una política y unos ideales retrógrados a ojos de la gran mayoría de la humanidad.

La ideología internacionalista del movimiento hunde sus raíces en la formación ideológica recibida en el seno del Partido Comunista Israelí, abonada por el trotskismo de los antiguos militantes excluidos de sus filas por su «cosmopolitismo» y su no respeto de los valores nacionales. Pero la ideología no lo explica todo, ni mucho menos; en aquellos años negros se contaban por miles los socialistas israelíes que trocaban su internacionalismo por un certificado de patriotismo, no olvidándose de reescribir sus propias biografías con tal de hacer olvidar sus pecados de juventud.

De hecho, el internacionalismo era ante todo una reacción ante el provincianismo y el estrecho nacionalismo de la cultura política israelí, en especial la de la izquierda. Respondía a la necesidad de romper las barreras del clan y huir de la atmósfera sofocante y fétida de una tribu replegada sobre sí misma, complacida en una buena conciencia justificadora de muchas fechorías.

A este rechazo del tribalismo hay sin embargo que añadir, en lo que concierne a los militantes judíos que conformaban la gran mayoría del grupo, una dedicación profunda a la historia y a la cultura de la diáspora judía, así como una empatía real con el sufrimiento de su pueblo. Sorprendente comprobación cuando se ha conocido a esos hombres y a esas mujeres, productos típicos de la cultura israelí y de su sistema educativo, que además rechazaban cualquier idea de vínculo entre Israel y el pueblo judío. Los militantes se decían israelíes, pero en el fondo eran, dentro de la joven generación *tsabar*,[1] supervivientes de la diáspora, de sus sufrimientos y de sus valores. Más o menos conscientemente, el judío sin fronteras y, más aún, el revolucionario judío de la *Yiddishland*, eran los arquetipos con los que se identificaban; con militantes tales como Hersh Mendel o Israel Feld, llamado Srulik el Rojo,[2] que, de la Revolución rusa a la Resistencia francesa y pasando por la MOI* y la España republicana, no habían tenido otra patria que la Revolución mundial.

Si bien los militantes del Matzpen son propiamente expulsados de la tribu y en consecuencia vuelven a encontrarse —es ésta la expresión que empleará veinte años después el presidente de la Corte

1. *Tsabar o sabra*: nombre otorgado a los judíos nacidos en Palestina, y luego en Israel. El término designa originariamente el higo chumbo, al que se conoce como punzante en su exterior pero dulce y azucarado en su interior. El *tsabar* tendría que ser la antítesis del judío de la diáspora. Mi amiga Michèle Sibony llamó mi atención sobre el hecho de que el término *sabar*, la chumbera que es asimismo el símbolo de Palestina, significa en árabe «paciencia», cualidad muy palestina pero muy poco israelí. Véase al respecto la hermosa novela de Sahar Khalifa, *Chronique du figuier barbare*, París, Gallimard, 1978.

2. Hersh Mendel, cuyo nombre verdadero era Mendel Stockfish. Revolucionario judío presente en todas las luchas revolucionarias de Europa, desde la Revolución rusa hasta la Resistencia antinazi en Francia. Habría de acabar su vida en Israel. Dejó escritos sus recuerdos en yídish bajo el título *Mémoires d'un révolutionnaire juif* (Presses Universitaires de Grenoble, 1982). Srulik el Rojo, cuyo nombre verdadero es Israel Feld. Militante comunista judío, belga de origen polaco. Voluntario en las Brigadas Internacionales de España. Deportado a Auschwitz por su actuación en la Resistencia. Deja el PC y la acción militante después de la guerra.

©gedisa

Suprema, Aaron Barak– «fuera de las fronteras de la existencia nacional», aprenden rápidamente a sentirse en casa fuera de esas fronteras, allí donde las cosas parecen agitarse con rapidez, prometiendo un futuro radiante y relativamente cercano: en Vietnam, país por el que Michael Lowy, entonces joven y brillante profesor adjunto en la Universidad de Tel Aviv, había constituido un comité; en las capitales europeas, donde los estudiantes son partidarios de la Revolución (Akiva Orr, instalado en Londres, envía informes diarios); e incluso en Varsovia, de donde llega la *Carta abierta* de Jacek Kuron y Karol Modzelewski, esa crítica socialista y autogestionaria del régimen estalinista que será traducida al hebreo incluso antes de serlo al francés.

Mientras la izquierda israelí arrepentida dormitaba en la euforia posterior a junio de 1967 y aplaudía el pretendido liberalismo de una ocupación que creía de corta duración, nosotros depositábamos nuestra esperanza y nuestro optimismo inquebrantable en los logros de la guerrilla en Bolivia, los artículos de Ernest Mandel sobre el hundimiento del dólar y las visitas estivales de militantes trotskistas y anarquistas que, provenientes de París o de Berkeley, en California, nos hacían compartir sus ilusiones acerca de la crisis final del sistema burgués.

Sin sus vínculos permanentes y profundos con los movimientos de izquierda a través del mundo, y más aún con los militantes árabes que se hallaban en Europa y en América del Norte, sería de dudar que el Matzpen hubiera podido mantenerse impermeable a los cantos de sirena nacionalistas. En los círculos del movimiento, en Tel Aviv o Jerusalén, se vibraba con las noticias de la ofensiva del Tet, del levantamiento de Praga, de las barricadas parisinas de Mayo del 68. Gracias a los camaradas que residían en Europa, se habían estrechado nuestros vínculos con la SDS alemana, el movimiento británico opuesto a la guerra, la Juventud Comunista Revolucionaria de Francia. Las ideas de Mayo del 68 circulaban hasta en las afueras de Haifa. El atentado contra Rudi Dutschke en Berlín nos había sacudido como si se hubiese tratado de uno de nosotros, y resultó muy normal que, en el transcurso de una de sus visitas a Jerusalén, el magnate alemán de la prensa amarilla Alex Springer fuese recibido por unas decenas de manifestantes que le acusaban de incitación al crimen y de propaganda neonazi. Springer, estupefacto, preguntó a su amigo íntimo Teddy Kollek, alcalde de Jerusalén, qué se solía hacer en Israel con gamberros como nosotros...

Cuando Daniel Cohn-Bendit fue invitado en 1970 por la Unión de Estudiantes de la Universidad Hebrea, contactó por supuesto con el Matzpen para saber si debía aceptar, así como para intercambiar opiniones acerca de lo que debía declarar. Apenas llegado a Tel Aviv, anunció que venía a encontrarse con sus camaradas, con quienes compartía sus ideas... De hecho, ¡no habría de conocerles sino al día siguiente, en el curso de una breve sesión informativa antes de la conferencia para la cual la Unión de Estudiantes le había pagado billete y estancia! El movimiento supo utilizar al máximo esta visita, sobre todo para ajustar cuentas con algunos intelectuales israelíes de izquierda que tuvieron que pagar su deseo de encontrarse con el astro al coste de las reprimendas muy claras de éste hacia sus posturas patrioteras y sus ataques contra sus amigos del Matzpen.

En el extranjero, en Europa y en Estados Unidos en especial, es donde el movimiento se muestra más eficaz y plantea un verdadero problema al aparato de propaganda sionista. Sobre el fondo del movimiento contra la guerra en Estados Unidos y el de una fuerte corriente anticolonialista en Europa, los portavoces del antisionismo israelí son oradores muy solicitados en los campus. El hecho de que sean israelíes les otorga una credibilidad que los prejuicios racistas (arraigados incluso entre los intelectuales de izquierda) rehúsan a menudo a los árabes. El Matzpen parece estar en todas partes.

Invitado a hablar en 1970 ante los estudiantes de la Universidad Libre de Berlín, el embajador israelí Asher Ben Nathan vio cómo se le imponía la presencia en la tribuna de «un representante del Matzpen que pueda expresar el punto de vista de la oposición». Negándose a tal simetría y procurando heroicamente superar el escándalo, el embajador se encolerizó e infló involuntariamente la importancia numérica del grupúsculo: «Pero ¿qué es el Matzpen? ¿Veinte mil personas a lo sumo?».

El mismo año, un grupo compuesto por personalidades de la izquierda norteamericana encabezado por el cantante Pete Seeger y el rabino Elmer Berger organiza una gira de conferencias por los campus de Estados Unidos. Politólogo en la Universidad Hebrea de Jerusalén e investigador especializado en organizaciones extremistas de derecha e izquierda, el profesor Ehud Schprinzak recuerda: «Por entonces era yo presidente de la Unión de Estudiantes Israelíes en América del Norte. Un buen día llega Arie Bober a América. Va a todas partes: a Columbia, a la New York University, a montones de otras universidades, donde relata una cosas y denuncia otras. El problema era que los suyos disponían de una información detallada sobre todo lo que pasaba, habían hecho su servicio militar, lo sabían todo, incluidas muchas cosas que nosotros ignorábamos, acerca de los poblados destruidos, por ejemplo. Una vez hechas nuestras comprobaciones, se reveló que tenían razón. Durante horas, nosotros [la dirección de los Estudiantes Sionistas] discutimos acerca de qué debíamos hacer, cómo reaccionar. Dado que no había respuestas, decidimos plantearle muchas preguntas que nada tenían que ver con el tema, sólo por ganar tiempo. No se podía hacer otra cosa que limitar el daño. Cuando volví al país, mantuvimos una reunión en el ministerio de Asuntos Exteriores para decidir cómo reaccionar ante la influencia del Matzpen en el extranjero, pero también en los institutos de enseñanza secundaria de Israel. Recuerdo muy bien el pánico que reinaba en esa reunión: los más dotados de los estudiantes de secundaria se veían atraídos por las escandalosas ideas del Matzpen».[3]

Esta capacidad para salir de los estrechos límites del gueto israelí, así como de su discurso, es sin duda lo que nos ha otorgado, a la mayoría de nosotros, la fuerza para remar a contracorriente. Lo que vivíamos en nuestra vida cotidiana era la Historia, con mayúscula, con los vietnamitas, los obreros de la Fiat en Turín, los Black Muslims en Nueva York, o la Conferencia Tricontinental en Cuba. La Historia era sinónimo de Revolución, y ésta se conjugaba en presente, o a lo sumo en un futuro inmediato. Los resistentes palestinos eran los catalizadores de una próxima sublevación de los obreros de El Cairo y de Damasco, que reunificaría la nación árabe en el socialismo después de haber barrido a los regímenes reaccionarios de la región, incluido, claro está, el Estado sionista.

El socialismo sin fronteras del Matzpen se expresaba ante todo en el rechazo de aquéllas mediante las cuales las grandes potencias habían parcelado el mundo árabe tras la caída del Imperio otomano. Nosotros hablábamos de una «revolución árabe», a la que el pueblo israelí tenía que integrarse. Esta Revolución debía reunificar la nación árabe, permitiendo al mismo tiempo una verdadera independencia nacional y un desarrollo económico, social y cultural del que el socialismo sería garante. Israel tenía que desaparecer como entidad, pero, fieles al canon leninista, reivindicábamos el derecho a la autodeterminación de las minorías no árabes, los kurdos, los judíos

©gedisa

---

3. Citado en el filme *Rencontres interdites* (2001), de Eran Turbiner.

israelíes y los sudaneses del sur, de quienes Occidente no comenzaría a oír hablar sino tres decenios después.[4] ¿Una utopía? Claro que sí, pero no tan desconectada de las aspiraciones y las búsquedas de la izquierda árabe, nacionalista o socialista, con la que manteníamos un diálogo político continuado, erudito y apasionado.

Diálogo sobre todo epistolar, aunque también hubo encuentros en Europa y en América. El debate con militantes y organizaciones árabes era para nosotros una cosa natural, no muy distinta de las discusiones con militantes belgas o italianos, y nunca tuvimos el sentimiento de defraudar a nadie o de hacer historia. Años después, entrevistado por un periodista israelí acerca de los primeros contactos árabe-israelíes, intenté sin mucho éxito hacerle entender que esos encuentros eran tan naturales en el marco de nuestro internacionalismo, que me resultaba difícil acordarme de detalles, de nombres o de lugares; que el encuentro con Miguel Enríquez, del MIR* chileno, me había marcado mucho más que mis primeras discusiones con militantes árabes, y que nunca creímos estar participando en momentos históricos al entrevistarnos con árabes o palestinos. Para los militantes, estos encuentros no eran entre enemigos, ni tampoco simples negociaciones apresuradas, sino discusiones entre camaradas de países diferentes. No éramos israelíes que se encontraban con árabes, sino militantes socialistas que seguían una conversación iniciada hacía más de un siglo y que proseguía en las cuatro esquinas del globo.

Este internacionalismo se pagaba al elevado precio de una pérdida de identidad voluntariamente asumida, pero que muy pronto habría de revelarse estéril políticamente, y desestabilizadora desde un punto de vista personal. En todos los aspectos de la vida política y social, defendíamos la opinión contraria de la sociedad a la que pertenecíamos: hablábamos de los israelíes en tercera persona, diciendo «su bandera», «su ejército», «su política»; raros eran entre nosotros los que celebraban las fiestas judías, a no ser en sus manifestaciones familiares, y considerábamos una cuestión de honor hacer como si no existiesen; dábamos la espalda a todo lo que pudiese tener «aire israelí», en especial a la música popular y a las caminatas por la naturaleza, lo que me provocaba una doble frustración. Habiendo optado por ser ciudadanos del mundo, o miem-

4. Véase *La Révolution arabe - État des lieux et perspectives* (hebreo/árabe), Jerusalén, Pages Rouges, 1974.

©gedisa

bros de una clase internacional, habíamos cortado voluntariamente las raíces que nos ligaban a nuestra sociedad y a su cultura. A menos que el movimiento no degenerase en una auténtica secta, lo que felizmente no se correspondía con el carácter de la mayoría de militantes, este desarraigo no era viable. Esto puede explicar por qué muchos de nosotros optamos por instalarnos en el extranjero durante períodos más o menos prolongados.

El Matzpen exigía a sus militantes palestinos el mismo tipo de ruptura con los símbolos nacionales: hubo que esperar al final de la década de 1980 para que la bandera palestina, a cuyo servicio cientos de jóvenes palestinos habían caído muertos o habían sido heridos, se tornara legítima para nosotros. Antes que emigrar, muchos militantes palestinos prefirieron cambiar este socialismo sin fronteras por un nacionalismo radical, jugando así un papel importante en el desarrollo de las organizaciones nacionalistas en el propio Israel.

Pero en los años inmediatos a la posguerra de 1967 fue este internacionalismo lo que hizo las veces de brújula para unas decenas de militantes del Matzpen. Les permitió no encallar en los escollos del socialismo nacionalista y de la «especificidad israelí», que permitían a los otros intelectuales de la época justificarlo todo y creer que Israel nunca habría de pagar el precio de una política cada vez más abiertamente colonialista. Este internacionalismo que los situaba fuera de las fronteras de la tribu les otorgaba una ajenidad que ellos asumían con total conciencia, haciendo de la necesidad virtud. Semejante abnegación quedaría explicada sin duda por la certeza de que la salvación de la comunidad israelí dependía de su capacidad de romper con una política colonialista que la oponía no sólo al movimiento nacional árabe, sino al propio movimiento de la historia. Paradójicamente, era el destino de los israelíes lo que nos motivaba: era necesario ganarlos para la causa de la Revolución, en cuyo defecto tendría que haber una nueva Massada,[5] aquel suicidio colectivo de los últimos combatientes judíos contra los romanos.

---

5. Massada: fortaleza situada cerca del mar Muerto, último reducto de la resistencia judía contra los romanos. Según la leyenda, los resistentes se suicidaron en su totalidad antes que rendirse a los romanos. La historia de Massada ha constituido largo tiempo uno de los mitos fundadores de Israel, hasta el punto de que los paracaidistas prestaban juramento en este lugar. El plan nuclear israelí se llamó durante mucho tiempo «la opción Massada».

©gedisa

5

A CONTRACORRIENTE

La actualidad candente de la Revolución era la fuente de un militantismo desenfrenado que no sabía ni de días ni de noches, ni de fines de semana ni vacaciones: éramos revolucionarios profesionales que no tenían derecho a perder su tiempo ni a despilfarrar sus energías en nimiedades como disfrutar del tiempo libre, o incluso la familia. Porque el tiempo estaba contado. Había que ganar a la opinión israelí para nuestras ideas, pues sólo ellas eran capaces de garantizarles la seguridad y la existencia nacional en el Próximo Oriente de mañana.

No estoy seguro de que todos los militantes del Matzpen hayan sido tan integristas como su ideología parecía exigir. Muchos de nosotros no boicoteábamos los bares de Tel Aviv ni los paseos por el Sinaí ocupado. Pero, en lo que a mí me concierne, la noción de «despilfarro de tiempo»[1] guardaba resonancias con mi educación religiosa: el sentido del deber y del cumplimiento habían excluido de mi orden del día no sólo los fines de semana ociosos y las vacaciones en familia, sino también la lectura de lo que no fuese puramente político y cualquier otra forma de actividad cultural, a excepción de algunos pocos conciertos en los que la música no siempre llegaba a acallar mi sentimiento de culpabilidad: hubiera debido estar escribiendo un panfleto o corrigiendo pruebas. Recuerdo en especial aquellos sábados en los que atravesábamos en autostop los poblados árabes (todos éramos demasiado pobres como para disponer ni tan sólo de un único vehículo) donde vendíamos nuestro periódico, que los aldeanos adquirían la mayoría de las veces por pura compasión. Frente a nuestros desvelos y al cansancio que se leía en nuestros rostros, carecía de peso el atractivo de nuestra literatura, cuyos temas estaban muy alejados de sus preocupaciones.

---

1. «Despilfarro de tiempo» (*bitul zman* en hebreo) es una expresión que, en el mundo judío ortodoxo, supone el tiempo no dedicado al estudio.

Entre otras tareas, yo era responsable de una célula en el poblado de Tira. Una o dos veces por semana intentaba organizar allí el trabajo político de una docena de militantes palestinos que, si bien compartían plenamente nuestras críticas radicales del sionismo y de la política israelí, mostraban suma dificultad en adaptarse a las rígidas normas de una organización cuyo leninismo se traducía en una inflación de estructuras jerárquicas (desde el negociado político hasta las secretarías de sector, ¡cuando el total de nuestros miembros activos nunca superó la cincuentena!). Con gran gentileza, los militantes votaban regularmente las resoluciones sometidas por el Comité Central, para actuar a su antojo una vez terminada la reunión. Después de las reuniones comenzaban las discusiones más apasionantes, siendo ahí donde aprendí lo que pocos israelíes han tenido la suerte de conocer: no sólo la historia viva del movimiento nacional árabe en Palestina/Israel, sino sobre todo lo vivido, los problemas y las esperanzas de los palestinos bajo dominación israelí. Lo que se perfilaba se hallaba en los antípodas de los prejuicios repetidos por los medios de comunicación, en boca de los llamados, todavía hoy, «expertos en cuestiones árabes» (de hecho, policías provistos de un vago diploma universitario de orientalismo, que nunca supieron prever las explosiones de rebelión de esta población que se negaba a ser pacificada, desde la Jornada de la Tierra[2] en 1976 hasta la sangrienta rebelión de octubre de 2000). Estas discusiones proseguían hasta muy entrada la noche, y yo volvía a pie hacia la ciudad de Kfar Saba, algunas veces bajo un aguacero. Cuando el autostop se revelaba infructuoso, un chófer de taxi colectivo aceptaba dejarme dormir en su vehículo, que no se llenaba hasta el amanecer, cuando la gente normal se levantaba para acudir a su trabajo.

A menudo éramos también invitados a hablar en *kibutzim*. O mejor dicho a ofrecernos como espectáculo, ya que aquellos que realmente querían escuchar lo que teníamos que decir eran muy pocos; esta buena gente, fascinada por el radicalismo de nuestra herejía, mostraba sumo placer en gritar su odio cuando nosotros les recordábamos que su socialismo había sido erigido sobre las

2. Jornada de la Tierra: el 30 de marzo de 1976, la población árabe de Israel organiza una huelga general para protestar contra una nueva ola de expropiaciones masivas de tierras. Ya al alba, la policía dispara y causa seis muertos. Esta jornada es celebrada desde entonces como la Jornada de la Resistencia de los Palestinos de Israel.

©gedisa

ruinas de tal o cual poblado árabe destruido en 1948. El asunto que supuestamente ponía fin a la discusión era, invariablemente, la pregunta: «¿En qué sector del ejército estuvisteis?». Nosotros habíamos optado por no contestar jamás a esto, aunque algunos de nosotros habíamos tenido un pasado militar prestigioso.

Nunca transcurría más de una semana sin una detención, seguida con frecuencia por una o dos noches en comisaría. Trabé conocimiento del mundo penitenciario en la Moskobiyé[3] de Jerusalén, una experiencia que habría de resultarme muy útil años después, cuando conocí lo que es la prisión de verdad. Los centros de detención forman parte de esos lugares donde pude encontrarme con hombres que jamás hubiese tenido posibilidad de conocer de otro modo. Como Charlie y Saadia, jóvenes delincuentes del barrio de Musrara, con quienes mi camarada Shimshon había pasado una noche entera relatándoles la epopeya de los Black Panthers en América, y que más adelante decidieron crear unas Panteras Negras[4] *made* in Israel. En 1971-1972, con ocasión de las grandes manifestaciones de los Panteras Negras que tenían lugar a menudo en las noches de sábado, pasé muchas de esas noches de sábado a domingo en la Moskobiyé, a tal punto que mi hijo mayor, Dror, que por entonces tenía tres años, creyó por mucho tiempo que en nuestro ambiente no se celebraba el fin del sabbat* con velas y clavos de especia, sino gritando consignas frente a los muros del lóbrego caserón que servía de albergue semanal a su padre. En 1969, en la Moskobiyé de Nazaret (¿por qué las casas de detención suelen estar instaladas en antiguas residencias imperiales rusas?), me encontré con los miembros del comité de redacción del semanario del PC israelí, que eran detenidos durante un mes en cada víspera de elecciones con el evidente propósito de paralizar a su partido durante la campaña electoral. Por nuestra parte, nos habíamos ganado dos noches en comisaría por haber querido reemplazar a los militantes detenidos distribuyendo panfletos que llamaban a votar por un partido al que, por lo demás, considerábamos burocrático y do-

3. Moskobiyé: el barrio moscovita, es decir la antigua colonia rusa. En este barrio se encuentra la comisaría de Jerusalén y su siniestramente célebre centro de interrogatorios.

4. Panteras Negras: movimiento constituido en 1971 por jóvenes judíos de cultura árabe, sobre todo marroquí, de los barrios pobres de Jerusalén para protestar contra la discriminación de que eran objeto los judíos-árabes.

©gedisa

blemente traidor: a la clase obrera a la vez que a la causa nacional palestina. Esas cuarenta y ocho horas de detención en común constituyeron la más extensa discusión política, y sin duda una de las más apasionadas, que pudimos mantener con nuestros hermanos enemigos del PCI.

El 30 de marzo de 1976, después de una manifestación contra el asesinato por parte de la policía de seis palestinos de Israel que protestaban ante una nueva ola de expropiaciones de tierras, me encontré con una veintena de militantes en la comisaría de Jerusalén. Escuché que se cuchicheaba mi nombre en una celda vecina. Eran Sirhan y Ahmad, dos militantes palestinos detenidos incomunicados. Querían hacer saber a mi compañera, la abogada Léa Tsemel, que estaban siendo interrogados por los servicios de seguridad por un asunto de un coche bomba colocado en el centro de Jerusalén.

Nueve años después, tras su liberación en el marco de un intercambio de prisioneros, Sirhan y Ahmad se han convertido en amigos con quienes prosigo aún hoy una acción política iniciada en aquel encuentro en la Moskobiyé: desde el establecimiento de la Autoridad Palestina, Sirhan Salaimeh es uno de los jefes de la seguridad preventiva palestina, y Ahmad el-Batch es diputado electo de Al Fatah ante el Consejo Legislativo Palestino.

El activismo de los militantes del Matzpen tenía lugar contra un telón de fondo de ostracismo y de aislamiento que resulta difícil plasmar treinta años después. Ser militante del Matzpen, o simplemente ser visto con militantes del Matzpen, significaba la exclusión fuera de las fronteras de la tribu. La gente se alejaba de nosotros como de apestados, y cuanto más cerca estaban ideológicamente, más tenían que marcar su distancia. Una amiga, militante feminista de Haifa, conocida por su valentía y su inconformismo, me contaba hace poco que hacia la época en que ella era estudiante, había expresado muchas veces su simpatía por el Matzpen. Su padre, alto funcionario de Asuntos Exteriores, le había dicho: «Si te llegas a juntar con los del Matzpen, romperé todo contacto contigo, porque serías capaz de rebuscar entre mis papeles para facilitar secretos de Estado a los árabes». A pesar de su valentía y de su inconformismo, ¡no retomó contacto con el movimiento hasta veinte años después!

Léa y yo tuvimos la suerte de no ser excluidos por nuestras respectivas familias, lo que ocurrió en el caso de muchos de nuestros camaradas. Al optar por no romper con su hija, aceptando incluso que algunas reuniones se llevasen a cabo en su casa, mi suegra sabía que cortaba los puentes con sus vecinos y sus amigos más cercanos.

Para un militante, las posibilidades de obtener un empleo en la Administración o en la Universidad eran muy escasas. En 1971, el director del Departamento de Ciencias Políticas de la Universidad Hebrea de Jerusalén condicionó un puesto de adjunto y una beca a mi dimisión pública del Matzpen. En 1973, cuando fui contratado como profesor de filosofía en un instituto de Haifa, estaba convencido de que se trataba de un error administrativo. Dos meses después, el director me hizo saber efectivamente que estaba despedido «por razones evidentes que ni siquiera hay necesidad de explicar». Mis alumnos hicieron una huelga de protesta, pero por mi parte yo consideraba esta medida como algo natural.

En este terreno, estábamos en buena compañía: todo árabe que no tuviese la luz verde de los servicios de seguridad, en especial si era militante del PC, no tenía ninguna posibilidad de encontrar un puesto en la enseñanza, incluso en asignaturas tan inofensivas como la química o el dibujo. Hasta la década de 1980, un árabe no necesitaba diploma para enseñar, pero era indispensable que fuese un colaboracionista o, al menos, que estuviese apoyado por colaboracionistas. Esto explica sin mayores dificultades el nivel extremadamente bajo de la enseñanza en los colegios y los institutos árabes en Israel.

Pero incluso en las sociedades más totalitarias existen justos que se niegan a someterse al espíritu tribal y no temen al qué dirán. Escandalizado ante este fenómeno de exclusión, el profesor Yona Rosenfeld, de la Escuela de Formación de Trabajadores Sociales de la Universidad Hebrea, había transformado su unidad de investigación en refugio de militantes diplomados y sin trabajo. Lejos de expresar su reconocimiento mediante una seria implicación profesional, ¡sus protegidos habían convertido rápidamente la Escuela en un club político!

El ostracismo no era siempre fácil de vivir, pero nosotros encontrábamos compensaciones en la fraternidad que se creaba con los palestinos, en las esperanzas que suscitaban en nosotros las luchas del Tercer Mundo y los sobresaltos que sacudían Europa, en la certidumbre de la justicia de nuestra causa y en la fe en el futuro radiante que nos prometía nuestro combate. Sin duda, no era lo mismo para nuestros hijos. No éramos muchos los que habíamos optado por tenerlos, prefiriendo la mayoría de los militantes aplazar este aspecto de normalidad hasta mejores días.

Nacer en Israel en 1972, si se es hijo de un militante antisionista, es realmente iniciar el camino de la vida por el lado equivocado. Dror dejó Israel con su madre, mi primera esposa, cuando sólo tenía tres años y medio. No conoció la vida de «niño de militante» salvo durante los meses de verano que pasaba regularmente en casa; pero mi hijo menor, Nissan, tuvo que asumir esta difícil realidad durante toda su infancia.

Léa y yo compartíamos una concepción de la militancia y del compromiso que no dejaba mucho lugar a una implicación parental a fondo. Entre las reuniones, las manifestaciones, los seminarios formativos y la venta de periódicos durante el fin de semana, el tiempo dedicado a Nissan era de lo más limitado. Rápidamente, nuestro hijo cayó bajo la responsabilidad colectiva del grupo. Otros militantes lo cuidaban cuando nuestras tareas políticas nos acaparaban, lo que ocurría permanentemente. Para nosotros hubiera sido indigno y vergonzoso renunciar a cualquier actividad política para ocuparnos de nuestro hijo, malgastar un fin de semana con él o dejar escapar una venta militante con el pretexto de organizar una fiesta de cumpleaños. Si la vida de sus amigos estaba estructurada por las fiestas judías y los encuentros familiares, la de Nissan estaba ritmada por las conmemoraciones políticas, desde el 1 de Mayo hasta la Jornada de la Tierra. Con frecuencia lo llevamos a cuestas a manifestaciones que degeneraban en episodios de violencia bastante graves, y él conservó largo tiempo el recuerdo traumatizante de un joven palestino cubierto de sangre al que los policías intentaban introducir violentamente en un furgón, mientras nosotros huíamos por los techos de la ciudad antigua arrastrándolo como a una bolsa de la compra.

Pero lo peor, para un niño, era el aislamiento social en el que vivíamos y la conciencia de la hostilidad que nos rodeaba. Fuera de un ambiente propio de grupúsculo en el que nos hallábamos como peces en el agua, había odio, y para Nissan, miedo. El patriotismo de algunos adultos se conjugaba a menudo con la mala intención y la necedad, como la de aquella maestra de la guardería que le hacía repetir ante sus compañeritos que eran los árabes quienes querían apoderarse de la tierra de los judíos y no lo contrario, aun cuando él no tenía la menor idea de aquello de que se le hablaba. Esta misma «educadora» lo sometió un día a un riguroso interrogatorio acerca de la abogada comunista Felicia Langer, conocida por su defensa de los palestinos, pero a la que nunca había visto y de quien jamás había escuchado siquiera el nombre.

Las dos abogadas que se habían puesto a disposición de los combatientes palestinos (¿es un azar el que únicamente mujeres escogiesen esa opción en aquella época?) eran el blanco preferido del odio ambiental: amenazas de muerte, neumáticos pinchados, etcétera. Nissan tenía la desgracia de ser hijo de una de ellas; regularmente le decían que su madre era una traidora, una guarra, una «puta de Arafat». Fue testigo de algunas agresiones menores a Léa, por lo general insultos seguidos de escupitajos, que solían terminar en una trifulca porque Léa no se mordía la lengua, no era una «jaboncilla».[5] Ella devolvía los golpes, y la grosería de sus réplicas habría hecho ruborizarse a más de un brigada.

A la edad de seis años, Nissan decidió desmarcarse de su madre: acostumbraba a marcharse a la otra acera y allí afirmaba, duro como el hierro, que su mamá no era abogada, sino que su oficio era la confección de marionetas. En esto, asumía el papel de un amigo suyo que vivía en la casa de enfrente. Las agresiones de que éramos víctimas eran más verbales que físicas, y las numerosas cartas con amenazas nunca fueron seguidas por los actos anunciados, pero ni que decir tiene que vivíamos en un ambiente tenso y angustiante, y que no se trataba de mera paranoia. En la adolescencia, más israelí que judío, Nissan optó por convertirse en camorrista. Dotado de gran fuerza física, consiguió imponer respeto hacia su persona y su familia mandando a muchas personas al hospital.[6] Pero la angustia que lo atormentaba no lo abandonó sino mucho más tarde, cuando, después de la firma de los acuerdos de Oslo, sus padres se convirtieron en personas cuya presencia era requerida en los círculos de la izquierda elegante y bien pensante, donde había deseos de rehacerse una historia que no estuviera demasiado en disonancia con el aire de los tiempos y sus nuevos vientos.

Pero en su momento la izquierda había creado un vacío alrededor de los militantes del Matzpen, erigiendo un verdadero telón de acero entre ella y nosotros. Para esta izquierda en busca de legitimidad, nosotros éramos el objeto intratable de una obsesión pa-

---

5. Expresión judía que significa sumiso o cobarde. Véase pág. 194.

6. La juventud de Nissan está bien descrita en el filme *Avocate sans frontières* (1998), de Isaac Lerner.

ranoica: el miedo a la contaminación. Reconozco que esta ausencia de relaciones con quienes no compartían nuestras posturas no
era impuesta únicamente desde el exterior: la asumíamos plenamente, pues también nosotros estábamos obsesionados ante el peligro de que el espíritu viscoso del tribalismo y las falsas verdades
consensuales nos contaminasen. Sólo entre los militantes árabes
del PC Israelí encontramos todavía cierta simpatía, e incluso a veces una especie de envidia por nuestro entusiasmo y nuestro declarado radicalismo. Una noche de 1969, cuando celebrábamos en un
bar de Jerusalén el matrimonio de Ilan Halevi, militante del Matzpen que se incorporaría unos años después al departamento diplomático de la OLP, el diputado y poeta Émile Habibi, que había tomado ya unos cuantos whiskies, me sentó sobre sus rodillas y,
marcando el ritmo de sus palabras con el puño sobre la barra, me
dijo, con los ojos húmedos de alcohol y de melancolía: «¡Veinte
años que estoy en la Knesset, levantando mi dedo como un idiota!
¿Tú crees que es esa la vida con la que yo soñaba cuando tenía vuestra edad? ¡Cómo os envidio!...». Antes de ser forzado por Moscú a
jurar fidelidad al Estado judío y a predicar el patriotismo israelí,
Émile Habibi había sido uno de los jóvenes dirigentes, valientes y
populares, del movimiento nacional árabe en Palestina.

©gedisa

6

PASADORES

La señora Mandouze me enseñaba letras en el instituto judío de Estrasburgo. Era de esas profesoras capaces de marcar la vida de sus alumnos debido a su personalidad, a las migajas de conocimiento que les comunican y a los valores que les transmiten. Le debo mi amor por la literatura clásica y mi odio a toda forma de injusticia. Jeanne Bouissou-Mandouze y su marido habían participado en todas las luchas por la justicia y la dignidad humana, desde la Resistencia antinazi hasta la independencia argelina. Profundamente cristiano y humanista intransigente, André Mandouze fue uno de los instigadores de la Llamada de los 121 contra la tortura en Argelia, pero, menos célebre que Jean-Paul Sartre, había sido encarcelado por este acto de resistencia. Yo nunca lo vi, pero lo poco que sabía por entonces de su vida y de sus luchas, además de la admiración que sentía hacia su esposa, guió seguramente de manera inconsciente muchas decisiones mías. Más de treinta años después, di por azar con el primer tomo de sus memorias; leyéndolas, me sentí orgulloso de haber optado por considerarme un discípulo de esta valerosa pareja.

Portadores de maletas. Así es como se llamó a los franceses que se pusieron al servicio de los nacionalistas argelinos, ya fuese para transportar fondos y material de propaganda o para echar una mano a la lucha armada. Sería presuntuoso por nuestra parte considerarnos portadores de maletas, ya que durante todos estos años hemos procurado por lo general no llevar a cabo acciones que nos llevasen a quebrantar la ley. En el discurso citado en la introducción a esta obra he intentado explicar esta decisión.

No cruzar la frontera, sino situarse en el límite de la ley, entre el derecho y lo prohibido. En una democracia, lo que no está explícitamente prohibido es legal. Batirse por la democracia implica llegar más lejos que lo que está abiertamente autorizado, siendo imperativo poner a prueba la ley, ocupar cualquier espacio de libertad no explícitamente prohibido, y a veces, también, desafiar la ley para imponer nuevas libertades. En el campo de las libertades, cualquier espacio desestimado termina siendo ocupado por el poder y sus prohibiciones.

Así pues, nosotros no fuimos portadores de maletas, sino, a lo sumo, unos pasadores que habían hecho de la solidaridad el corazón de su batalla.

Los militantes del Matzpen buscaron interlocutores en los territorios ocupados a partir de 1967. Se sobreentiende que interlocutores ideológicos, ya que en la izquierda comunista todo comienza por el programa. Así tuvo lugar un primer encuentro con Taissir Kubaa, presidente de la Unión de Estudiantes de Cisjordania y militante del Movimiento de los Nacionalistas Árabes, que pronto habría de transformarse en el Frente Popular por la Liberación de Palestina. Taissir iba a ser expulsado casi de inmediato de los territorios ocupados, convirtiéndose a continuación en el portavoz del FPLP*. El arresto de Jalil Toamé, militante árabe del Matzpen que se había encargado del enlace con Taissir, y su condena «por contacto con un agente extranjero», enfriaron sensiblemente los entusiasmos de los contactos, tanto más cuanto que los militantes palestinos situados a la izquierda eran sistemáticamente expulsados.

Con todo, poco a poco se fueron estableciendo relaciones con intelectuales de izquierda, sobre todo en la Universidad de Bir Zeit. Se constituyó de este modo un círculo de discusión alrededor de Ilan Halevi, que incluía entre otros a la profesora de literatura Hannan Ashrawi, el sociólogo Salim Tamari y el economista Adel Samara (que, contrariamente a los otros, tenía ya una larga experiencia militante y muchos años de prisión a sus espaldas). El objetivo de estos encuentros no era la acción. Con una concepción propagandista extrema, procurábamos sobre todo elaborar posturas políticas comunes que israelíes y palestinos se encargarían de difundir en sus respectivas comunidades. Se trataba de mostrar que nuestro objetivo común –una estructura política binacional, socialista y liberada del sionismo– se beneficiaba del apoyo de la otra comunidad, dejando por ello mismo de ser utópico. Creíamos todavía en el poder de la palabra y en el de las ideas lógicas y generosas para cambiar el mundo.

Más adelante habría otros círculos, incluyendo sobre todo a los estudiantes cercanos a organizaciones de la izquierda palestina, en Bir Zeit o en la Universidad de Belén. En este contexto conocí a Riad Abu Awad. Dirigente de la Unión de Estudiantes de la Universidad de Bir Zeit, había hecho de la acción pública su eje estratégico, organizando manifestaciones, grupos de voluntariado en los poblados y en los campos de refugiados, pero también procurando contactos con militantes israelíes. Hacia finales de la década de 1970, pasé muchas noches en habitaciones de estudiantes en Bir Zeit, dando cursos de formación sobre la sociedad israelí, o discutiendo la estrategia palestina y la de la revolución. *Al-Munadel,* publicación mensual en árabe del Matzpen, así como nuestra revista teórica *Umamiye* (Internacional) solían servir de base de discusión. En estos encuentros se organizaba asimismo la participación de israelíes en las iniciativas políticas de los estudiantes, o, aún más, acciones de solidaridad en Israel, sobre todo relacionadas con la lucha en las prisiones. En el curso de estas veladas nació la idea de abrir un centro de información palestino-israelí, y puede afirmarse que Riad Abu Awad fue en gran medida su padrino.

Progresivamente se fue pasando de un trabajo de elaboración política a la coordinación de una acción solidaria. Ya en 1967 habíamos practicado la solidaridad con los palestinos, pero, al igual que Jourdain se ejercitaba en la prosa, sin saberlo y, sobre todo, sin ser consciente ni hacer ninguna reflexión al respecto. Sólo hacia la década de 1970 esta solidaridad se vio apoyada en una reflexión política, convirtiéndose en una elección deliberada. Después de muchos años de actividad propagandística, de denuncia del sionismo y de la ocupación, así como de educación política, se imponía la cuestión de las mediaciones entre este tipo de actividades y nuestro objetivo final: un cambio radical del régimen dominante y su sustitución por una estructura democrática y socialista, palestino-israelí o panárabe. Así pues, se dio inicio a la pertinente discusión en las filas del Matzpen.

Las distintas respuestas dadas a esta problemática estaban ligadas, evidentemente, al análisis que efectuábamos del Estado de Israel. Para algunos, el carácter capitalista de la economía israelí y la existencia de conflictos de clases iban a exacerbar, tarde o temprano, las contradicciones internas. Esto favorecería el surgimiento de un movimiento obrero de ruptura con el régimen, unificaría a judíos y árabes, y desembocaría, por último, en una revolución que, por su propia naturaleza, «desionizaría» Israel. Para otros, por el contrario, lo preponderante era la naturaleza colonialista de

©gedisa

Israel: el conjunto de su población judía vivía con los privilegios que le procuraba el sionismo, y, en consecuencia, no mostraba el menor interés en que la situación cambiase a favor de los palestinos. A corto y a medio plazo, la perspectiva de una ruptura con el consenso nacional de la época resultaba ilusoria. Los cambios no podrían ser provocados sino desde fuera, por el movimiento nacional palestino o por los Estados árabes.[1]

Estos distintos análisis tenían repercusiones directas sobre la definición de nuestro papel. Los defensores del segundo análisis iban a extraer de inmediato la conclusión que el mismo implicaba: los pocos israelíes que se oponían al sionismo tenían que sumarse al movimiento nacional palestino y su combate, y su presencia en el seno de la lucha palestina trazaría la ruta para una verdadera coexistencia en una Palestina liberada del sionismo. Esto condujo a Udi Adiv y a otros tres militantes judíos a procurar unirse, en 1972, al FPLP. Udi era «un príncipe»: primogénito de la tercera generación del *kibutz* Gan Shmouel, suboficial paracaidista, robusto, rubio de tez clara, todo hacía de él un miembro de la élite. Sin embargo, odiaba su *kibutz*, la buena conciencia hipócrita de los sionistas de izquierda y el destino a que se había condenado a los palestinos de los territorios ocupados. Así había ido a dar en el Matzpen, pero había considerado rápidamente timoratas o incoherentes nuestras posturas políticas. Para Udi y sus camaradas, había que unirse a los palestinos. Todos ellos fueron arrestados antes de ejecutar su plan, junto con muchas decenas de militantes palestinos de Galilea y del Triángulo. Después de una campaña de prensa rencorosa y totalmente falaz, el empleo sistemático de la tortura (los árabes eran torturados con el fin de obligar a los judíos a confesar) y una serie de procesos que pretendían servir de ejemplo, todos fueron condenados a penas de prisión de sorprendente severidad. Fue lo que se denominó «el caso de la red árabe-judía», una red que de hecho jamás existió, y de la que la gran mayoría de los inculpados nunca había oído hablar.

La decisión de Udi Adiv implicaba *cruzar la frontera*. Y ello, por lo demás, en todos los sentidos del término, ya que había sido condenado asimismo por haber cruzado ilegalmente la frontera

---

1. Véase A. Said y M. Machover, «La Révolution arabe et les questions nationales dans l'Orient arabe», *Matzpen*, núm. 65, junio de 1972.

con el fin de reunirse con militantes palestinos en Siria. Sus jueces emplearon la expresión «franquear las fronteras de la existencia nacional», en lo cual no se equivocaron del todo: para Udi Adiv, Dan Vered, David Zuker y Yeheskel Cohen, la comunidad israelí por entero era una sociedad de colonos, y sólo mediante un proceso de «desisraelización» y de integración en la nacionalidad palestina podría legitimar su existencia en Palestina. Eligiendo ser palestinos, ellos mismos daban el ejemplo de lo que, en su opinión, era la única vía de salvación para los judíos de Israel, o al menos para aquellos que aceptasen quedarse allí, pues, siempre según este análisis, la mayoría, ante la desaparición de sus privilegios, «retornaría» a sus países de origen.

Junto con la mayor parte de militantes del Matzpen, yo no compartía el análisis de Udi Adiv y de sus camaradas. Si bien, en efecto, la sociedad israelí era el producto de un proceso de colonización, si bien vivía en medio de privilegios que le procuraba el régimen del Estado judío, no era posible detenerse en este punto: se había creado una nación, y, tarde o temprano, habrían de afirmarse contradicciones cada vez más agudas entre política de colonización y deseo de acabar con la situación de guerra permanente, entre sionismo y laicismo, entre Estado judío y Estado democrático, entre ricos y pobres, entre veleidades de amalgama cultural y permanencia de las diversas identidades. Estas contradicciones eran el caldo de cultivo de estallidos futuros y una ruptura del consenso nacional. Tal era, como mínimo, la apuesta que hacíamos, siendo nuestro papel acelerar esas rupturas y profundizarlas en la medida de nuestros medios.

Se planteaban dos dinámicas diferentes: la de la liberación nacional palestina y la de las contradicciones internas en la sociedad israelí. No se podía negar la existencia de una lucha política y social en el interior de la sociedad israelí, ni reducirla a un epifenómeno del conflicto árabe-israelí, aun cuando quedase claro que este último tenía impacto sobre los flujos y reflujos de las luchas internas.[2] En mi opinión, así como en la de muchos de mis camaradas, el eslogan histórico del Matzpen en pro de «una lucha común de judíos y de árabes contra el sionismo, el imperialismo y el reac-

2. Véase la Introducción de *The Other Israel - The Radical Case against Zionism*, Arie Bober (comp.), Nueva York, Doubleday, 1972.

cionarismo árabe» no constituía una línea de conducta inmediata, sino un objetivo a largo plazo, por no decir final. En el ínterin, había que llevar a cabo dos batallas paralelas, relativamente autónomas una respecto de la otra, siendo nuestro principal papel hacer progresar la lucha en nuestra propia sociedad. La perentoria afirmación de Udi Adiv: «Fuera del combate común, ninguna salvación», conducía a fantasear un espacio de encuentro imposible entre las dos naciones, o, todavía más, a negar de hecho la posibilidad de una acción significativa en la comunidad israelí.

Para aquellos que, por el contrario, partían de la hipótesis de una toma de conciencia progresiva en el seno de la comunidad israelí, era necesario permanecer en esta comunidad y acompañarla en su dinámica de ruptura: «Yo elegí instalarme en la frontera a partir de 1968; del lado de aquí, en la sociedad que es mía, pero también lo más cerca posible de la otra sociedad. Si hemos contribuido, por poco que sea, a la perspectiva de una paz palestino-israelí, ello se ha debido a ese posicionamiento en la frontera, que ha posibilitado los primeros pasos del diálogo y de la cooperación palestino-israelí. Me niego a ser un guardia fronterizo, quiero seguir siendo un pasador a través de las murallas del odio y de las barreras de la segregación».[3]

Pasador, pero ¿pasador de qué?

Ante todo, de un mejor conocimiento del otro. Esta tarea no es tan simple como pueda creerse: en el lado palestino conviene explicar que la sociedad israelí, por unida que pueda parecer, no es ese bastión militar que convierte a cada individuo en un soldado al que hay que cargarse para ganar la propia libertad; que esa sociedad está atravesada por contradicciones y que, a largo plazo, el interés de capas importantes de la misma la conducirá a enfrentarse al régimen dominante. Hay que hacer entender asimismo que, a diferencia de otras situaciones colonialistas, la mayoría de los israelíes carecen de «madre patria» a la que podrían retornar, y que, en consecuencia, lucharán entre la espada y la pared, o mejor dicho entre la espada y el mar, es decir, con la energía de quien no tiene nada que perder; ello si no se les ofrece una propuesta suficientemente creíble y seductora. En su opinión, toda propuesta que no les reconozca como un colectivo nacional y no les garantice soberanía y medios de autodefensa no resulta aceptable, sobre todo después de Auschwitz.

©gedisa

---

3. Véase «Interludio. El discurso sobre la frontera», pág. 19.

La dificultad de semejante postura no residía en la ausencia de argumentos, empíricos o racionales, o de un marco analítico común. Argumentos, los teníamos a espuertas, y el marxismo nos servía de clave de análisis en común. La dificultad era de orden psicológico: ¿cómo esos argumentos no iban a ser percibidos como una nueva vicisitud de esos numerosos israelíes que, evidentemente por su propio bien, intentaban convencer a los palestinos de que cambiasen su línea política, es decir, revisándola a la baja? Sólo nuestro compromiso político y nuestro apoyo incondicional (incondicional pero no falto de crítica) a su lucha por la emancipación nacional podían volverlos receptivos a nuestros análisis. Esto es lo que, por otra parte, intenté explicar durante tres decenios a muchos amigos sionistas de izquierda: es estúpidamente pretencioso creer que mediante vuestras críticas, a veces procedentes, podréis provocar un cambio cualquiera entre los palestinos, precisamente porque están expresadas desde el punto de vista del enemigo. Si queréis, no denunciar, sino *convencer* de la ineficacia de tal o cual decisión táctica, o de la problemática moral que pueden plantear algunas formas de lucha, es necesario que la crítica sea percibida como proveniente del interior, sobre la base de un apoyo a su lucha.

Y también hay que hacer conocer Palestina y los palestinos a los israelíes. Aquí, la principal dificultad reside en la percepción colonialista que niega al otro, primero en su existencia, luego en su humanidad y en sus derechos, y, por último, en su autonomía de decisión como nación. Existe un vaivén permanente entre conocimiento y reconocimiento: para reconocer a los palestinos es preciso conocer al menos algo de su realidad, de su historia y de cómo la relatan. Aun cuando (y esto se ha visto a lo largo de todo el proceso de Oslo) el reconocimiento político del otro no implique necesariamente un mejor conocimiento de lo que realmente es, con sus propias aspiraciones y sus percepciones: como lo demuestra magistralmente Albert Memmi en la Introducción a su *Portrait du colonisé*,[4] la mentalidad colonialista niega la palabra al colonizado y traslada a éste sus propias percepciones y prejuicios.

Así pues, pasar información sobre el otro constituye una tarea importante, pero ésta no puede ser en sí la garantía de un cambio duradero en la relación con el otro. Para conseguirlo, hay que pro-

©gedisa

4. Albert Memmi, *Portrait du colonisé*, París, Gallimard, 1985.

vocar además una revolución copernicana alrededor del concepto de solidaridad.[5]

En el inicio se halla la tribu. Con sus tótems y sus tabúes, alrededor de los cuales todo el mundo comulga. Está la tribu y lo que se encuentra fuera de la tribu, la tribu y los otros. En el relato sionista, los judíos son siempre víctimas y los otros son siempre hostiles desde hace dos milenios. Frente a los otros, todos los judíos tienen que mostrarse unidos, todos los judíos están unidos. A excepción de los renegados, que son convictos de *selbsthass*, del síndrome del odio de sí, que son *self-hating Jews*.[6]

El reconocimiento del otro, del no judío, como víctima posible es una primera ruptura con el relato sionista; el reconocimiento de que él puede ser *nuestra* víctima, ya es otra. Dada esta condición pueden efectuarse, en consecuencia, una toma de distancia respecto a la tribu, con la colectividad nacional, y un acercamiento hacia la frontera que separa a la tribu del resto de la humanidad. Este acercamiento adquiere el nombre de solidaridad cuando se está presto a apoyar al otro en su conflicto con la propia colectividad nacional, con un apoyo moral, político o material. Con la denuncia de los crímenes cometidos por el Estado y su ejército, con el apoyo dado al otro en forma de ayuda material para su batalla, asistencia jurídica, y, por último, con el debilitamiento de la coherencia interna de la propia sociedad.

Por definición, la solidaridad es una actitud fronteriza: se ve realizada en el punto de encuentro de dos colectivos en conflicto. Es, también por definición, exterior: se es solidario con el otro, y en este sentido parte siempre de la expresión de la propia identidad, diferente de la de la víctima de la que se es solidario.

Paradójicamente, en la solidaridad con los palestinos se consolidó mi identidad en tanto que judío israelí, y conseguí superar la identidad supranacional, mundializada al estilo proletario, que me había forjado en los primeros pasos de mi compromiso militante.

---

5. Michel Warschawski, «Le prix d'une paix véritable», *Foi et Développement*, núm. 297, octubre de 2001.

6. Este concepto del «odio de sí» volvió a gozar de buena salud recientemente, aun cuando cierta prensa judía francesa lo utilizó de modo tan abusivo que acabó resultando ridículo. Por ejemplo, *Information Juive* cita como valedores de igual inspiración a Pierre Vidal-Naquet, Rony Brauman, Léa Tsemel, Michel Warschawski... y a Zeev Sternhel, David Grossman y otros intelectuales israelíes sionistas.

©gedisa

Aquellos camaradas míos que optaron por cruzar la frontera e integrarse en el movimiento nacional palestino tomaron, por ese mismo hecho, la decisión de rechazar su identidad israelí para asimilarse a una futura identidad palestina. La opcion de la solidaridad, al dejarnos de este lado de la frontera, nos obligaba a reivindicar nuestra pertenencia a la colectividad que aquí vivía. Nosotros sosteníamos la lucha de los palestinos no en tanto que palestinos o ciudadanos del mundo, sino en tanto que israelíes; unos israelíes que habían optado por la ruptura con las prácticas y la ideología dominante de su propia sociedad.

Tiendo a creer que ésta es la razón de una anomalía que me concierne: a pesar de los muchos años empleados en estudiar la lengua árabe, nunca pude hablarla, como si en mis relaciones con los palestinos siempre hubiese querido acentuar con claridad quién era, y, sobre todo, quién no era y qué no procuraba ser. Pero quizá no sea ésta sino una pésima excusa ante lo que no es más que una imperdonable pereza intelectual...

De hecho, la solidaridad servía de mediación entre las luchas paralelas e independientes que movilizaban a las dos comunidades y la perspectiva de una lucha común para construir un porvenir común. Pero para que algún día estas luchas paralelas pudiesen encontrarse y, en efecto, fusionarse, era necesario elaborar conjuntamente las grandes líneas de una vía futura; mostrar que otro tipo de relaciones era no solamente posible, sino que constituía el único medio de escapar a la catástrofe implícita en el conflicto actual. Las grandes líneas de un otro posible, que no fuesen la expresión de un falso realismo apoyado en las relaciones de fuerza existentes y los niveles de conciencia actuales, sino de una utopía que supiese combinar las aspiraciones de las dos comunidades a la seguridad, a la existencia nacional y a la realización de sus derechos fundamentales. En otras palabras, era necesario ser capaces de mostrar que a un lado y otro de la frontera se creía en una misma solución, y que la utopía que se defendía era posible, precisamente porque era compartida al otro lado de la frontera. De ahí la importancia de los encuentros palestino-israelíes en los que se discutían no sólo el presente y las tareas respectivas de unos y de otros, sino también el porvenir.

7

ENCUENTROS

Nuestros amigos palestinos de Cisjordania y Gaza nos hicieron comprender rápidamente que si queríamos producir un impacto sobre las posiciones del movimiento nacional, era preciso que nos comunicáramos con los militantes del exterior. En las décadas de 1960 y 1970, el movimiento nacional palestino estaba encarnado en la lucha armada dirigida por los comandos de *fedayin** que cruzaban el Jordán o la frontera libanesa, los secuestros de aviones por parte del FPLP, o, incluso, los atentados contra objetivos israelíes en Europa. La lucha en el interior de los territorios ocupados era percibida –comprendidos sus propios actores– tan sólo como una lucha complementaria: la liberación únicamente se podría conseguir mediante la acción de los combatientes de los campos de refugiados de Jordania, el Líbano y Siria. Al encontrarse el epicentro de la revolución palestina en el exterior, era necesario que fuésemos al encuentro de sus verdaderos portavoces.

Estos encuentros habían comenzado muy pronto, cuando muchos miembros del Matzpen habían dejado Israel hacia finales de la década de 1960. En Londres, París, Bruselas y Berlín, habían conocido a militantes palestinos con quienes habían entablado relaciones muy estrechas, y dirigido conjuntamente acciones de sensibilización y de solidaridad con la causa palestina. Por intermedio de Moshe Machover y Sylvia Klingberg en Londres, de Élie Lobel en París, de Jalil Toamé y Mario Offenburg en Alemania, pude, en el transcurso de la década de 1970, encontrarme con Said Hamami, Mahmud Hamshari y Naim Jader, respectivamente representantes de la OLP en Gran Bretaña, Francia y Bélgica, así como a Omar Al-Ghul, Hisham Mustafá y a muchos otros cuyo verdadero nombre algunas veces no llegué a conocer.

Paralelamente a los contactos con los palestinos, nos encontrábamos de igual modo con militantes de la izquierda árabe y de la izquierda nacionalista o comunista. Entre éstos, los militantes marroquíes de Ilal Amam, de la Organización de Acción Comunista Libanesa, así como los de pequeños grupos trotskistas del Líbano, Argelia, Siria y Túnez contribuyeron inmensamente a nuestro conocimiento del movimiento nacional árabe, de sus combates y sus perspectivas. Si bien el militante libanés Salah Jaber fue no sólo un verdadero hermano, sino también un maestro a quien le debo casi todo lo que sé acerca de nuestra región, fue Abraham Serfaty el que, de entre todos, me marcó al máximo, más por su vida y su personalidad que por los escasos escritos que nos llegaban del presidio marroquí donde purgaba su condena a reclusión perpetua. Abraham era un dirigente de la izquierda comunista marroquí, un judío árabe, o más bien un árabe judío. Aun cuando nosotros no estábamos siempre de acuerdo con sus conclusiones, sus escritos nos sensibilizaron en cuanto a la cuestión de los judíos de cultura árabe, llevándonos a captar su sitio en la frontera entre identidad judía e identidad árabe.[1] Cada año, Abraham Serfaty era elegido presidente de honor del Congreso del Matzpen, junto con Nelson Mandela y el dirigente palestino detenido Abu Jamal. ¡Ni que decir que ellos nada sabían de esto, y dudo que se hubiesen sentido felices en caso de enterarse de que servían de mascarón de proa a una organización que se definía como trotskista y visceralmente antiestalinista! Cuando Abraham fue liberado y exiliado a Francia, tomé de inmediato el avión para acudir a abrazarlo y, desde este primer encuentro, al gran respeto político que yo le tenía se añadió un profundo afecto que me atrevo a creer recíproco.

Entre quienes, en Marruecos, se habían movilizado para obtener la liberación de Serfaty y para mejorar sus condiciones de detención, había una militante palestina llamada Leila. Descendiente de dos de las más grandes familias de la aristocracia palestina, los Alami y los Husseini, esposa de un escritor marroquí, jugó un papel importante en la exposición de los crímenes israelíes en el Líbano en 1982, en especial de las masacres de Sabra y Chatila. En este contexto, se entablaron entre nosotros relaciones de trabajo que, a partir de entonces, no dejaron de intensificarse. Leila Shahid se convirtió en lo más eficaz de la diplomacia palestina en Europa y, a partir del momento en que fue nombrada embajadora de Pa-

©gedisa

---

1. Véase, en especial, Abraham Serfaty, *Lutte antisioniste et révolution arabe*, París, Quatre Vents Éditeurs, 1977.

lestina en Francia, nunca hice escala en París sin dejar de pasar a verla e informarla de los últimos acontecimientos en el país.

Con frecuencia, ni siquiera sabíamos a qué organización pertenecían aquellos con quienes nos encontrábamos, y poco nos importaba este hecho. Lo esencial era que formaran parte de la Resistencia palestina o del movimiento nacional árabe, y que expresaran deseos de intercambiar opiniones e informaciones. Los viajes a Europa jamás tuvieron objetivos turísticos, sino el de aplacar la sed de encontrarnos con el mundo militante árabe y posibilitar la evolución de lo que acabaría siendo «la lucha común de árabes y judíos contra el imperialismo, el sionismo y la reacción árabe». Para nosotros, israelíes, era a la vez una forma de conocer el mundo árabe y sus luchas, así como la ocasión de hacer comprender a nuestros interlocutores lo que eran Israel, su sociedad, sus contradicciones. Descubríamos todo aquello que la cultura israelí hacía esfuerzos por ocultarnos: nuestro entorno árabe, su realidad, sus esperanzas, sus contradicciones. Los árabes con quienes nos encontrábamos comenzaban a percibir otro Israel, más complejo que la imagen unidimensional que de él tenían, e incluso más prometedor.

En aquella década de 1970, los viajes a Europa eran relativamente caros y, por consiguiente, escasos: había que aprovechar al máximo esos encuentros que solían terminar al alba... para ser retomados unas horas después. Recuerdo claramente dos jornadas intensas de discusión con Hassan, miembro de la oficina política del FPLP, que había acudido especialmente a Europa para encontrarse con un representante del Matzpen. Los encuentros con militantes de la izquierda palestina (o árabe) tenían un orden del día muy determinado: análisis de la situación mundial en primer término; luego, de la regional; finalmente, del movimiento nacional palestino. Llegaba entonces mi turno de proceder a un informe sobre la situación política en los territorios ocupados, además de en Israel, y, luego, de una exposición sobre la situación de la izquierda israelí, sus debates internos y sus perspectivas. Después se hablaba de las tareas y de aquello que cada cual esperaba del otro. Se tomaban muchas notas para poder repetir hasta con los mínimos detalles lo que se acababa de conocer a nuestros camaradas que no habían tenido el privilegio de participar de estos encuentros.

El intercambio era un objetivo en sí, y terminaba a menudo con una petición de artículos que publicábamos en nuestras respectivas publicaciones, o bien de literatura complementaria para profundizar en tal o cual aspecto del análisis. Los militantes palestinos respetaban nuestra decisión de mantenernos en el marco de la legalidad, y puedo decir que nunca me vi enfrentado a peticiones que hubiesen podido implicar un quebrantamiento de esta política.

En 1976 participé en un encuentro muy diferente. Ilan Halevi, que acababa de instalarse en Francia y se había unido a la OLP (algo que por entonces ignorábamos), me informó de que el grupo Curiel[2] había organizado un encuentro entre los representantes de las tres organizaciones que tenían origen en el Matzpen un representante oficial de Yaser Arafat. Contrariamente a todos los encuentros anteriores, éste se efectuó en un ambiente de clandestinidad que me resultaba bastante extraño. En una residencia acomodada del extrarradio parisino, Élie Lobel, Moshe Machover, Ilan Halevi y yo nos encontramos con el doctor Issam Sartawi y su fiel ayudante Abu Feisal. Sobre este tema, años después –tras el asesinato de Sartawi en Lisboa, en 1983–, un periodista israelí me preguntó qué había sentido yo en el transcurso de semejante «encuentro histórico» (son éstos los términos que utilizó), que había abierto el camino a ulteriores encuentros entre Sartawi y los israelíes más moderados. Le contesté con precisión que para nosotros se había tratado de algo totalmente natural, tan trivial como encontrarnos con militantes del SDS alemán, de la Liga Comunista de Francia o del movimiento americano opuesto a la guerra. Pero si mi respuesta reflejaba adecuadamente lo que caracterizaba en general a nuestros encuentros con militantes palestinos, no era totalmente cierta en lo que concierne a aquellos dos días pasados con Issam Sartawi.

En el coche que nos llevaba hacia aquella residencia de la periferia, conducido por un militante del grupo Curiel y seguido por otro donde iban los responsables de nuestra seguridad, me hallaba todavía conmocionado por el entusiasmo que había provocado en mí, dos días antes, el encuentro con el camarada Hassan, del FPLP, en la pequeña habitación de un modesto hotel del distrito XIX. Entendí de inmediato que la situación no era habitual. El contraste era impresionante: una reunión extremadamente formal, con largos y solemnes discursos introductorios acerca de la importancia histórica de este encuentro, y después, un largo intercambio de opi-

2. Grupo Curiel: red antiimperialista compuesta por antiguos comunistas egipcios y dirigida por Henri Curiel, que, entre sus numerosas actividades, sirvió de mediador en los primeros encuentros palestino-israelíes.

©gedisa

niones sobre la significación de la colaboración palestino-israelí. El tono no era el de la camaradería directa al que yo estaba acostumbrado, al igual que el estilo de las comidas que ocuparon una parte importante de la velada y de la jornada siguiente. Se trataba para mí de auténticos banquetes, cuyos comensales sabían comparar las cualidades respectivas de los vinos degustados. Hacia esta época, el lenguaje diplomático me resultaba totalmente extraño y, si bien mi educación europea me había dejado algunos rudimentos de buena conducta en sociedad, carecía de las maneras habituales en este tipo de encuentros, así como de la conversación fácil, salvo que se tratara de política. Me impresionó, por supuesto, la inteligencia de Sartawi, pero su pasado de combatiente hacía en mí más efecto que sus recuerdos como cirujano cardiólogo de renombre. Sobre todo, el formalismo de este encuentro y el hecho de que en él se hablase en tanto que «representantes» de dos comunidades me eran algo ajeno y me hacían sentir molesto.

Por lo demás, de toda la gente presente, yo era el único que venía del país. Moshe vivía desde hacía muchos años en Londres; Élie e Ilan, en París; e Issam y Abu Feisal venían del Líbano. Tenía yo muchas cosas que contar: en Jerusalén se llevaba a cabo lo que más tarde se llamaría la pequeña Intifada, una rebelión de jóvenes palestinos que había dejado ya muchos muertos y con la que nosotros cooperábamos activamente; en Galilea, la Jornada de la Tierra había desquiciado las relaciones judeo-árabes; en las prisiones no iba a tardar en producirse la revuelta de los detenidos políticos; a través del trabajo de Léa, estaba al tanto de los graves problemas que afectaban a la organización de la Resistencia clandestina en los territorios ocupados. Yo hubiese querido conversar de todo esto con aquel dirigente de la OLP y de Al Fatah, captar lo que me pareciese más claro y, modestamente, efectuar algunas sugerencias. Después de la comida intenté hablar del asunto en un aparte con Sartawi, pero con suma condescendencia él me comentó cuánto admiraba nuestra acción, y a Léa y a mí, y me dijo que, en cuanto al resto, no teníamos de qué preocuparnos. No tuve más que un deseo: que este encuentro acabase lo más rápidamente posible.

Al día siguiente, negociamos sin problemas un documento en común, que todos rubricamos con nuestras iniciales en nombre de nuestras respectivas organizaciones. Este documento nunca fue hecho público, pero sirvió muchos años después para plantear una plataforma común entre la OLP, Al Fatah y los miembros destacados del Consejo Israelí para la Paz Palestino-Israelí, dirigido por el ex diputado Uri Avneri y el general en la reserva Matti Peled. Desde la orilla en la que nos encontrábamos, habíamos hecho las veces de puente para que se crease un contacto entre el movimiento nacional palestino y unos israelíes que no pertenecían a la extrema izquierda antisionista. No estaba tan mal, aun cuando yo prefería, y de lejos, los encuentros militantes en los que la pasión de nuestras discusiones nos hacía olvidarnos de las comidas, y en los que seguíamos construyendo el porvenir cerrada la noche alrededor de bocadillos tunecinos y un vaso de cerveza.

El encuentro con Issam Sartawi tuvo un efecto positivo complementario: relativizó en mi opinión la importancia de los encuentros en el exterior y reforzó la centralización de la cooperación palestino-israelí sobre el terreno. En aquella residencia del extrarradio parisino comprendí hasta qué punto la percepción que los palestinos del interior tenían de la realidad de la ocupación, y de manera más general de Israel, estaba más cerca de lo que nosotros sentíamos como militantes israelíes, y, también, más o menos conscientemente, que era con ellos con quienes se desarrollarían los vínculos más prometedores.

Los primeros contactos con los estudiantes de la Universidad de Bir Zeit nos habían permitido pasar de un trabajo conjunto de reflexión y de elaboración políticas a una acción en común, o por lo menos coordinada. Esta experiencia habría de revelarse útil desde el momento en que comenzaron a surgir, en el seno de la población israelí, nuevas fuerzas dispuestas a movilizarse contra la ocupación. Por iniciativa de Daniel Amit, profesor de física nuclear en la Universidad Hebrea, y la de un antiguo jefe médico de los paracaidistas, el cineasta Jad Neeman, estudiantes y universitarios judíos cercanos al Partido Comunista, el Matzpen, el Partido Sheli –sionista de izquierda–, y sobre todo un apreciable número de gente no integrada en ninguna organización, se agruparon para denunciar la colonización judía en Hebrón, además de las medidas de represión cada vez más draconianas contra la más importante institución de enseñanza superior de Cisjordania, la Universidad de Bir Zeit. Los contactos establecidos en esta época con el personal de enseñanza continuaron durante más de veinte años, hasta los acuerdos de Oslo. En primer término, delegaciones de universitarios israelíes visitaron Bir Zeit; y después, coordinados con los profesores palestinos, organizaron distintas acciones de solidaridad con la Universidad.

©gedisa

Bir Zeit no es únicamente una universidad, es un verdadero centro político cuya importancia pudo haber sido quizá sobrevalorada, pero que no por ello dejó de jugar por entonces un importante papel en la Resistencia a la ocupación. El ejército lo sabe. Tanto es así que, desde finales de la década de 1970, ataca con mayor frecuencia a la Universidad, detiene a estudiantes, reprime manifestaciones y cierra el campus cada vez más a menudo.

El 28 de noviembre de 1981, una manifestación de más de cien israelíes en el centro de Ramala es disuelta por el ejército que, por vez primera, emplea gases lacrimógenos contra judíos. Una treintena de manifestantes son arrestados, entre ellos algunos intelectuales conocidos. A diferencia de los militantes del Matzpen y del PC, se trata de destacados sionistas. Lo que ni las detenciones masivas de palestinos ni las expulsiones, ni el empleo sistemático de armas de fuego contra manifestantes palestinos habían podido provocar durante más de diez años, lo consigue el uso de gases lacrimógenos y la detención de un puñado de intelectuales israelíes en menos de cuarenta y ocho horas. El sobresalto es considerable en los círculos universitarios de Jerusalén y entre la bohemia de Tel Aviv.

Este fue verdaderamente el bautismo de fe del Comité de Solidaridad con la Universidad de Bir Zeit. Entre 1981 y 1985, el Comité llevará la iniciativa en muchísimas actividades –mediatizadas al máximo– contra la ocupación. Coordinará actos, por definición ilegales, en los territorios ocupados, así como acciones de sensibilización en Israel: mítines públicos, conferencias, peticiones, manifestaciones, pero también exposiciones de artistas palestinos e israelíes, e incluso producirá carteles diseñados por los artistas gráficos más conocidos de Israel. En efecto, la derecha está por vez primera en el poder; pero cada vez más sionistas de izquierda se suman a las iniciativas del Comité.

Si bien para muchos cientos de israelíes el Comité de Solidaridad con Bir Zeit fue su primera ocasión de enfrentarse con la ocupación y encontrarse con los palestinos, para nosotros, militantes del Matzpen, su existencia significaba el fin del aislamiento en el que nos hallábamos desde hacía quince años en el seno de nuestra sociedad. Se había borrado una primera barrera, y se producía una primera interacción entre nosotros y los israelíes que, sin embargo, no compartían sino unas pocas de nuestras posiciones políticas. Y esto evidentemente no resultaba nada fácil, ni para ellos ni para nosotros. Para ellos, porque tenían que superar el temor a ser identificados con aquellos que eran percibidos como los enemigos de Israel, a lo que se añadía el miedo a ser manipulados por una organización cuyo carácter maniobrero se exageraba en demasía; para nosotros, porque necesitábamos aprender a militar sobre la base de consensos más amplios y ganar credibilidad, sin por ello caer en la lisonja o en la negación de nuestros propios valores políticos y éticos. Para facilitarnos las cosas, estábamos doblemente dotados: por una parte, de una abnegación y una experiencia militante sin equivalente alguno; y, por otra, de un conocimiento profundo de la realidad política palestina y unos contactos sólidos con los círculos políticos e intelectuales de Cisjordania.

Gracias a estos contactos, las acciones de solidaridad se extendieron de la Universidad de Bir Zeit a la de Belén, en la que yo conocía muy bien al presidente de la Unión de Estudiantes, Faez Damiri, además de a universidades de los campos de refugiados, comenzando por el campo de Deheisheh donde Hassan Abdel Jawad y Hamdi Faraj, periodistas y militantes del FPLP con quienes nosotros cooperábamos desde hacía muchos años, tenían mucha influencia. Para los israelíes que no compartían nuestras ideas, el contacto con los refugiados no caía por su propio peso. Supuso un factor de radicalización para algunos de ellos, y para otros, un pretexto para retomar sus distancias con la lucha contra la ocupación. Los refugiados de Deheisheh o de Al-Amari no eran muy duchos en el arte del disimulo, no sabían tener el mismo cuidado con la sensibilidad israelí que ciertos profesores de inglés o de historia de Bir Zeit o de Belén. Albert Agazarian, en especial, había sabido ganarse rápidamente la confianza de sus colegas israelíes. Este portavoz de la Universidad de Bir Zeit era de lo que no hay a la hora de seducir: su hebreo impecable (entre las ocho lenguas que domina a la perfección), su conocimiento profundo de la mentalidad israelí y, sobre todo, su talento de narrador habían convertido a aquel armenio de la vieja ciudad de Jerusalén en el interlocutor privilegiado de los pacifistas israelíes de la época. Yo lo había conocido unos años antes cuando, en medio de la noche y bajo un verdadero aguacero, vino a buscar a Léa para que fuese a negociar la liberación de unos estudiantes detenidos en el transcurso de una batida nocturna. Albert Agazarian y Hannan Ashrawi hacían de contacto con Léa, que por entonces era la abogada de los estudiantes de Bir Zeit. Ambos se convirtieron rápidamente en amigos íntimos y lo siguen siendo,

©gedisa

aun cuando las responsabilidades ministeriales de Hannan tras el establecimiento de la Autoridad Palestina han distanciado nuestras relaciones. Hannan Ashrawi ha relatado la amistad que la liga a Léa en su autobiografía: «Con frecuencia he visto sus ojos color de avellana con destellos verdes transformarse de un extremo al otro: de la tristeza que provocaba el sufrimiento de sus clientes palestinos y sus familias, a la cólera que le provocaba la injusticia con la que trataba cotidianamente y el sentimiento de impotencia ante esta injusticia; del estallido de risa provocado por su irrefrenable sentido del humor a la dulzura de una madre preocupada por el excesivo precio que tienen que pagar sus hijos, porque viven en el corazón de la ocupación y el conflicto además de ser los hijos de Léa Tsemel. Una imagen que nunca conseguiré borrar de mi memoria es la de su extremo pesar cuando su hijo, amenazado e insultado por sus compañeros de clase por ser hijo de "la traidora que ama a los árabes", renegó de ella. Nuestra amistad tan especial no constituye un secreto. Somos una extraña combinación: la vehemente pero no obstante dulce israelí que muy pronto, y desde un punto de vista ético y jurídico, tomó partido contra la crueldad y la injusticia, y su alter ego, una intelectual palestina que encontró en ella a un alma gemela. Nuestra amistad es una mezcla de hermandad y de reconocimiento instintivo que desafía a la historia y a las fronteras nacionales. O quizá se trate de lo contrario precisamente por el resultado de aquellas fuerzas: cada una a su manera, somos ambas el producto de la experiencia única de nuestra raza. Nuestras hijas, Zeina y Talila, son hermanas de leche, ya que yo amamanté a Talila al mismo tiempo que a mi Zeina, cuando Léa tenía que correr hasta el tribunal para defender allí a mis estudiantes. Ninguna de las niñas habla la lengua de la otra, pero en los picnics familiares se cogen alegremente de la mano y van juntas en busca de flores salvajes o arroyos fangosos».[3]

Hannan y Léa, Zeina y Talila, ¿han conseguido acaso ser unas privilegiadas que pudieron abolir las fronteras en sus relaciones personales? Opino que no. A muchos israelíes de izquierda les gusta hablar de sus amigos palestinos, y yo mismo he empleado en muchas ocasiones tal expresión, en los capítulos precedentes, para des-

---

3. Hannan Ashrawi, *The Side of Peace*, Nueva York, Simon & Schuster, 1995, pág. 38.

cribir el tipo de relación que me liga a algunos camaradas míos palestinos. No creo, sin embargo, que este concepto sea el apropiado. No digo que la amistad no sea posible entre hombres y mujeres pertenecientes a comunidades en guerra; pero en el contexto específico de las relaciones palestino-israelíes, esta forma de intimidad que suprime, en la relación personal, la pertenencia étnica o confesional, y a la que puede denominarse amistad, es casi imposible.

Tal como lo ha descrito con suma precisión Albert Memmi, una relación colonialista es totalizadora; no se expresa únicamente a través de una ideología y mediante posturas políticas, sino sobre todo en actitudes y comportamientos producto de una cultura que precisa de mucho voluntarismo para ser eliminada. Muchas condiciones son necesarias para ello: ante todo, ser consciente de la relación de dominación colonialista que nos vincula con el otro con el fin, precisamente, de hacer lo máximo para desembarazarse de ella; esto excluye, de entrada, a los sionistas de izquierda que se niegan a reconocer esta realidad básica. Luego, hay que ser capaz de escuchar al otro y mostrar, como mínimo, empatía por su sufrimiento, por sus resentimientos y por sus dudas al tener que otorgar confianza a aquel o a aquella que pertenecen al campo del enemigo. En este escuchar al otro, es muy estrecho el margen entre, por una parte, la reproducción de la relación paternalista y colonialista, y, por otra, la lisonja y la negación de sí mismo. Si bien una muy pequeña minoría de israelíes zozobra en la autoflagelación, la mayoría de los que creen que tienen amigos palestinos permanecen profundamente insensibles ante el otro.

No hace mucho, fui invitado a un festejo organizado por un movimiento de mujeres israelíes pacifistas. Algo suficientemente raro como para ser subrayado, se encontraban allí también unas pocas militantes palestinas. La mayoría de las mujeres israelíes, y entre ellas una diputada feminista curtida en el diálogo palestino-israelí, estaban íntimamente convencidas de que las mujeres palestinas presentes se contaban entre sus mejores amigas. El ambiente era agradable y daba la impresión de que no había ya ni israelíes ni palestinas, sino mujeres (y dos o tres hombres) que compartían los mismos valores. La diputada, universitaria y especialista en multiculturalismo, comenzó a relatar con sumo detalle la dura jornada que acababa de pasar en el Parlamento y, en especial, una larga disputa con el diputado de extrema derecha Rehavam Zeevi, a quien ella llamaba familiarmente, al igual que todos los israelíes, por su apodo, Ghandi.[4] No consiguió ocultar la relación de compadreo que, más allá de las divergencias ideológicas reales, la ligaba a este individuo que preconiza abiertamente la expulsión de los árabes. Ni por un momento esta mujer, inteligente y culta, pensó que su intimidad con Zeevi y la manera relajada en que hablaba de alguien a quien sus «amigas» palestinas consideran una bestia nazi podían chocar profundamente a las palestinas presentes; ni por un momento, incluso después de la partida precipitada pero discreta de las palestinas, se dio cuenta de su malestar. Ninguna de las israelíes presentes, aparte de Léa, pensó que para Rawda, Ghada o Amal, había sido como si un progresista francés hubiese relatado a su amigo argelino, en 1960, una charla con el general Bigeard, Bibi para sus íntimos, en resumidas cuentas un buen chico; o si un comunista alemán, en 1933, hubiese contado a su amigo judío una alegre cháchara con Reinhardt (Reini para sus íntimos) Heydrich. Más de diez años de diálogo no le habían enseñado nada acerca de sus «amigas», y habían hecho poca mella en su caparazón cultural.

Para pretender crear una relación de amistad, es necesario comprender que cuando se habla con un palestino resulta imperativo emplear los nombres árabes originales de los lugares, aunque se hable en hebreo, lo que ya es en sí un problema; que es preciso desprenderse de una vez por todas de conceptos tales como «guerra de independencia» o «Guerra de los Seis Días»; que cuando se menciona la propia experiencia militar –otro grave problema que hace difícil la amistad– durante mucho tiempo, incluso años, hay que hacer el esfuerzo de mostrar que a uno tampoco le resulta evidente que se pueda apoyar los derechos de los palestinos y hacer el servicio militar en el ejército israelí. En otras palabras, la amistad entre palestinos e israelíes es ciertamente imposible si no se

4. Rehavam Zeevi: joven comandante de las unidades del Palmach en 1948, oficial de carrera en el ejército israelí, fue, desde 1967, general comandante de la región Centro, y en tanto que tal, responsable de Cisjordania. En 1969 se hizo célebre por sus «safaris», verdaderas cazas al hombre contra los *fedayin* infiltrados en el valle del Jordán, y a los que le gustaba invitar a sus amigos. Después de su desmovilización, fue cuestionado por el periódico *Haaretz* debido a sus vinculaciones con el tráfico de heroína. Fundó en 1986 el Partido de la Transferencia (representado en el Parlamento a partir de 1988 con el nombre de Partido Moledet o Partido de la Patria) que propugna la expulsión de los palestinos, y del que habría de ser diputado hasta su muerte. Nombrado en 2001 ministro de Turismo en el gobierno Sharon-Peres, fue asesinado el 18 de octubre por un comando del FPLP.

hace honestamente el esfuerzo de dejar de ser un israelí como los demás.

Pero incluso cuando se ha conseguido superar estos obstáculos de lengua y de comportamiento, y se tiene para sí un balance irreprochable de apoyo activo a los derechos de los palestinos, sigo creyendo que el tipo de relaciones que el sionismo ha creado entre las comunidades vuelve improbable la amistad. Ésta, contrariamente a la camaradería o al respeto, y aun al afecto, necesita una base de vida en común, de experiencias comunes, de problemas enfrentados en común. Ahora bien, en Israel-Palestina la regla del juego es la *separación* de las comunidades: nuestras vidas son no única y radicalmente diferentes, sino que están totalmente desconectadas. Los encuentros –excepto los ligados a la lucha– son demasiado escasos como para que pueda desarrollarse una verdadera intimidad. No es un azar que Hannan Ashrawi, que no obstante ha conocido a muchas mujeres israelíes, sólo emplee el término amistad a propósito de Léa: la casa de Hannan se encontraba exactamente enfrente del tribunal militar de Ramala, y Léa acudía a ella casi cotidianamente, a desayunar, a echarse una siesta, y hasta a pasar la noche; esta intimidad física, única en las relaciones palestino-israelíes, permitió que se desarrollase con Hannan, su marido Émile, sus hermanas y sus sobrinas, otra intimidad, afectiva ésta, basada en un intercambio permanente en la vida cotidiana, familiar y emocional; y, por tanto, la posibilidad de un conocimiento del otro como individuo, y no sólo como «otro» o como compañero de lucha. Pero si la presencia de Léa en Ramala no hubiese tenido una justificación honorable –sus tareas ante el gobierno militar y el tribunal–, la misma habría sido muy mal percibida, o simplemente no lo habría sido. En cuanto a Hannan y su familia, muy raramente vinieron a visitarnos a Jerusalén Oeste, debido a que los palestinos se sienten extremadamente a disgusto en Israel, incluso si pertenecen a esa pequeña minoría privilegiada que tiene derecho a entrar en él. ¿Puede hablarse de amistad cuando no se conoce siquiera la casa de los amigos, ni a los respectivos amigos, ni la manera en que viven su cotidianeidad?

Desde el inicio de la Intifada, en 1987, Talila y Zeina dejaron de participar en los picnics en común que evocaba Hannan, porque esos esparcimientos resultaban totalmente inapropiadas en el contexto político; el establecimiento de la Autoridad Palestina y la ausencia de razones válidas para pasar por Ramala acabaron con los encuentros regulares. La excepcional amistad entre nuestras familias está algo alicaída. Lo digo con pesar, pero sin amargura: la realidad política es, simplemente, más fuerte que la amistad. La frontera es un lugar de combate de donde puede surgir la camaradería, pero donde los espacios de intimidad son muy reducidos.

Entre nuestros amigos árabes y nosotros había una diferencia fundamental: ellos eran una sociedad con su normalidad, su colectividad, sus festejos, sus símbolos nacionales, sus referencias culturales. Mientras que nosotros éramos excluidos, a-nacionales que en nuestra mayoría habíamos optado por quebrar nuestros vínculos culturales con la comunidad de que éramos originarios. Esto resultaba especialmente extremado para alguien que, como yo, se había vuelto agnóstico después de haber vivido el judaísmo como religión.

La cultura israelí era hacia aquella época una mezcla de nacionalismo militarista y de referencias religiosas. Tras haber rechazado uno y abjurado de las otras, me encontraba sin ninguna referencia cultural, virgen de cualquier otra pertenencia que no fuese aquella que había elegido: la clase obrera internacional. Mi cultura era la cultura universal; mis fiestas eran el 1º de Mayo y la conmemoración de la victoria del Ejército Rojo sobre el fascismo; mis símbolos, la bandera roja y el puño alzado. Todo el resto no era en mi opinión sino un residuo de tradiciones retrógradas, o acomodo con el chovinismo.

En 1974, en camino hacia un congreso político en alguna parte de Europa, doy en el tren con un dirigente trotskista de origen judío; leía el libro de Gershom Sholem sobre la Cábala. Sinceramente asombrado, hasta en estado de choque, le pregunto por qué la Cábala judía le interesa más que el zen budista, y me contesta que forma parte de su cultura personal, su cultura judía, y en un abrir y cerrar de ojos saca de debajo de su camisa un medallón con el *shadai** judío tradicional. De vuelta a mi compartimento, me digo a mí mismo que los trotskistas franceses tienen todavía un largo camino que recorrer antes de hacerse dignos del internacionalismo proletario, ¡y de convertirse en los dignos legatarios del fundador del Ejército Rojo!

Habrá que esperar al inicio de los ochenta para que comience en mí y entre mis camaradas un proceso de reapropiación de la cultura judía y de retorno a las raíces de una tradición nacional. Para algunos de nosotros, el Bund[5] y la epopeya del movimiento obrero judío de Europa del Este sirvieron de referencia; para otros, se trató de la historia de la diáspora judía en el mundo árabe; para algunos más, del judeocidio nazi. Todos nosotros sentíamos la necesidad de arraigar en una historia y defender otra identidad que la que imponía la pertenencia a la tribu israelí. Necesitábamos un relato que nos proporcionara el sustrato de una colectividad diferente de la que el sionismo quería construir sobre las ruinas de Palestina y de la diáspora judía.

5. Nombre del partido socialista judío ruso, creado en 1897. De orientación marxista, colaboró en la fundación del Partido Socialdemócrata Ruso (1898). Fue eliminado después de la Revolución de 1917. [N. del T.]

8

PRISIONEROS Y PROSCRITOS

En el corazón de la frontera existe un espacio peculiar que, aun cuando a menudo se halla en territorio israelí y está totalmente controlado por las autoridades israelíes, fue durante largo tiempo el primer territorio autónomo palestino. Este espacio está herméticamente cerrado, pero influye en la vida de casi todas las familias palestinas, y su importancia política ha sido determinante durante largo tiempo. Se trata de las prisiones, de los centros de detención y de otros campos de concentración en los que Israel encierra a quienes luchan por la libertad de su pueblo. No existe ni una familia palestina que no haya tenido un hijo, una hermana o un pariente en prisión. Puede evaluarse el número de palestinos que han conocido la prisión en más de doscientos cincuenta mil, es decir el 10 por ciento del conjunto de la población de los territorios ocupados. Por sí misma, esta cifra muestra la centralidad de la prisión tanto en la realidad social como en la política de los palestinos a lo largo de los tres últimos decenios.

En las prisiones se han formado dos generaciones de cuadros que han desempeñado, y siguen desempeñando, un papel político de primera importancia en el movimiento nacional palestino. Muy raros son los que no hablan de su experiencia carcelaria como de su «universidad», a menudo sin saber que están expresando una definición cara a Máximo Gorki. La prisión es, en efecto, una universidad política donde se desarrollan cursos cotidianos de formación y debates entre las diferentes fracciones del movimiento nacional; una universidad popular, en la que los prisioneros más formados dispensan enseñanza a los que no han tenido sino una escolaridad limitada; una escuela de lenguas, en especial del hebreo, que los prisioneros están obligados a practicar para comunicarse con los presos comunes judíos, así como con los carceleros. Cuando fue liberado, mi amigo Atta Queimeri, arrestado a la edad de dieciséis años y condenado a treinta de prisión, hablaba y escribía

©gedisa

tres lenguas además del árabe. Gracias a la perfección del hebreo que empleaba en las peticiones sometidas a las autoridades, Léa, que servía de mediadora en el transcurso de una de las numerosas huelgas de prisioneros, solicitó la presencia de Ghazi Abu Jiab, dirigente de los prisioneros del FPLP de Gaza. Este encuentro habría de ser el comienzo de una amistad que todavía perdura. Al igual que Atta, Ghazi es hoy traductor profesional.

Paradójicamente, la prisión es una brecha en la muralla que separa a palestinos e israelíes, uno de los escasos lugares donde unos y otros se codean y pueden aprender a conocerse. Es verdad que el israelí con que topan los prisioneros palestinos no es el israelí medio, pero esto puede ayudarles a entender la mentalidad israelí, las fallas que se ocultan detrás de la aparente fuerza, los miedos y los fantasmas que actúan sobre su inconsciente colectivo. Después de la firma de los acuerdos de Oslo, los políticos israelíes hablarán con frecuencia de los «diplomados en prisión» que, contrariamente a los «tunecinos» (los dirigentes provenientes del exterior), mantienen un contacto más fácil con los negociadores israelíes y los comprenden a medias palabras.

De hecho, no se puede pretender conocer la lucha de liberación palestina, sus momentos fuertes, sus héroes y sus mitos, ni entender la realidad política y social de los territorios ocupados, si no se toma uno el trabajo de comprender lo que se ha llamado «la comunidad de los prisioneros políticos», con sus actores, sus batallas y sus leyendas. En amplia medida, la prisión y los prisioneros han modelado la política palestina de Cisjordania y de Gaza, su dirección actual y todo aquello que la caracteriza. Pero aparte de los carceleros y los agentes del Shin Beit,* algunos abogados y un puñado de militantes, ¿cuántos israelíes han tenido ocasión de encontrarse con esta realidad en el transcurso de treinta y cuatro años de ocupación?

El arresto de militantes palestinos de Israel a inicios de la década de 1970, en especial el de mis numerosos camaradas implicados en el caso de «la red judeo-árabe», me abrió el mundo de los prisioneros políticos palestinos. Al visitar a mis amigos detenidos me encontré con Omar el-Qassem, condenado varias veces a perpetuidad por haber sido el jefe de un comando de *fedayin* del FDPLP* que, en 1969, había cruzado el Jordán y librado una dura batalla contra unas fuerzas israelíes infinitamente más numerosas y mejor equipadas. Su heroísmo le había valido el respeto de algunos generales is-

©gedisa

raelíes, además del de sus compatriotas. Su inteligencia, su perspicacia política, su erudición y sobre todo sus cualidades humanas le llevaron a ser el líder de los prisioneros, incluso de aquellos que estaban afiliados a otras organizaciones. Nuestras discusiones políticas, epistolares y en la sala de visitas, me marcaron profundamente, habiéndose cruzado nuestros caminos en numerosas ocasiones hasta el momento de su muerte, en 1988. Su entierro se llevó a cabo durante una sesión de mi proceso. Acompañados por miles de palestinos que enarbolaban con orgullo la bandera prohibida, y por una treintena de militantes israelíes que de pronto habían abandonado la sala de audiencias, rodeados por un espectacular servicio de orden del FPDLP, ¡sus restos mortales pasaron por debajo de las ventanas del tribunal, al son de tambores! Delante de mis jueces, estupefactos, Léa y yo nos incorporamos para saludar por última vez a nuestro amigo. Fue el único momento en que lloramos ante los jueces, indiferentes ante su asombro y sintiéndonos lejos, muy lejos, de las ridículas preguntas que el fiscal intentaba plantearme.

Así fue como también conocí a Yusef Mansur, joven militante del poblado de Tira, en Israel, que había sido condenado a muerte por haber puesto una bomba en un autobús en Kfar-Saba en 1969. Contrariamente a lo que con frecuencia puede creerse, en Israel existe la pena de muerte (y no sólo contra los criminales nazis), aun cuando la política oficial ha consistido, siempre, en anular las condenas a muerte recurridas.

Muchos años después, Yusef se encontró con su juez militar en prisión: banquero de profesión, el coronel de la reserva Yehoshua Ben Zion había sido condenado a una dura pena por corrupción y malversación.[1]

Como podrá comprenderse, gracias sobre todo a Léa conocí a los prisioneros políticos palestinos. Desde 1972, mi compañera había puesto toda su capacidad profesional a disposición de los palestinos.[2] Hasta entonces, Felicia Langer, infatigable militante comunista, era la única abogada judía que representaba a los combatientes

1. Yehoshua Ben Zion sería rápidamente indultado y liberado: un falso certificado médico habría de convencer al primer ministro Beguin que Ben Zion estaba a punto de morir. Veinte años después, el banquero lo sigue pasando muy bien.
2. El escritor David Grossman ha sabido describir a Léa Tscmel, su carácter y su acción, en el capítulo de *Vent jaune* (traducido del hebreo al francés por Suzanne Meron, París, Le Seuil, 1988) titulado «Catch 44».

palestinos. A partir de 1972, serán ellas dos las que conduzcan, solas contra todos, junto a unos pocos abogados árabes, la batalla jurídica y administrativa en los tribunales militares, ante la Corte Suprema, en las prisiones y en los innumerables despachos de la administración militar.

Encontré a Léa, por entonces estudiante de derecho en la Universidad Hebrea de Jerusalén, en la primavera de 1968. En el transcurso de aquellas innumerables trifulcas entre los militantes del Matzpen y otros estudiantes, una jovencita con botas y en minifalda alejaba a los contramanifestantes haciendo girar un impresionante manojo de llaves sujeto a una larga cadena de acero, gritando insultos que habrían hecho sonrojarse a todo un cuerpo de guardias. Yo estaba fascinado. «¿Cómo? ¿No la conoces? ¡Es Léa Tsemel, todo un personaje!». Tres años después, tras numerosas aventuras políticas en común, decidimos unir nuestras vidas.

A menudo la acompañé a su trabajo. Yo hacía de traductor, periodista o guía de delegaciones de militantes de los derechos humanos o de juristas extranjeros. Cuando el partido comunista prohibió a Felicia Langer representar a inculpados implicados en atentados contra civiles, fue Léa la que litigó en casi todos los procesos vinculados con los grandes atentados de las décadas de 1970 y 1980. A través de estos procesos aprendimos a captar los relatos contradictorios que se enfrentan en la frontera de las dos comunidades. Masacres de inocentes para unos, valientes operaciones militares para los otros; los que eran terroristas asesinos en opinión de los israelíes, eran héroes para los palestinos. Muy a menudo también lo eran en nuestra opinión.

Las condiciones de detención eran inhumanas, al menos hasta la gran huelga de hambre de 1981, pero las autoridades nunca consiguieron quebrantar la organización de los prisioneros, su severa jerarquía y las normas de conducta que se habían fijado. Desde la prisión de Nafha, en el desierto de Neguev, hasta la de Damún, en el monte Carmelo, los detenidos políticos palestinos establecieron una verdadera autogestión, un poder autónomo y coordinado a través de todo el país. No se necesitaban sino pocas horas para que la idea de una huelga pasase por todas las prisiones, fuese negociada entre las diferentes corrientes políticas y desembocase en una decisión práctica, unánimemente respetada.

La huelga de hambre de los prisioneros de Nafha de 1981 fue un duro momento de su batalla. En contraste con los nacionalistas irlandeses que en el mismo momento planteaban una huelga para obtener el estatuto de detenidos políticos, los detenidos palestinos no pedían sino la igualdad de derechos con los de derecho común; esto habla por sí solo de cuáles eran sus condiciones de detención en aquel presidio perdido en lo más hondo del desierto. En conexión con las familias de los detenidos, nosotros organizamos durante muchas semanas acciones de solidaridad bajo el eslogan «Lon Kesh-Nafha – la misma batalla: ¡que se respeten los derechos humanos de los detenidos!». Difundimos las reivindicaciones de los prisioneros, y mantuvimos diariamente informado al público israelí acerca de cuál era el desarrollo de la huelga gracias a las noticias que nos hacía llegar el colectivo de abogados movilizado por Léa y Felicia.[3] Si bien la huelga de Nafha no terminó en una hecatombe, como fue el caso en Irlanda, no por ello dejó de tener dos muertos: Ali Jafari, del campo de Deheisheh, y Rassem Halawa, de Gaza, asfixiados por un enfermero que no había sabido aplicarles la sonda a través de la cual se procuraba alimentarlos a la fuerza. Un tercero se salvó por los pelos gracias a Léa, quien, habiéndolo encontrado por azar moribundo en el pasillo de los calabozos de su prisión, había conseguido alertar a los servicios de urgencia. Este prisionero se llamaba Ishak Mghara, más conocido por el nombre de Abu Jamal. Hermano de Abu Musa (prestigioso comandante militar de Al Fatah que habría de rebelarse en 1982 contra Yaser Arafat y se convertiría en un agente de la política siria dentro del movimiento palestino), Abu Jamal era uno de los más antiguos dirigentes del FPLP en prisión, venerado tanto por los militantes de su partido como por los otros detenidos debido a su valentía, su rectitud y su bondad. Arrestado una primera vez en 1969, sería liberado dos años después para ser nuevamente condenado a veintisiete años de prisión en 1972. Murió a consecuencia de un debilitamiento cardíaco que tenía su origen en la huelga de hambre. El día de su liberación, en mayo de 1985, los detenidos del FPLP acudieron a un acto de recogimiento ante su tumba en Jerusalén.

Pero 1985 supuso el fin de un capítulo en la batalla de los prisioneros políticos palestinos. Muchas veces, en el transcurso de los años anteriores, algunos prisioneros habían sido liberados como consecuencia de secuestros llevados a cabo por organizaciones pa-

---

3. Véase Felicia Langer, *Going my Way* (edición hebrea), Tel Aviv, Dvir, 1991, págs. 110-117.

lestinas. Durante la ocupación de Líbano, tres soldados habían sido capturados por el FP-CG,* organización dirigida por un antiguo oficial del ejército sirio, Ahmad Jibril, cuya eficacia operativa suscitó verdadera admiración. Escarmentado por las maniobras de las autoridades israelíes en el transcurso de los intercambios anteriores, pero consciente asimismo de la impopularidad de la guerra del Líbano en la opinión pública israelí, Jibril había sometido a las autoridades israelíes una lista de más de mil detenidos, exigiendo que aquellos que eran originarios de los territorios ocupados o de Israel fuesen liberados en sus casas y no desterrados, tal como había sido el caso en los intercambios precedentes. Distintas terceras partes, entre ellas el Comité Internacional de la Cruz Roja, serían garantes del intercambio. No habiendo olvidado que en el transcurso del intercambio anterior Israel había entregado presos comunes en lugar de los políticos expresamente nombrados, Ahmad Jibril había transmitido listas en las que figuraba una descripción exacta de cada uno de los detenidos reivindicados.

En el transcurso de semanas de negociaciones llevadas a cabo en el mayor secreto, Léa hizo de intermediaria entre las prisiones, las autoridades y los negociadores palestinos. Durante días y noches estudiamos las listas, corregimos los errores, hicimos llegar sugerencias al Comité Unificado de Prisioneros, para garantizar que todos los ancianos y los condenados a las penas más duras fuesen liberados con total seguridad, y nos comunicamos con los negociadores palestinos recurriendo a organizaciones internacionales. Necesitada de ayuda, Léa obtuvo autorización para poner al corriente al Centro de Información Alternativa, que yo había fundado un año antes con un pequeño grupo de militantes israelíes y palestinos.

El nombre de Omar Al-Qassem no aparecía: ¿se trataría de un error? Se nos contestó que los israelíes habían planteado su veto, más tarde lo quisieron intercambiar por el cuerpo de un soldado detenido por el FPDLP. Algunos detenidos que debían ser liberados en los meses venideros pidieron ser reemplazados por otros que tenían que purgar todavía muchos años de prisión. Hacia el fin de las negociaciones, obtuvimos autorización para informar a algunos periodistas israelíes que, hasta el último momento, no se creían que Israel fuese realmente a liberar a más de mil prisioneros, entre ellos los responsables de atentados especialmente sangrientos, y lo que es más, sin desterrarlos.

©gedisa

El 5 de mayo de 1985 fue uno de los días más hermosos de mi vida: quedaban en libertad 1.115 detenidos, 600 de ellos en el interior del país. Yo tenía prisa por ver en carne y hueso a aquellos que no conocía sino de nombre, o que había entrevisto en el transcurso de audiencias ante el tribunal militar, pero debía permanecer en el despacho del Centro para informar a los periodistas que solicitaban detalles sobre tal o cual prisionero, o querían saber dónde encontrarlos ya que esta vez volvían a sus casas. Aquel día estuvimos realmente en el puesto fronterizo entre la sociedad de Israel, tocada por la estrepitosa victoria palestina que significaba aquel intercambio, y una población palestina alborozada que festejaba el retorno de sus héroes. Fuimos pasadores de información, pero sobre todo intentamos lograr que se captase la emoción de los palestinos, lo que para ellos significaban los prisioneros políticos, el lugar que éstos ocupaban y el papel que iban a desempeñar en el futuro en el seno de su sociedad.

Pude hacer una visita relámpago a El-Bireh para abrazar a Adnan Mansur Ghanem, que se había infiltrado al frente de un comando proveniente de Siria. Había solicitado ser liberado en casa de su tía, una venerable dama de la alta sociedad palestina cuya cocina iba a convertirse, hasta el destierro de su sobrino un año después, en una especie de club de los combatientes del FPLP. Para mi hija Talila, a la que ella colmaba de regalos y para quien tejía jerseis, se convirtió rápidamente en *hadoda* (la tía); pero nunca pudo entender por qué gente inteligente y cultivada como nosotros persistía en creer que los Protocolos de los Sabios de Sión eran una falsificación antisemita, ¡y cuya utilización perjudicaba grandemente a la causa palestina!

Pasé la noche siguiente a aquella jornada memorable en el Barrio de los Esclavos, ese patio pegado a la explanada de las Mezquitas de Jerusalén donde toda una comunidad de palestinos de origen africano vive en medio de una gran pobreza. Se festejaba allí el retorno de Alí y de Mahmud Jedda, ambos arrestados en 1968 por haber formado parte de un comando del FPLP que en la noche de un sábado de otoño había lanzado unas granadas en Jerusalén. Desde los primeros días de la ocupación, esta pequeña comunidad había sido un vivero de militantes, hombres y mujeres. Unos años antes, Israel había liberado a Fatma Barnawi, militante de Al Fatah responsable de un atentado en el cine Sión de Jerusalén, pero no había tenido la alegría de ser liberada en su casa, y sólo en 1995, a consecuencia de los acuerdos de Oslo, consiguió retornar a su país para convertirse en comandante de las unidades femeninas de la policía palestina de Gaza.

Desde su prisión, en la que había aprendido perfectamente el hebreo, el inglés y el francés, Alí Jedda había formulado el deseo de militar con los judíos de izquierda cuyas actividades seguía apasionadamente. Dos meses después de su liberación, se sumó al equipo del Centro de Información Alternativa.

Abdelaziz Alí Shahin, más conocido como Abu Alí, reinaba como maestro indiscutido sobre la comunidad de los detenidos palestinos desde 1967. No lo he mencionado hasta ahora porque, si bien me había llegado su fama, no lo conocí sino después de su liberación, en 1984, en el marco de la larga campaña que entablamos para procurar impedir su destierro.

¿Destierro? ¿Deportación? ¿Expulsión? En el transcurso de los años yo he empleado a ratos estas tres expresiones para traducir la palabra hebrea *guiruch*,* que también quiere decir divorcio. Pero divorcio como era entendido en la época bíblica, es decir, un acto unilateral de parte del hombre que repudia a su mujer.[4] Yo buscaba el término que pudiese expresar mejor el horror de lo que creo es la peor de todas las medidas represoras utilizadas por las fuerzas de ocupación israelíes, la misma que, cada vez que fui testigo de ella, me daba ganas de matar.

Expresamente prohibida por la cuarta convención de Ginebra, la expulsión de residentes de territorios ocupados fuera de las fronteras de tales territorios fue masivamente practicada inmediatamente después de junio de 1967 y hasta mediados de la década de 1970. Luego, la medida en cuestión se volvió más esporádica, por haber puesto freno a este ardor las continuadas protestas internacionales. El destierro era la medida más extrema que habían encontrado las fuerzas de ocupación israelíes para neutralizar a los

---

4. «Los palestinos emplean sobre todo el término inglés *deportation*. ¿Se trata exactamente de esto? A nuestro entender, no. En efecto, en nuestra memoria el término deportación posee todavía una fuerte connotación que remite al recuerdo de los campos de exterminio, y en este caso no se trata en absoluto de lo mismo... Así pues, parecería que destierro podría ser la expresión más correcta para calificar esta forma de represión selectiva. En el Larousse, la definición es por lo demás muy clara: "Destierro. Pena que consiste en prohibir a un ciudadano permanecer en su país"», Maurice Rajfus, *L'Ennemi intérieur*, París, EDI-La Brêche, 1987, pág. 165.

©gedisa

cuadros políticos, a los dirigentes municipales o a los sindicalistas. Por su parte, los militares y los militantes clandestinos eran juzgados y condenados a durísimas penas de prisión. Cuanto más abiertamente se llevaba a cabo la acción política, pudiendo entonces difícilmente ser calificada de clandestina, más corría el riesgo el dirigente implicado de ser simplemente expulsado, sin esperanzas de poder retornar a su país, su casa y su familia, a no ser después del fin de la ocupación israelí.

Por ser la mayoría de mis amigos y camaradas palestinos militantes con actividad más o menos pública, tuve el triste privilegio de conocer personalmente a muchos desterrados; mis amigos eran sistemáticamente expulsados, hasta tal punto que a veces llegué a preguntarme si no era yo su gafe. Me atrevo a creer que fue mi instinto político lo que me llevó a cooperar con aquellos y aquellas a quienes más tarde Isaac Rabin habría de llamar «los dirigentes auténticos», que llenaban las carretas de los deportados.

El primer destierro en que me vi mezclado fue el de Riad Abu Awad. Léa había decidido que era legalmente posible, si no impedir la deportación, al menos diferirla con el fin de obligar a las autoridades a que la argumentasen, ganándose así tiempo para proceder a una campaña local e internacional. Hasta entonces, los abogados se conformaban con apelar después de la efectivización del auto de deportación. En el futuro, esta batalla jurídica iba a cambiar la política de deportación: el largo procedimiento judicial reducía el efecto inmediato de la deportación y permitía situar a Israel en el centro de campañas internacionales de protesta contra esta flagrante violación de la convención de Ginebra. El precio a pagar por las autoridades israelíes se volvía cada vez más elevado, tal como Isaac Rabin habría de experimentar en 1992 ante la expulsión de más de cuatrocientos militantes islamistas (o supuestamente islamistas) y la inmensa movilización, efectiva también en Israel, para poner fin a esta práctica bárbara.[5] Y he aquí lo que se decidió: después de 1992 no habrían más destierros; las fuerzas de ocupación preferirán… proceder a liquidar a los dirigentes mediante unidades especiales.

Durante las semanas que precedieron a la expulsión de Riad, pudimos llevar a cabo nuestra primera campaña de sensibilización

---

5. Acerca del modesto papel que desempeñamos con ocasión de la decisión de que se expulsase a más de cuatrocientos militantes islamistas, véase Hannan Ashrawi, *This Side of Peace*, op. cit., págs. 221-224.

©gedisa

contra las deportaciones. La experiencia acumulada, aun cuando carente de éxitos, nos sirvió para las campañas futuras.

Después de Riad les llegó el turno a muchos prisioneros liberados en el marco del intercambio de 1985, entre otros a Adnan Ghanem y Yunes Rajub. Su expulsión era una violación del acuerdo con Ahmad Jibril. La campaña de protesta fue más importante que la que habíamos organizado contra el destierro de Riad, pero sólo en relación al caso de Abu Alí Shahin la movilización resultó masiva.

Abu Alí pertenecía al núcleo originario de Al Fatah y fue arrestado ya en los primeros meses de la ocupación israelí, en una de las numerosas ocasiones en que atravesó la frontera entre Egipto y Gaza, donde vivía con su familia en el campo de refugiados de Rafah. Dotado de un extraño carisma y de una capacidad extraordinaria para convencer a sus interlocutores –pero incapaz de dudar, si lo creyese necesario, de utilizar métodos expeditivos para forzar la adhesión de los reticentes–, Abu Alí se convirtió rápidamente en el líder indiscutible de los prisioneros de Al Fatah. Su influencia política atravesaba las murallas de las diferentes prisiones en las que las autoridades penitenciarias intentaban vanamente aislarlo, y sus sugerencias eran percibidas cada vez más como órdenes por los militantes de Al Fatah de Gaza y de Cisjordania.

Le interesó la existencia de una joven abogada judía, cuya valentía y temperamento camorrista comenzaban a ser conocidos en las prisiones. Rápidamente conquistada, Léa se convirtió en su abogada, o más bien en su *consiliera*. Abu Alí fue liberado en 1984 (al no tener que purgar «más que» dieciséis años de prisión, se había negado muchas veces a ser liberado en los intercambios de prisioneros) y se situó de inmediato en un lugar clave en la vida política palestina. Más adelante estaría en el origen de la constitución de la Shabiba, la organización de la juventud semipública de Al Fatah. Las autoridades decidieron entonces limitar su libertad de movimientos, desterrándolo a Dahaniyé, un poblado refugio de colaboracionistas situado en la frontera de la franja de Gaza. Pero no consiguieron aislarlo. Incluso los soldados israelíes que lo custodiaban no se resistían a sus encantos ni a los chistes que les contaba, en el hebreo de los barrios populares que había tenido tiempo de aprender en prisión. Las autoridades militares se vieron obligadas a prohibir que los soldados le hablaran. Por último, decidieron expulsarlo.

©gedisa

Léa y Avigdor Feldman, gran abogado de los derechos humanos que, desde la guerra del Líbano, había aceptado litigar ante la Corte Suprema para denunciar las distintas violaciones de la convención de Ginebra, se hicieron cargo de la batalla jurídica contra la expulsión de Abu Alí durante cerca de un año. Paralelamente, un Comité Palestino-Israelí condujo una amplia campaña de sensibilización contra la expulsión de Abu Alí Shahin, en la que participaron personalidades conocidas y que hasta gozó del apoyo del *kibutz* Kerem Shalom, separado únicamente por una cerca de alambre de púas de Dahaniyé, donde se encontraba Abu Alí.

En el tribunal me sentía fascinado por la actitud respetuosa, e incluso obsequiosa, de los oficiales superiores israelíes hacia este hombrecito de barba gris, de mirada sonriente a la vez que dura, que se apoyaba en un bastón para caminar –secuela de largos años de prisión– y que siempre tenía unas palabras amables para con sus amigos o para los guardias armados que le acompañaban. Muchas veces vi al coronel Ahaz Ben-Ari, consejero jurídico del gobierno militar de Gaza, llevándole un vaso de té e inclinándose imperceptiblemente delante de aquel a quien había decidido deportar.

El día del veredicto el ambiente era tenso en el tribunal, donde se codeaban las familias de los militantes palestinos e israelíes, y una importante delegación de juristas extranjeros enviados por diversas organizaciones de derechos humanos. Por la mañana habíamos organizado una última manifestación delante de la Corte Suprema, en la que anunciábamos que, cualquiera que fuese el veredicto, volveríamos a encontrarnos el sábado siguiente en Kerem Shalom para seguir exigiendo el fin de la política de deportaciones. Pequeña victoria de los abogados: habían obtenido de los jueces de la Corte Suprema que, en caso de que Abu Alí fuese deportado, las autoridades negociarían con los abogados y con la ayuda del CICR[6] el país al que sería enviado, ya que su deportación al sur del Líbano, donde actuaban con rigor las milicias del ALS,[7] pondría en peligro su vida.

Las deliberaciones se prolongaron desde la tarde hasta avanzada la noche, y, puesto que tenía que encontrar una canguro para nuestra hija de cuatro años, aproveché la pausa para despedirme

6. Comité Internacional de la Cruz Roja. [*N. del T.*]
7. Ejército del sur del Líbano creado por el ejército israelí después de la retirada del Líbano de 1985.

de Abu Alí. Cuando me abrazó largamente, tuve el presentimiento de que aquella sería la última vez que le vería.

Yo ignoraba que era el único que podría despedirme de él: violando la decisión de la Corte, el ejército había fletado un helicóptero que, en pocos minutos, conduciría a Abu Alí a Líbano, mientras su familia y sus abogados esperaban frente a la prisión el momento de encontrarse con él, tal como se les había prometido. Al día siguiente escribí una carta abierta a Aiman, el hijo de Abdelaziz Shahin:

> Hace apenas unas horas nos encontrábamos uno al lado del otro, frente a la Moskobiyé, incapaces de creer que todo había terminado. Me dolió mucho ver llorar a tu madre, y mucho más contemplar la mirada petrificada de tu abuela, mezcla de cólera contenida y de dolor infinito. Pero lo más duro fue ver cómo tú procurabas contener tus lágrimas. Cuando yo te conocí, tu padre estaba todavía detenido, pero tú sabías que en unos pocos años él retornaría al seno de vuestra familia. Tú lo sabías, porque eso era lo que estaba escrito en los documentos oficiales.
>
> Estuvo con vosotros unos pocos meses, y nuevamente os fue arrebatado. Rumbo a Dahaniyé. Esta vez no se os dijo por cuánto tiempo, pero al menos sabías que no se hallaría demasiado lejos y que tarde o temprano volvería a casa. Tú lo creías así porque el buen sentido lo dictaba de ese modo.
>
> Hoy, Abu Alí está a las puertas de su patria, y a ti te resulta difícil creer que algún día podáis vivir juntos en vuestra casa. Y no lo crees porque esto es lo que enseña tu experiencia, la de un hijo de combatiente que se niega a ponerse de rodillas.
>
> Yo he tenido la suerte que no tuvieron ni tú ni tu madre, ni los otros miembros de tu familia, ni vuestros numerosos amigos: despedirme de Abu Alí y decirle «Hasta pronto». Presentí que ni siquiera se le dejaría decir adiós a sus más allegados, por lo que durante una pausa me aproximé a él para abrazarlo una última vez. Le prometí que nos encontraríamos de nuevo, en Jerusalén, y él me contestó: «¡Por supuesto!». Son éstas las palabras que tengo el deber de hacerte llegar en su nombre; y te juro que nos encontraremos aquí, en la patria. Lo sé porque esto es lo que nos enseña la historia de los pueblos.
>
> Aiman, hermano mío, permanece aquí porque Abu Alí son las piedras y los olivos y los niños de Rafah, de Beit Ur y de Zbeidat. Permanece aquí porque, si tú partes, Abu Alí no tendrá motivos para volver. Pero si tú permaneces y si los niños de Palestina se aferran a

su país, Abu Alí y todos los otros deportados sabrán encontrar la fuerza que los hará volver a casa.[8]

Después de la deportación de Abu Alí Shahin llegaron muchas novedades complementarias: la Intifada se dejaba sentir en el aire, los comités populares se multiplicaban, las acciones semilegales y semipúblicas se volvían constantes, y en ellas las organizaciones de mujeres y las estructuras estudiantiles y sindicales jugaban un papel cada vez más importante. Era necesario desmantelar el movimiento. Otros amigos eran desterrados al otro lado de la frontera: Hassan Abdel Jawad, del campo de Deheisheh; Jibril Rajub, el sucesor de Abu Alí al frente de los prisioneros de Al Fatah y brazo derecho de Feisal Husseini después de su liberación; el sindicalista Alí Abu Hilal; Bashir el-Jeiri, abogado en El-Bireh y autor de un hermoso libro sobre la vida de un refugiado. Luego, ya con el inicio de la Intifada, llegó el turno del físico Taisir Aruri, de Bir Zeit; de Muhammad Labadi y su hermano Majid; de Jamal Faraj, de Deheisheh, y de Abdel Hamid el-Baba, del campo de El-Amari; de Bilal Sharshir, de Nablus; y de tantos otros militantes con quienes habíamos cooperado, a menudo desde hacía muchos años. Sólo los militantes de Jerusalén se salvaban, porque diez años antes el gobierno Beguin había enmendado la ley de tal manera que resultaba imposible deportar a los residentes de Israel, incluido Jerusalén Este.

En 1988, mientras la Intifada estaba en su apogeo, la OLP decidió fletar un barco para intentar devolver a su país a ciento treinta y cinco palestinos expulsados, deportados o desterrados desde 1967. Un grupo de militantes y periodistas israelíes decidió encaminarse a Atenas, de donde la nave debía zarpar. No pude unirme a ellos por hallarme entonces en pleno proceso y con residencia forzosa en Jerusalén. En la víspera de la partida escribí un breve texto –variaciones sobre una canción báquica popular que comienza «A la salud del navío que se hace a la mar...»– que entregué a mi amigo Haim Hanegbi para que lo transmitiese a mis camaradas expulsados:

A la salud del navío que se hace a la mar.
A tu salud, Riad Abu Awad, expulsado de Bir Zeit en 1978, directamente a las manos de las milicias de Saad Haddad.

8. *Matzpen*, núm. 151, marzo de 1985.

A tu salud, amigo mío Abu Alí Shahin, a ti, que incluso después de diecisiete años de prisión, seis meses de citaciones judiciales con residencia forzosa en Rafah y un año de destierro en Dahaniyé, sigues asustando a los enanos que gobiernan en nuestro nombre. Hasta los olivos que plantamos en Bashit después de tu expulsión les dan miedo: pocas horas después de nuestra partida fueron arrancados por los habitantes de Atseret que tienen el descaro de llamarse agricultores. Cuando nosotros nos despedimos en el tribunal, juré que volveríamos a encontrarnos en Jerusalén, y ambos sentimos que este día no está tan lejano.

A tu salud, Adnan Mansur Ghanem, cuyas torturas han conmovido al mundo entero. Veo cada tanto a tu tía, que suele traernos pescado y te envía su afecto. En su casa, en El-Bireh, todo va mejor porque ya hace dos meses que respiran en libertad.

A vuestra salud, Mahmud Fanun y Alí Abu Hilal: prometimos que por cada deportado se levantarían mil nuevos dirigentes, y ya son millares.

A tu salud, doctor Azmi Jueibeh.

A tu salud, mi querido amigo Hassan Abdel Jawad, y a la salud de los habitantes del campo de Deheisheh que una noche hicieron caer la cerca y ahuyentaron a todos los colaboracionistas.

A vuestra salud, Younes y Jibril Rajub. Fuisteis liberados de la prisión el mismo día y os deportaron con dos año y medio de diferencia. Pertenecíais a partidos antagonistas y defendíais estrategias opuestas; pero el ocupante no atiende a detalles y os reunió. Jibril, tu partida dejó un gran vacío en el Comité contra la Mano de Hierro, pero no temas nada, ninguno de nosotros pierde la esperanza en la lucha en común.

A la salud de los cientos de desterrados y de los millones de refugiados que no se olvidan de su patria y a quienes la patria no olvida.

A la salud de todos vosotros, mis queridos amigos. Por razones ajenas a mi voluntad no podré estrechar vuestras manos, y dudo de que vosotros pudiérais reparar en mí entre los miles de israelíes que os esperarán a orillas del mar en Haifa, para desearos la bienvenida. La Marina de guerra no os dejará aproximaros a la costa, y, al igual que Moisés, sólo de lejos podréis ver la tierra prometida. Pero, contrariamente a él, vosotros estaréis algún día al frente de vuestro pueblo en vuestra patria. Y ese día podremos vivir, vosotros y nosotros, como dos pueblos libres en su país.

El barco nunca llegó. Los servicios secretos israelíes lo abordaron en Larnaka. Pero los desterrados volvieron a su país tras los acuerdos de Oslo. Bashir el-Jeiri es abogado en Ramala; Hassan

©gedisa

Abdel Jawad abrió un nuevo centro de prensa en Belén; Taissir Aruri recuperó su puesto en la Universidad de Bir Zeit; Mahmud Fanun y Alí Abu Hilal volvieron a sus actividades militantes; Marwan Barghuti dirige Al Fatah en Cisjordania; Azmi Jueibeh fue nombrado ministro de Deportes de la Autoridad Palestina; y Jibril Rajub es comandante de la seguridad preventiva palestina en Cisjordania.

Abu Alí, que nos telefoneaba con frecuencia desde sus diversos lugares de exilio para recibir nuestras noticias, no quería retornar como consecuencia de un acuerdo que consideraba catastrófico para el porvenir de su pueblo. En 1994 le repitió a Léa, en el transcurso de una visita que ella realizaba a Túnez, su deseo de permanecer en el exilio antes que ser garante de lo que, a su modo de ver, se perfilaba como una capitulación. Cuál no sería mi sorpresa cuando, unos meses más tarde, con ocasión de un seminario coorganizado por el Centro de Información Alternativa en Gaza, me enteré de que Abu Alí acababa de volver a Rafah. Tomé un taxi y, en un poblado cubierto de banderas y de pintadas que celebraban al más popular de sus hijos, pude compartir con él la alegría de su reencuentro con el país. Después de haber sido escogido en las elecciones para el Consejo Legislativo Palestino, en 1996, Abu Alí fue nombrado ministro de Suministros del Gobierno palestino. Cuando acude a su despacho en Ramala, pasa por Jerusalén y suele telefonearnos: «Preparad café, quiero escuchar algo de lo que pasa en Israel...».

Sólo Riad Abu Awad no volvió. Las autoridades israelíes no le concedieron el permiso, por lo que continúa en El Cairo, desde donde nos llama cada tanto. Nosotros vemos a veces a sus hijas cuando vienen de visita a casa de su abuela, en Bir Zeit.

SEGUNDA PARTE

BRECHAS

LOS DOS RABINOS

El Talmud cuenta que Rabí Akiba y sus colegas subieron un día a Jerusalén. Una vez llegados cerca del antiguo emplazamiento del Templo, vieron que un zorro desaparecía por el sitio donde se encontraba el Santo de los Santos. Los colegas de Rabí Akiba prorrumpieron en sollozos. En cambio, Rabí Akiba se reía a carcajadas.

–¿Por qué te ríes, Akiba?

–¿Por qué lloráis vosotros?

–Se trata del lugar sagrado donde, a excepción del Gran Sacerdote, nadie tiene derecho a poner los pies so pena de morir. Y ahora, ¡hasta los zorros circulan libremente por él! ¿No es para llorar?

–Pero si es precisamente por eso que me río. Dos profecías nos han sido transmitidas sobre Jerusalén. El profeta Miqueas dijo: «Por eso, por culpa vuestra, Sión será un campo arado, Jerusalén será un montón de ruinas, y el monte del Templo un otero salvaje». Y el profeta Zacarías anunció: «Así dice Yahvé: He vuelto a Sión, y en medio de Jerusalén habito... Aún se sentarán viejos y viejas en las plazas de Jerusalén, cada cual con su bastón en la mano, por ser muchos sus días; las plazas de la ciudad se llenarán de muchachos y muchachas jugando en ellas.[1] Y puesto que la profecía de Miqueas no se cumplió, temía yo que con la de Zacarías ocurriría lo mismo. Pero ahora estoy seguro de que un día la profecía sobre el renacimiento de Jerusalén se verá realizada.

–Akiba, acabas de consolarnos.

(Talmud de Babilonia, tratado Makoth, 24B.)

---

1. Citamos por Biblia de Jerusalén, Desclée de Brouwer, Bilbao, y Alianza Editorial, Madrid, 1994. Miqueas (3:12); Zacarías (8:3 y 8:4-5). [N. del T.]

Mayo de 1976. Léa Tsemel y su secretaria Samira Jatib vuelven de un proceso en el tribunal militar de Gaza. Paran el coche sobre un alto que domina la colonia de Yamit, en el norte del Sinaí. Yamit es ya una verdadera ciudad. Léa llora, y Samira sonríe.

–¿Cómo puedes reír cuando puede verse esta colonia en pleno desarrollo? Jamás abandonarán los territorios ocupados.

–¡No te preocupes! Que construyan, más y más todavía. Todo será para nosotros cuando ellos tengan que devolver los territorios.

En algún sitio detrás de ellas, Dios murmuraba: «Hijas mías, ambas os equivocáis».

En 1982, Israel devuelve a Egipto toda la península de Sinaí. Antes de retirarse, Ariel Sharon da orden de no dejar piedra sobre piedra de la veintena de colonias que se habían construido en el Sinaí. Y se dice que aquel día Dios lloró.

©gedisa

9

EL TERREMOTO

Durante seis años Israel vivió en medio de la euforia de la victoria de junio de 1967. La sacra unión, que seguía estando a la orden del día, englobaba a la izquierda. La buena conciencia se ilusionaba con la convicción de que la ocupación de los territorios era «la más liberal de la historia».

Dos fórmulas estaban especialmente de moda, citadas cotidianamente en los discursos de los políticos y en los editoriales de los periódicos: «Nunca fue mejor nuestra situación» y «No tenéis de qué preocuparos». Con ellas se cerraba el pico a las interpelaciones de aquellos, muy escasos, que procuraban ver más allá de las gafas empañadas de los semidioses en que se habían convertido los militares. En cuanto al propio Dios, parecía celebrar sesión con el Gobierno, distribuyendo generosamente certificados de propiedad sobre «la tierra de los ancestros». El hecho de que asignase a muchos ministros adeptos el fruto prohibido y otros embutidos también prohibidos por la Ley, pero que la nueva prosperidad volvía accesibles, no parecía molestarle en demasía, al menos por el momento.

Sin embargo, las nubes se fueron acumulando: en el canal de Suez, una guerra de desgaste había costado la vida a muchos soldados. La Resistencia palestina conseguía hacerse visible y ganaba apoyos, sobre todo en los países del Tercer Mundo. Comenzaba a cambiar la opinión internacional, e Israel tuvo que anunciar oficialmente que estaría dispuesto a retirarse de los territorios ocupados a cambio de un tratado de paz. Y, sobre todo, cambios importantes se producían en los países árabes. Egipto se había acercado a Estados Unidos, y los Estados petroleros tomaban conciencia de su peso económico así como de su posibilidad de apostar en los asuntos políticos importantes de la región. Por increíble que pueda parecer, esta realidad era soberbiamente ignorada por la opinión pública israelí, por sus dirigentes políticos, por sus servicios de información y por sus centros de investigación.

La ofensiva sirio-egipcia del 6 de octubre de 1973, a la que también los occidentales llaman Guerra del Yom Kipur, cogió desprevenidos a los israelíes, que durante mucho tiempo la compararon con un terremoto. Aun cuando desde hacía un año nuestros análisis habían llegado a la conclusión de que era ineludible una nueva guerra, la sorpresa incluyó a los militantes del Matzpen. Cuando al inicio de la tarde unos jóvenes de un grupo del que yo era animador me anunciaron que los países árabes habían desatado la guerra, y que ellos querían imprimir un folleto de reacción llamando a la confraternidad, les contesté que sin duda se trataría de una iniciativa militar israelí que acabaría en menos de cuarenta y ocho horas. La ideología dominante es con frecuencia más fuerte que los análisis políticos más convincentes, y también yo tuve dificultades para creer que los Estados árabes se habían atrevido a atacar a la potencia israelí, y, sobre todo, ¡me parecía impensable que Israel pudiese sufrir una derrota militar!

Para los israelíes, el conflicto de 1973 supuso ante todo una inmensa sorpresa traumatizante. Sorpresa de hallarse de pronto en guerra, sorpresa de que los egipcios hubiesen conseguido cruzar el canal de Suez (y la línea Bar-Lev, considerada como tan inexpugnable como la línea Maginot), sorpresa de que los sirios hubiesen reconquistado en menos de dos días el conjunto de los altos del Golán... Si lo hubiesen querido, los tanques sirios habrían podido avanzar hasta Haifa sin encontrar resistencia. Se sabe hoy que el pánico fue tal que Golda Meir consideró la posibilidad de recurrir al arma nuclear. Es verdad que el apoyo masivo de Estados Unidos (que rearmó las unidades diezmadas a través de un puente aéreo) permitió que el ejército israelí recuperase su superioridad en pocas semanas, pero en su gran mayoría los reservistas permanecieron movilizados durante muchos meses.

Incluso antes de la firma del alto el fuego, la prensa hablaba de «desastre»[1] y de «hundimiento del sistema»,[2] expresando así la mezcla de humillación y de cólera de los soldados. Fue éste el brutal fin de la euforia y de la fantasía de omnipotencia y de invencibilidad de Israel.

---

1. En hebreo *ha-mehdal*, que significa un grave error de juicio a la vez que la mayor crisis que de ello pueda desprenderse.

2. En hebreo *ha-shita*, que implica más una concepción filosófico-política que un conjunto de instituciones y prácticas.

A partir de diciembre, decenas de miles de soldados, licenciados o todavía de uniforme, se manifestaban cada semana alrededor y en apoyo del capitán de la reserva Moti Ashkenazi (cuyo destacamento había sido el único en resistir en primera línea ante el empuje egipcio). Pedían cuentas al Gobierno y al Estado Mayor, querían dar con los culpables y declaraban que no volverían a dejarse engañar por frases tranquilizadoras. La prensa habló de un «movimiento de protesta», una expresión sumamente adecuada para el cuestionamiento que estas manifestaciones expresaban. Pero también con sus límites. Unánime en la denuncia del «sistema», el movimiento era demasiado heterogéneo como para que de él surgiesen soluciones políticas. Después de seis años de ensoñación, hacía falta tiempo para volver a decidirse a pensar.

Yo no había sido movilizado, y los militantes del Matzpen que sí lo habían sido se contaron entre los primeros licenciados, al temer el ejército su influencia sobre la moral de la tropa. Por supuesto, yo me sentía muy feliz de no haber tenido que batirme contra soldados cuya lucha me parecía legítima, por lo que me arrojé a la única batalla que en mi opinión valía la pena: el militantismo multiplicado por cien.

La ceguera contra la que habíamos puesto en guardia desde hacía años se había cumplido, nuestras predicciones se hacían efectivas de manera suficientemente brutal como para que en lo sucesivo se nos prestase atención. Y he aquí que un movimiento de masas se expresaba en la calle para exigir un cambio radical. Se trataba de un verdadero terremoto, y era necesario que reajustásemos nuestra acción en relación con esta realidad inédita: por fin el consenso nacional iba a agrietarse, y nacerían nuevas formas de oposición.

Para calmar los ánimos, el Gobierno aceptó constituir una comisión de investigación nacional independiente que culpó a los militares e ignoró las responsabilidades de la clase política. Un proceder tan eficaz, que todos los gobiernos israelíes apelarían a él, acto seguido, cada vez que tuviesen que asimilar grandes movimientos de protesta, por ejemplo, después de las masacres de Sabra y Chatila en 1982 o la sangrienta represión de las manifestaciones de ciudadanos árabes en Galilea, que produjo trece muertos en octubre de 2000.

Al igual que en todos los seísmos, sus secuelas se dejaron sentir durante muchos años. En 1977, un primer mar de fondo puso fin a tres decenios de hegemonía laborista y llevó al poder a la derecha de Menahem Beguin. El segundo, provocado por la iniciativa de paz del presidente egipcio Sadat, dio origen a un movimiento por la paz masivo y popular, ¡Paz Ahora!,[3] capaz de movilizar a cien mil manifestantes para imponerle al Gobierno una retirada total del Sinaí y el desmantelamiento de las colonias que allí había.

Mal que bien, todo esto supuso el final del consenso. Israel comenzaba a descubrir cierta normalidad, al menos en el campo de la confrontación de ideas acerca de las opciones políticas y estratégicas. La cuestión era: o la paz, o los territorios. El compromiso territorial o el peligro permanente de nuevas guerras, de las auténticas, y no ya de paseíllos, se resolvían en seis días y eran poco costosos en vidas israelíes.

Esta nueva y saludable toma de conciencia tenía, con todo, sus límites. Al volver a situar el conflicto en su marco árabe-israelí, la guerra había reprimido la dimensión palestino-israelí del mismo. Fundado por un grupo de oficiales de la reserva en torno al eslogan «Más vale la paz que el Gran Israel», este movimiento, que se definía como judío, sionista y de consenso, iba a servir durante quince años de lugar de reunión de toda esa componente de la sociedad israelí que aspiraba a una paz apoyada en la retirada de los territorios ocupados. Sus dirigentes creyeron durante largo tiempo que existía un amplio consenso en torno a su fórmula básica, no representando los partidarios de la colonización más que una minoría marginal. Surgidos de la segunda generación de la élite laborista, de origen occidental, laicos, no se tomaban en serio a la periferia que acababa de llevar a la derecha al poder. Para ellos, esto no era más que un leve incidente en el camino, un castigo por el desastre del Yom Kipur; en suma, un paréntesis que volvería a cerrarse próximamente. ¡Paz Ahora! se consideraba a sí mismo como el movimiento representante del «verdadero Israel», patriótico, judío y sionista, pero también pacifista y moderado, y, sobre todo, en sim-

---

3. El 7 de marzo de 1977, un grupo de oficiales de la reserva envió a Beguin, primer ministro, una carta abierta en la que decían claramente: «Le conjuramos a no tomar ninguna iniciativa que amenace con provocar, a medio plazo, una tragedia para nuestro pueblo y nuestro país [...]. Un gobierno que prefiera un Estado de Israel dentro de las fronteras del Gran Israel a un Estado de Israel que viva en buena vecindad nos obligaría a efectuar serios cuestionamientos [...]». El 1 de abril, cerca de diez mil personas manifestaron su apoyo a esta actitud bajo el eslogan «¡Paz Ahora!».

biosis con las posiciones americanas. Para sus fundadores, Washington desempeñaba el mismo papel que Moscú para los comunistas ortodoxos. Ahora bien, Washington, que pasó a considerarse en lo sucesivo el nuevo y único arquitecto de Oriente Próximo, no incluía a los palestinos en sus planes. «Bye, bye, PLO!»[4], había pregonado el consejero de Jimmy Carter, Zbigniew Brezinski.

En este contexto, resultaba imperativo demostrar que seguía siendo imposible obviar a la OLP. Fue el momento de la ola de los atentados de Maalot, Kiryat Shmoné, Avivim y, más tarde, de la operación de la carretera de la costa, que costó la vida a treinta y cinco civiles israelíes. Me encontraba yo aquel día camino de Tel Aviv después de una reunión en Nazaret. Al día siguiente escribí en un periódico francés de extrema izquierda, en el que colaboraba,[5] que aquellos que se habían atrevido a decir «Bye, bye, PLO!» habían perdido el tiempo, y que la operación de Tel Aviv, al obligar a las autoridades israelíes a dictar el toque de queda para todos los barrios del norte de Tel Aviv, obligaba a su vez a todos los enterradores de la Resistencia nacional palestina a repasar sus apuntes.

Ese artículo provocó reacciones virulentas, que me acusaban de apoyar operaciones terroristas llevadas a cabo contra civiles. A esta acusación no puedo contestar, todavía hoy, sino con trivialidades, mil veces repetidas por otros además de por mí, y en otras épocas y bajo otros cielos: que el terrorismo es con frecuencia el arma del débil cuando no existen otros medios para hacerse escuchar; que la responsabilidad recae en los que, al perpetuar la ocupación y la represión, empujan a los palestinos a resistir mediante todos los medios a su alcance; que el Gobierno israelí, responsable de tantos crímenes y violaciones sistemáticas del derecho, es el último en poder plantear un juicio moral acerca de las formas de lucha de aquellos a los que oprime; que ni siquiera yo tengo derecho a criticar a los palestinos a no ser que me halle en condiciones de proponerles soluciones capaces de obtener resultados políticos contundentes. Es verdad que el fin no justifica los medios. Pero ¿qué haría yo en su lugar? Es verdad que si yo fuese palestino, tendría muchas cosas que decir acerca de la oportunidad política y ética de toda una serie de decisiones tácticas de la OLP. Pero, en

---

4. Palestine Liberation Organization, sigla en inglés del Movimiento de Liberación de Palestina. [*N. del T.*]

5. *Rouge Quotidien*, núm. 599 (13-3-1978).

tanto que israelí, he optado por no juzgar. ¿Con qué derecho daría yo lecciones de moral al refugiado de Ein el-Hilwe, en el Líbano, que sufre las agresiones permanentes de la aviación israelí y ve cómo su patria desaparece debajo de las colonias judías sin que un movimiento de opinión israelí se oponga seriamente a la ocupación y al terrorismo de Estado? ¿Con qué derecho podría exigirle que encontrase modos de lucha menos sangrientos y, sobre todo, qué podría prometerle a cambio? ¿Acaso unos cuantos ataques contra objetivos militares harían que su lucha se volviese más popular entre la opinión pública israelí? En cualquier caso, por aquel entonces semejante declaración habría sido una pura mentira.

Esto no quiere decir que no me preocupe por este asunto, acerca del cual suelo discutir con los palestinos. En 1997 entrevisté a Mamduh Nofal, un consejero político cercano a Yaser Arafat. En su calidad de dirigente operativo del FPDLP, Mamduh es responsable de la operación de Maalot, en la que veinticuatro escolares israelíes, retenidos como rehenes para un intercambio de prisioneros, murieron en el ataque militar contra el comando palestino. «Fíjate –me dice–: nuestro error en Maalot, así como en otras operaciones de este tipo, fue ante todo un error político. No habíamos comprendido hasta qué punto el sionismo es sionismo. No previmos la eventualidad de que prefiriesen arriesgar la vida de sus propios niños (sus niños, no los nuestros) antes que liberar a nuestros detenidos. Fue un gran error, un error imperdonable que provocó la muerte de tantos niños, algo que en ningún caso queríamos nosotros. En el fondo, hoy creo después de aquello, y con el apoyo de una experiencia de la que carecíamos por entonces, que son posibles los objetivos puramente militares, y, por consiguiente, que son preferibles. No tengo vergüenza de lo que hemos hecho, pero *a posteriori* creo que deberíamos ahorrarnos operaciones del tipo de la de Maalot.»

En el momento en que las organizaciones palestinas optaban por una escalada en la lucha armada, nosotros considerábamos que nuestro papel principal consistía en poner en evidencia la realidad de la ocupación y la urgencia de una solución a la cuestión palestina. Esto, a pesar de la apertura que parecían representar los acuerdos de Camp David y la firma de un tratado de paz con Egipto. Dentro de esta perspectiva se fundaron el Comité de Acción contra la Colonización en Hebrón y, luego, el Comité de Solidaridad con la

©gedisa

Universidad de Bir Zeit. Seguíamos remando a contracorriente, pero el debate político volvía a ser legítimo: decenas de miles de israelíes volvían a cuestionar la política gubernamental, y eran cada vez más numerosos quienes comenzaban a percibir la realidad de la ocupación y de los derechos de los palestinos.

La decisión tomada por el tándem Beguin-Sharon de invadir el Líbano iba a acabar con los efectos del seísmo de octubre de 1973.

Más que vivir la paz con Egipto como una experiencia histórica en la aceptación de Israel por parte del mundo árabe, el gobierno Beguin y una parte de la opinión pública vieron en ella una especie de derrota política que debía ser reequilibrada mediante nuevas demostraciones de fuerza. Se produjo entonces el voto de la ley de Jerusalén, que formalizaba la anexión de una parte de Cisjordania; y luego, a finales de 1981, el de la anexión del Golán, con el intento de imponer allí la ciudadanía israelí a los casi doce mil ciudadanos sirios que no habían sido expulsados en 1967. Paralelamente, un recrudecimiento de la represión en los territorios ocupados dejaba muchas decenas de muertos en tres meses. Por iniciativa de Ariel Sharon, ministro de Defensa, la colonización daba un inmenso salto adelante, con la implantación de construcciones urbanas cercanas a las grandes ciudades israelíes. Muchos israelíes, y no forzosamente de derecha, encontraron así solución económica para sus graves problemas de vivienda. Pero esto no bastaba: Sharon quería aplastar definitivamente el movimiento nacional palestino en su bastión libanés. Llegado el caso, tenía la firme intención de llevar al poder a la extrema derecha maronita, con la que algunos servicios secretos israelíes mantenían muy estrechas relaciones.

Sin embargo, Sharon se enfrentaba a un problema: la OLP respetaba escrupulosamente el acuerdo de alto el fuego firmado un año antes por mediación de Estados Unidos, después de una larga serie de bombardeos recíprocos en la frontera libanesa. Un atentado muy oportuno (y nunca dilucidado) contra el embajador de Israel en Gran Bretaña acabaría dando luz verde a una invasión preparada con mucha antelación.

Desde hacía más de seis meses *Matzpen* titulaba «¡No a la guerra en Líbano!» y empujaba al Comité de Solidaridad con Bir Zeit a lanzarse a una campaña contra una invasión que parecía inevitable. Evidentemente, éramos tratados de alarmistas por los militantes de ¡Paz Ahora! El 5 de junio de 1982, el Comité tenía

©gedisa

que dar relevancia al decimoquinto aniversario de la ocupación mediante una manifestación en Tel Aviv. Esperábamos contar con unos mil a dos mil manifestantes. En la víspera, después del atentado contra el embajador Argov, el ejército había comenzado a movilizar a los reservistas. Ahora bien, para nuestra gran sorpresa, más de cuatro mil manifestantes motivados y combativos desfilaron detrás de la gran banderola que rezaba «¡Detengamos la guerra en el Líbano!». Fue ésta la primera manifestación contra la guerra, anterior incluso a los primeros disparos. Dos días después, rebautizamos al Comité pro Bir Zeit como Comité contra la guerra en el Líbano.

En la oposición, el Partido Laborista apoyaba lo que todavía se atrevía a llamar Operación Paz en Galilea. Junto con él, la mayoría de los «pacifistas» repetían todas las mentiras sobre los arsenales de la OLP en el sur de Líbano, sobre los bombardeos del norte de Galilea (que, evidentemente, se produjeron después de la ruptura del alto el fuego por parte de la artillería israelí), sobre los objetivos limitados en el tiempo y en el espacio de «la operación», etcétera. A primera vista, se trataba una vez más de la sacra unión. Pero varios de nosotros adivinábamos que este asunto no podría sostenerse, pues la brecha que se había abierto en 1973 iba a provocar una verdadera fractura. Abogamos por la organización de una manifestación central en Tel Aviv, mientras la batalla causaba todavía estragos en los alrededores de Beirut, mucho más allá de los cuarenta kilómetros anunciados por Beguin y Sharon. Y acertamos: delante del Ayuntamiento, más de diez mil manifestantes, muchos de ellos soldados de uniforme, escucharon al general de la reserva Matti Peled en su llamada a «hacerle la guerra a la guerra» y a iniciar de inmediato negociaciones con la OLP. El poeta Isaac Laor pidió a los soldados que se negasen a cruzar la frontera. Muchos manifestantes eran militantes de ¡Paz Ahora!, escandalizados por lo que acababan de ver en Líbano y por las mentiras de Sharon. Finalmente, uno de sus dirigentes pidió la palabra para anunciar que ¡Paz Ahora! convocaba a una manifestación contra la guerra en la semana siguiente, a la misma hora y en el mismo sitio. ¡Habíamos ganado! Habíamos conseguido poner en marcha un movimiento de masas contra la guerra, que se iría ensanchando. Por vez primera Israel entablaba una guerra sin consenso, y habíamos dejado atrás, definitivamente, la travesía del desierto.

Una semana después, cien mil personas respondían a la llamada de ¡Paz Ahora![6] Las consignas eran menos radicales que la semana anterior y más moderadas las reivindicaciones, pero ¿qué importaba eso? Comenzaba una nueva era, con la toma de conciencia de la condición central de la cuestión palestina. Después del «Bye, bye, PLO!» de los americanos y frente al deseo gubernamental de eliminar al movimiento nacional palestino, éste se imponía a la opinión pública en el preciso momento en que experimentaba una grave derrota militar y cuando su dirección se veía obligada a abandonar el Oriente Próximo.[7]

Nacida en 1982, nuestra hija Talila no conocería, pues, el aislamiento en el que habían crecido sus hermanos; jamás sintió vergüenza de sus padres ni se vio tentada de renegar de su madre. Para ella, oponerse a la ocupación sería una actitud normal, e incluso mayoritaria entre sus compañeros de clase y sus familias. Los amigos de sus padres no se reducían ya a un puñado de militantes algo raros. A través de ella y por el diferente modo con que vivía la actualidad a la vez que nuestro militantismo, tomé conciencia del profundo cambio por el que atravesaba la sociedad israelí. Lo peor había pasado, ya nada sería como antes. ¿Quién hubiera podido imaginar, apenas unos años antes, que Léa se convertiría en una invitada regular de los programas de la televisión israelí, o que *Maariv*, el segundo periódico del país, me incluiría en 1998 en la selecta lista de «los israelíes que simbolizan las primeras bodas de oro de Israel»?...

La presencia israelí en el Líbano se prolongó todavía algunos años, con numerosísimas víctimas en las filas del ejército. Pero los israelíes extrajeron de ello una gran lección: la superioridad militar, incluso aplastante, no garantiza la victoria sobre un pueblo dispuesto a morir por su libertad, sobre todo cuando los objetivos de la guerra y su legitimidad no son apoyados por un fuerte consenso en la retaguardia.

La Operación Paz en Galilea, que en el espíritu de sus planificadores debía acabar con el síndrome del Yom Kipur, había gene-

---

6. Véase Mordejai Bar-On, *Peace Now, The Portrait of a Movement*, Tel Aviv, Hakkibutz Hameuhad, 1985, pág. 56.

7. Sobre la guerra del Líbano y sus efectos en la sociedad israelí, véase Zeev Schiff y Ehud Yaari, *Israel's Lebanon War*, Nueva York, Simon & Schuster, 1985.

rado un nuevo síndrome, todavía más traumatizante: el síndrome libanés, que continúa atormentando a la opinión e interpelando al Estado Mayor cada vez que éste se muestra dispuesto a emprender nuevas aventuras.

10

«¡EXISTE UNA FRONTERA!»

En 1982, mi amigo Marcelo Wexler era militante obrero, miembro de la dirección del Matzpen; y era también brigada de la reserva en intendencia. Movilizado en la víspera de la invasión, se negó a sumarse a su unidad. Antes de anunciar su decisión a su comandante, escribió: «Hay que dar ejemplo, porque esta vez muchos nos seguirán. La guerra no tiene nada que ver con lo que la gente espera, y ésta pronto tomará conciencia de ello. No, no pasaré mucho tiempo solo en prisión».

El mismo día, un grupo de soldados y de oficiales de la reserva publicó una instancia por la que solicitaban a las autoridades que no se les llamase a participar en la invasión del Líbano. «Nosotros, oficiales y soldados de la reserva, solicitamos que no se nos envíe al Líbano, porque no podremos obedecer esta orden. ¡Esta guerra y las mentiras que la acompañan no cuentan con el apoyo de la nación! Hemos hecho el juramento de proteger la existencia y la seguridad del Estado de Israel, y seguimos fieles a ese juramento. En consecuencia, solicitamos que se nos permita cumplir con nuestros períodos de reserva en territorio israelí y no en tierra libanesa.» Esta primera instancia fue firmada por más de seiscientos reservistas, encabezados por el teniente coronel Dov Yirmiya, héroe de la guerra de 1948, y que habría de convertirse en llave maestra de la movilización contra la guerra del Líbano.

El título de la instancia se resumía en dos palabras: *Yesh Gvoul,* es decir, «¡Existe una frontera!», la frontera israelo-libanesa, que no estamos dispuestos a atravesar. Pero esto significaba, asimismo: «Hay un límite», no todo está permitido; el principio de orden, el poder de la ley, que guían a una sociedad organizada en el marco formal de la democracia, no son absolutos, y en determinadas ocasiones la desobediencia puede convertirse en un deber. La invasión del Líbano no era una guerra de autodefensa, sino una operación militar que apuntaba a descabezar el movimiento nacional palestino y a cambiar el régimen establecido en el Líbano. Se trataba de una decisión política que no sólo no era indispensable, sino ante la cual no existía consenso entre la población. «No se trata de una guerra ante la que no se tiene opción»,[1] declaraba honestamente Menahem Beguin, el primer Ministro, indicando así una ruptura con el discurso justificativo de todas las guerras anteriores. Frente a esta «opción» del Gobierno, nosotros teníamos la opción, y en consecuencia el deber, de decir no. Tal era el mensaje de los solicitantes que, poco a poco, iban poblando la prisión militar número 6, Atlit, cerca de Haifa. *Yesh Gvoul* –que rápidamente se transformaría en el nombre del movimiento de los insumisos– significa asimismo «basta», «estar hasta la coronilla», y tal será el significado que se hará más popular después de un año del atolladero libanés, cuando la negativa a servir militarmente en el Líbano desbordará las filas relativamente modestas de los reservistas motivados únicamente por consideraciones de orden político o moral.

Para entender la importancia extraordinaria del fenómeno Yesh Gvoul, así como su significado en la reestructuración del discurso político e ideológico israelí, es necesario ante todo comprender lo que el ejército representaba desde hacía tres decenios. La humorada «Israel no es un Estado con un ejército, sino un ejército con un Estado» no es más que una leve exageración de la realidad israelí entre las décadas de 1950 y 1970. El ejército era el genitor del Estado, nacido de una guerra colonialista de conquista vivida por los judíos como una guerra de liberación nacional. Frente a un entorno árabe que les negaba su existencia, el ejército era el protector y el garante de la existencia nacional. De acuerdo a esto, todo le estaba permitido: protegido por el secreto profesional y por un cheque en blanco obtenido de parte del conjunto de la sociedad civil, podía obrar a sus anchas, sin verdadero control parlamentario. Hasta la Guerra de 1973, se mantuvo fuera del debate político. Era un tabú. La crítica resultaba tanto más improbable cuanto que el ejército era «nosotros»: todo el mundo cumple con su servicio militar (tres años los hombres, dos las mujeres), y después del servicio militar todos los hombres son reservistas hasta los cincuenta años. Realizan dos y hasta tres períodos de muchas semanas de reserva

---

1. «No se tiene opción», en hebreo *ein Breira*, constituyó, hasta la guerra de Líbano, una expresión muy popular por la que parecían justificarse todas las andanzas y fechorías de los distintos gobiernos israelíes y del ejército.

anuales, sin hablar de los ejercicios de movilización de emergencias, las jornadas de formación y, evidentemente, las guerras. Hasta finales de los ochenta no se podía dejar el país sin autorización previa del ejército. El ejército es el pueblo en armas, aun cuando, contrariamente a los suizos, los reservistas tengan que devolver su fusil después de su desmovilización.

En aquella época, no cumplir con el servicio militar suponía quedar totalmente excluido de la sociedad. En algunos medios, no pertenecer a una unidad combatiente era un deshonor. La literatura de la década de 1980 abunda en novelas y relatos sobre la tragedia de aquellos jóvenes israelíes que por razones de salud no habían podido sumarse al glorioso cuerpo de los paracaidistas y que, sintiéndose definitivamente devaluados, marginados y excluidos, se hundían en la neurosis, llegando a veces hasta el suicidio.[2]

La victoria de junio de 1967 exacerbó todavía más este culto al ejército. En 1968, cuando fui llamado a cumplir con mi instrucción, ni siquiera se me había ocurrido (ni tampoco a mis camaradas del Matzpen) la idea de negarme al servicio militar, a no ser que se me plantease acudir a los territorios ocupados. Si algunos encontraron una justificación en los textos del movimiento comunista en cuanto al papel del revolucionario en el ejército (la necesidad de hallarse con el pueblo allí donde éste se encuentre), para la mayoría de nosotros simplemente no se planteaba tal necesidad de justificación. En Israel se hace el servicio militar como se pagan los impuestos, como se respeta la ley, como se envía a los niños a la escuela pública.

Sin embargo, incluso sin pertenecer a una unidad combatiente, se participaba en la ocupación. En septiembre de 1969, mi compañía estuvo encargada de mantener el toque de queda en la aldea de Beit-Sahur, al sur de Jerusalén. Era aquél el toque de queda más largo que hubiese impuesto el ejército, como consecuencia de unos disparos de cohetes sobre Jerusalén. Nos hallábamos a finales del primer mes del toque de queda, habiéndose dictado la orden de hacerles imposible la vida a los vecinos hasta que denunciasen a los que habían disparado. «Vosotros sois los últimos: o ellos revientan, o nosotros tendremos que ceder», nos había conminado el coronel.

---

2. Véase, por ejemplo, la novela de Yehoshua Knaz, *Hitganvut Yehidim* (Infiltraciones individuales), Tel Aviv, Am Oved, 1986.

©gedisa

¿Es el término «toque de queda» lo que me recuerda aquellos tiempos, o la admiración que generaba en mí la resistencia de la población de Beit-Sahur? Ocurrió que anuncié a mi capitán que me negaba a participar en lo que yo consideraba como un castigo colectivo inaceptable. Sorprendido, el oficial me arrestó antes de decidir qué debía hacer en una situación para la que no había sido preparado. Fue mi amigo Yonatan el que le sacó de apuros: en el campamento provisional donde acampaba el ejército no había cocina ni cocinero. Ahora bien, también el ejército necesitaba comer tres veces al día. Yonatan, como quien no quiere la cosa, le hizo comprender al capitán que en toda la compañía no había sino una persona capaz de organizar una buena cantina para un centenar de soldados. Pero como no se puede obligar a nadie a ser cocinero, había que negociar. Ese soldado cocinero, capaz de cocinar a fuego lento platos exquisitos, era yo, que había aprendido a llevar cocinas de campaña en los campamentos de *scouts*. A cambio del nuevo puesto al que me presentaría voluntario, no haría guardias ni patrullas. Con todo, el capitán me dio a entender que ya vería lo que es bueno y que ya llegaría mi hora. Y ésta llegó mucho más pronto de lo previsto, e igualmente Yonatan jugó su papel en la continuación de esta historia.

Mi amistad con Yonatan Shem-Ur resulta reveladora de lo que es el ejército israelí así como de la manera con que refuerza el carácter tribal de la sociedad judía. Yonatan era estudiante en la Universidad Hebrea, y, al igual que yo, cumplía con su servicio militar en lo que se conoce como «la reserva universitaria», una unidad privilegiada, movilizada durante las vacaciones entre curso y curso, con el fin de formar oficiales diplomados. Pero contrariamente a mí, que militaba en el Matzpen, Yonatan era secretario de la Unión de Estudiantes del Herut,* el partido de Menahem Beguin, y su familia pertenecía a la vieja derecha israelí. Su madre, Ora, escribía en el periódico *Yediot Aharonot* una crónica semanal en la que atacaba a la derecha desde la derecha. Después de los acuerdos de Camp David, organizó un grupo de burguesas, *Las Locas de Windsor*, que se manifestaban regularmente contra la traición de Beguin, acusado de «haber vendido la tierra de la patria a los egipcios». Su hermana, Miri, es una mediocre escritora y periodista de *Maariv*. Muy culto y apasionado por la literatura francesa, Yonatan se había vinculado conmigo con ocasión de incontables discusiones en la cafetería de la universidad. Yo no podría quedar in-

©gedisa

sensible ante su personalidad. Su desparpajo israelí sin límites dejaba traslucir a veces una sensibilidad rara entre los israelíes de su generación. Realmente, el ejército iba a acercarnos. Yonatan, *tsabar* (sabra) de la aristocracia urbana, sabía conducirse como dueño de la situación dando siempre con los chanchullos necesarios para la conservación de una dignidad que los suboficiales tenían que encargarse de quebrantar. Gracias a él, el nuevo inmigrante que yo era no se dejaba pisotear demasiado. En cuanto a mí, judío de la diáspora que no veía nada de malo en bajar la mirada delante de un brigada estúpido, arranqué a menudo a Yonatan de más de un apuro al que le arrojaba la trampa de su arrogancia. Durante las muchas horas de guardia que siempre hacíamos juntos, hablamos largamente de filosofía y literatura, pero proseguimos también las discusiones políticas iniciadas en la cafetería. En el transcurso de estas largas noches de verano, aprendí mucho sobre los israelíes, su mentalidad, sus angustias y lo que ocultan detrás de su aplomo legendario. En cuanto a Yonatan, creo que esas charlas fueron para él el comienzo de una reflexión que habría de continuar después de la Guerra de 1973, en la que fue herido de gravedad. Terminó por romper con la ideología en la que había crecido, y durante la guerra del Líbano volvimos a encontrarnos codo con codo en las mismas manifestaciones.

Así pues, mi amistad con Yonatan me permitió comprender el papel del ejército como mecanismo eficaz de formación de una solidaridad tribal, que hace extremadamente difícil cualquier ruptura del consenso. La fraternidad entre jóvenes que han pasado juntos tres años muy intensos y que a menudo han arriesgado su vida uno por el otro se prolonga en la que los une, durante más de veinticinco años, en una unidad de reservistas. Dos o tres guerras pasadas juntos, sin hablar de las noches de patrulla o de emboscada en la frontera: esto pesa más que las divergencias ideológicas.

Por mi parte, si conseguí mantenerme relativamente sordo a los cantos de sirena de la camaradería propia de la soldadesca y, sobre todo, impermeable a su capacidad de disolver los principios políticos y morales, se lo debo a un incidente ajeno a mi voluntad –pero probablemente no a la de Yonatan– que me condujo a situarme en disidencia en el propio ejército.

Aquel verano de 1969 estábamos en el cursillo de formación para entrar en la escuela de suboficiales, en un campamento militar cerca de Ramala. Las pocas decenas de militantes del Matzpen acababan de cubrir las paredes de las grandes ciudades con el eslogan «¡Abajo la ocupación!», seguido de una flecha orientada hacia el oeste, símbolo de la retirada de los territorios ocupados. La prensa se hacía mucho eco de esta acción calificada como vandalismo, y nosotros discutíamos el caso después de las maniobras. Un viernes por la mañana, rapados y lustrosos antes de partir de permiso, estábamos preparados para la inspección del coronel. La espera se prolongaba y se murmuraba ya que algo grave estaría ocurriendo, lo que amenazaba con privarnos de ese permiso con el que habíamos soñado desde hacía tres semanas: el edificio de la administración estaba en ebullición, los oficiales corrían de un lado para otro y llegaban muchos *jeeps* de la policía militar. En medio de esta efervescencia, el capitán vino a verme para preguntarme qué había hecho yo la noche anterior; le contesté que había estado de guardia, evidentemente con Yonatan, que después me había duchado y había dormido durante las tres horas que me quedaban. Me pidió entonces que le permitiera inspeccionar mis manos, y añadió: «Si nada has hecho, nada tienes que temer». No tenía yo la menor idea de a qué venía eso, pero escuché rugir al coronel, un gigante cubierto de chapas y de medallas ganadas en las batallas del Ejército Rojo contra Hitler: «Si cojo a ese cabrón, lo machaco, le arranco los ojos, le retuerzo los cojones». Se me dio la orden de presentarme en su despacho, donde esperé temblando. Fue finalmente su ayudante quien me recibió y me planteó las mismas preguntas que el capitán, a las que contesté de la misma manera. Me preguntó entonces si era cierto que yo militaba en el Matzpen y si sabía de la existencia de otros miembros del grupo en la base. Respondí que, en efecto, yo era miembro del Matzpen, que no conocía a todos los otros (lo que era falso), pero que dudaba de que hubiese otro militante a no ser yo en aquella base. El ambiente se había distendido un poco y solicité permiso para, a mi vez, plantear una pregunta: «¿Podría decirme qué hecho se me imputa, con el fin de poder decirle si en efecto lo he cometido?». Me ordenó entonces que le siguiera y me mostró, contra la pared trasera del cuartel general de la base, una inmensa inscripción con la pintura todavía fresca, una pintada de más de dos metros de alto: «¡Abajo la ocupación!», seguido de la pequeña flecha...

No estaba yo de humor como para sonreír, pero suspiré al menos de alivio, ¡convencido como hasta entonces había estado de que procuraban cargarme con algún asunto de espionaje o de alta traición! Repetí entonces a los investigadores de la policía militar que no tenía nada que ver con aquella inscripción, que sí se trataba de un eslogan del Matzpen, pero que no sabía de nadie que hubiese podido cometer semejante acto. Y tampoco aquí decía toda la verdad: adivinaba ya que Yonatan era el autor de esta broma, pues había tenido tiempo para ello durante nuestro turno de guardia; además, se trataba de su manera de darle con un palmo de narices al ejército sin necesariamente compartir el contenido del eslogan con el que había decorado el cuartel general.

Pude finalmente partir de permiso y ver a mi mujer y a mi hijo Dror, que sólo tenía cuatro meses. Pero en el transcurso de las semanas siguientes, la policía militar vino muchas veces a buscarme al campo de maniobras para llevarme a diferentes lugares de interrogatorio a través de todo el país, con el fin de preguntarme sobre mis actividades políticas, mis opiniones, etcétera. Yonatan siempre negó ser el autor de esta ocurrencia, pero para mí se trató del comienzo de un largo trámite de divorcio con el ejército: no terminé la escuela de suboficiales, no asistí a la escuela de oficiales, me pasaron de una unidad a otra durante muchos meses, para finalmente conseguir que se me diera de baja. Sólo después de la guerra de 1973 me reintegré en el ejército como reservista.

Hasta finales de la década de 1980, el ejército israelí era primero y ante todo un ejército de reservistas. Fueron ellos los que, durante mucho tiempo, realizaron lo esencial de la actividad militar tanto en tiempo de guerra como en tiempo de paz, dejando a los reclutas, a los oficiales y a los suboficiales de carrera las operaciones más espectaculares, la logística y la intendencia. Al ser las unidades de reservistas más estables, los soldados y los oficiales se conocían íntimamente y se encontraban a menudo fuera de los períodos de reserva. El ciudadano israelí (no la ciudadana, que no forma parte, o muy raramente, de la reserva) es un ciudadano soldado que lleva uniforme entre siete y ocho semanas por año, y para quien el ejército forma parte de su vida cotidiana.

Compuestas por hombres maduros, las unidades de la reserva funcionan menos con disciplina militar que con autodisciplina: los soldados se conocen y no quieren escurrir el bulto cargándolo a las espaldas de sus camaradas. Tienen muy vivo el sentimiento de contribuir a su propia seguridad y a la de sus familias, por lo que no hay la menor necesidad de obligarles a nada. Suele ocurrir que se presentan voluntarios para reemplazar a un amigo, o para echar una mano si la unidad lo necesita. A cambio de ello, el reservista sabe que se le ayudará cuando, a su vez, se vea en dificultades. Todo se regula amigablemente en el seno del grupo, como en una familia. En 1987, cuando fui arrestado e inculpado de «apoyo a organizaciones terroristas», y puesto luego en libertad provisional en espera del proceso, paradójicamente fui llamado a unirme a mi batallón que partía de maniobras: todos los soldados me dieron muy buena acogida, y el comandante del batallón decidió atestiguar en mi favor. Durante todo el período del proceso, en el que estaba acusado de las peores traiciones, y como si de nada se tratase, ¡seguía mandando ocasionalmente patrullas y destacamentos en el valle del Jordán! Muchas veces acudí ante el tribunal en uniforme, lo que hacía sonreír a los jueces y ponía al fiscal fuera de sí. En esa misma época, mi coronel procuró incluso enviarme a un curso de formación para oficiales de la reserva.

En esta confraternidad interna residen a la vez la fuerza y la debilidad del ejército.[3] Cuando en julio de 1983 me negué a partir con mi batallón hacia el Líbano, sabía que no arriesgaba demasiado, ya que desde hacía un año cerca de ochenta reservistas rebeldes habían sido ya condenados a penas de arresto mayor que oscilaban entre los veintiuno y los treinta y cinco días. ¡No es demasiado por insumisión en tiempo de guerra! Pero el ejército era consciente de la popularidad de los insumisos en el seno de sus unidades. Aun cuando al inicio de la guerra, la mayoría de los soldados y oficiales no compartían su decisión, por lo menos la respetaban. Durante los dos días de instrucción que precedieron a la partida del batallón hacia el Líbano, yo dirigí una especie de foro político permanente: desde el jefe del batallón hasta el encargado del rancho, todo el mundo intentó convencerme de que cambiase de opinión. Los argumentos iban desde el respeto debido a las decisiones tomadas por un gobierno elegido democráticamente hasta el deshonor que podría significar la prisión militar. Pero después de un año de campaña a favor del rechazo de servir en el Líbano, los militantes de Yesh Gvoul estaban curtidos en este tipo de debates. El libro que acabábamos de publicar sobre el derecho a la desobediencia

---

3. Acerca del papel del ejército en la sociedad israelí, véase Claudia Grad y Michel Warschawski, *Le Rôle des officiers supérieurs dans la société israélienne*, Londres, publicado por Ithaca Press y el Centro de Información Alternativa, 1985.

era ya un *best seller*.[4] El único argumento que tenía alguna posibilidad de hacernos retroceder –y muchos insumisos me confirmaron este sentimiento– era que dejamos que nuestros camaradas fuesen al matadero mientras nosotros permanecíamos seguros en la cárcel.

El último intento de mis camaradas de batallón por obligarme a permanecer con ellos consistió en amarrarme y conducirme a la fuerza a uno de los vehículos que partían hacia la frontera libanesa... Querían de este modo evitarme la prisión, ¡aunque permitiéndome mantener tranquila mi conciencia! Pero yo me bajé del camión a pocos kilómetros de la frontera, con mi fusil y mis pertrechos, deseándoles que retornasen sanos y salvos. Al día siguiente, mi coronel me condenaba a veintiocho días de arresto mayor y me daba una nueva orden de movilización para el otoño... en el Líbano.

En la prisión militar, los insumisos eran tratados con sumo respeto. Hay que comentar que, después de un año de guerra, el fenómeno no dejaba de manifestarse en todas las unidades. En aquel mes de julio de 1983, estábamos purgando nuestra pena dieciocho reservistas a la vez, entre los cuales una mayoría de soldados y oficiales que se habían negado a volver al atolladero libanés después de haber estado allí. En su mayor parte no pertenecían a la izquierda radical, ni mucho menos: algunos eran *kibutznikim* de ¡Paz Ahora!, y otros, simples ciudadanos asqueados por lo que habían visto o tenido que hacer. De más edad que los otros detenidos –los reclutas condenados por indisciplina– y que los policías militares que nos vigilaban, nosotros gozábamos de una muy amplia autonomía y recibíamos numerosas visitas informales. Nuestra sección estaba rodeada por una simple cerca de alambre de púas, que no impedía los encuentros con nuestros allegados ni el ingreso de contrabando de una cantidad impresionante de botellas de cerveza y de cartones de cigarrillos, ¡que ocultábamos en el fondo de agujeros excavados en el suelo de nuestras tiendas! Mi hijo Nissan, que pasaba sus vacaciones a dos kilómetros de la prisión y venía a vernos casi todos los días, se había especializado en el lanzamiento de botellas de cerveza, hasta el día en que una de ellas dio en la cabeza de un guardia que, mediando unos cuantos paquetes de cigarrillos, supo olvidar lo que había visto.

4. *The Limits of Obedience*, de Yishai y Dina Menuchin (comps.), Tel Aviv, Yesh Gvoul Publications, 1985.

©gedisa

Entre las visitas más oficiales no puedo dejar de evocar a mi capitán, que, de permiso del Líbano, se había creído obligado a acudir para ver cómo me hallaba y contarme que no había habido ninguna víctima en nuestro batallón, un hecho cada vez más raro.

Pasábamos nuestro tiempo discutiendo de política (entre nosotros, pero también con los jóvenes reclutas, ya fuesen guardianes o detenidos), y consideramos que nuestra principal tarea consistía en dar ejemplo para que otros se negaran a atravesar la frontera libanesa. Cada caso de insumisión era ampliamente comentado por los medios, y la popularidad del movimiento Yesh Gvoul y de los soldados insumisos crecía a medida que el ejército se atascaba en el Líbano y la guerra se volvía impopular.[5] Yo mismo fui enviado allí tres veces, y las tres veces me negué a cruzar la frontera. Tuve, en total, sesenta y tres días de arresto mayor, lo que realmente no es mucho teniendo en cuenta la importancia de la acción que habíamos planteado: desde la guerra del Líbano, el Estado Mayor sabe que la época en que los soldados obedecían una orden sin discusión ha pasado definitivamente y que, cada vez que una operación militar no cuente con consenso, habrá insumisos. Esto es precisamente lo que había de ocurrir menos de tres años después del fin de la aventura libanesa, con ocasión de la movilización de los reservistas para intentar reprimir la Intifada, el levantamiento palestino en los territorios ocupados. Entre 1988 y 1990 hubo cerca de mil insumisos, pero menos de un centenar fueron condenados a penas de prisión, pues el ejército había sabido extraer lecciones de su experiencia libanesa, siendo la más importante no otorgar demasiada publicidad a los insumisos. A ello se debe –al igual que para muchos de mis camaradas– que en vez de hacerme comparecer ante la justicia militar, mi comandante diese la orden de enviarme una orden de movilización para lo que él denominaba mi «zona *casher*». Pero ¿por dónde pasaba la frontera? Tal era la cuestión, y cada soldado tenía que decidir. Contrariamente al caso del Líbano, donde la frontera de la obediencia era la de las líneas del armisticio de 1949, los territorios ocupados planteaban más de un problema: unos se negaban a entrar de uniforme en los territorios ocupados; otros se negaban a obedecer determinadas consignas, como disparar sobre

---

5. Véase Sarah Helman, «Militarism and the Construction of Community», *Journal of Political and Military Sociology*, núm. 25, invierno de 1997, págs. 305-332.

©gedisa

los manifestantes o acompañar a los agentes de los servicios de seguridad en sus batidas nocturnas; hubo incluso soldados que se resistieron únicamente a llevar la porra, ese complemento tan significativo en el equipo tradicional del soldado en servicio operativo. Para nosotros, todos ellos eran Yesh Gvoul, cada cual trazando su propia frontera en su alma y en su conciencia.

Por mi parte había decidido mantener la que fuera mi línea de conducta desde que se me destinó a una unidad de la reserva: el rechazo a prestar el servicio militar en los territorios ocupados, salvo en la frontera. Por estar mi regimiento destinado en general al valle del Jordán, tal rechazo no tenía ninguna implicación práctica. Durante todo el período de la Intifada, cumplí con mis períodos de reservista en la frontera con Jordania, una zona de la que me convertí, por cierto, en uno de los mejores especialistas en las fuerzas armadas israelíes. No hay un sendero de patrulla, ni un destacamento ni una posición en la que yo no haya estado apostado, del valle de Bissan al mar Muerto. Y desde el puesto de observación donde tantas veces me encontré, a cien metros de las orillas del Jordán, me gustaba mirar hacia el otro lado, hacia Jordania, y construir sueños acerca de lo que podría ser esta región si no hubiese guerras ni conflictos...

©gedisa

11

JUNTOS

La guerra del Líbano provocó una doble conmoción: en Israel produjo el final del consenso nacional y el surgimiento de un movimiento extraparlamentario de masas; del lado palestino, el fracaso de la OLP en el Líbano había creado un vacío político en los territorios ocupados, propicio para que surgiesen una nueva generación de dirigentes locales y nuevas formas de lucha. Cada uno de estos desarrollos políticos podía tener suma importancia para la otra sociedad, a condición, no obstante, de que cada cual fuese consciente de ello.

El hecho de que cientos de miles de israelíes se hubiesen movilizado contra la guerra del Líbano, y que decenas de miles de ellos hubiesen empezado a comprender que la «ocupación liberal» no era más que una engañifa, no podía dejar indiferente al movimiento nacional palestino: existía en Israel un aliado potencial, y era necesario encontrar las vías que pudiesen acercarlo a los objetivos palestinos. Paralelamente, las convulsiones políticas en Cisjordania y en la franja de Gaza, incluyendo el esbozo de una nueva aproximación hacia la población israelí, tarde o temprano tendrían que producir un impacto sobre las percepciones y las posturas del movimiento pacifista israelí.

Comenzaban a esbozarse dos imperativos nuevos: informar a cada una de las sociedades acerca de los desarrollos al otro lado de la línea verde y demostrar, tanto en los hechos como en la acción, que podría formularse una perspectiva en común, sin que ello implicara una denigración de sí mismos.

El funcionamiento del Centro de Información Alternativa tenía que responder a la primera exigencia; el Comité contra la Mano de Hierro, a la segunda. ¿Y por qué «mano de hierro»? Porque Isaac Rabin, ministro de Defensa en el Gobierno de unión nacional de 1984, había declarado que aplicaría una «mano de hierro» para destruir la resistencia en Cisjordania y en la franja de

Gaza. Rabin se sentía con las manos libres por partida doble: las últimas tropas israelíes se retiraban del Líbano y el movimiento por la paz se había desmovilizado considerablemente, porque acababa de salirse con la suya y también porque los laboristas estaban nuevamente en el poder.

El Comité contra la Mano de Hierro no era simplemente una nueva organización destinada a luchar contra la ocupación. Nosotros queríamos unir a palestinos e israelíes en formas de protesta que posibilitasen la batalla en común, lo que no parecía ser percibido como lógico: para los palestinos, luchar contra la ocupación significaba inevitablemente el enfrentamiento con las fuerzas israelíes. El hecho de dirigirse a la opinión pública israelí suponía en sí un momento crucial, motivado por la toma de conciencia de una fractura de la sacra unión. Los palestinos se habían visto agradablemente sorprendidos por los cientos de miles de manifestantes israelíes opuestos a las masacres de Sabra y Chatila de septiembre de 1982, pero eran pocos los que habían entendido que era preciso integrar este nuevo dato en la estrategia palestina. Feisal Husseini era uno de ellos.

Hijo de Abdelkader el-Husseini, héroe legendario de la guerra de 1948, Feisal había sido uno de los primeros militantes de Al Fatah en los territorios ocupados. Miembro de una de las más antiguas y prestigiosas familias árabes de Jerusalén, se hallaba al frente de toda una serie de organizaciones semiilegales que dirigía desde su despacho de la Sociedad de Estudios Árabes (ASS). La ASS se hallaba situada en el corazón de lo que la policía denominaba «la Al Fatah-land»[1] de Jerusalén, un conjunto de edificios ubicados entre el ministerio de Justicia y el hotel American Colony. En este espacio limitado, asociaciones y organizaciones más o menos toleradas por las autoridades llevaban a cabo una actividad política febril: movimientos de mujeres, organizaciones sindicales, grupos islamistas, las redacciones de varios periódicos y el célebre teatro Hakawati, dirigido por François Gaspar (Abu Salem). Léa había instalado su despacho allí en 1984.

Tal como su nombre indica, la ASS era un centro de estudios en el que universitarios y militantes, palestinos y extranjeros, investigaban sobre Palestina, su historia y su geografía. Pero era mu-

---

1. Región del sur del Líbano que, en la década de 1970, se hallaba bajo control de la Resistencia palestina.

cho más que una institución semiuniversitaria: se trataba en realidad del cuartel general oficioso del movimiento nacional palestino en los territorios ocupados, donde cientos de militantes se encontraban para planificar sus actividades y donde la población acudía en busca de remedio para los inconvenientes generados por la ocupación. Recuerdo innumerables reuniones, anteriores y posteriores a la fundación del Comité contra la Mano de Hierro, en una casa que todo el mundo conocería después con el nombre de Casa de Oriente, cuando Feisal Husseini recibía allí a los diplomáticos extranjeros en calidad de portavoz oficioso de los palestinos de Jerusalén.

En 1988, en el transcurso de mi proceso, el fiscal general me acusó de haber sido... ¡el instigador de la Intifada! De este modo se pretendía atribuirme un poder que evidentemente no tenía, pero era asimismo la expresión de un prejuicio típicamente colonialista: el representante del ministerio fiscal necesitaba que fuera un judío quien se hallara en el nacimiento de un movimiento que había conseguido alterar todo el sistema de ocupación instituido veinte años antes. Pero había, sin embargo, un pequeño elemento verdadero en esta ridícula acusación: el Comité contra la Mano de Hierro, que yo dirigía junto con Feisal Husseini, y en el que se daban cita militantes de diversas organizaciones palestinas y unas dos docenas de militantes judíos antisionistas, se había planteado una estrategia política y unas formas de lucha que, menos de cuatro años después, constituirían la originalidad de la Intifada: actividades públicas, manifestaciones no violentas, uso (por intermedio de los militantes israelíes) de la legalidad israelí en Jerusalén para organizar allí manifestaciones e iniciativas públicas, conferencias de prensa regulares, trabajo de documentación y de información elaborado en informes y comunicados. Esta nueva estrategia era resultado de la situación creada por la guerra del Líbano, el surgimiento de una nueva generación de cuadros palestinos del interior, la aparición de organizaciones de masas semipúblicas, las fisuras en el consenso israelí, la necesidad de reequilibrar la lucha armada y la movilización popular.

Los militantes palestinos que conformaban el Comité se convirtieron en su totalidad en dirigentes conocidos y reconocidos de la Intifada. El Comité no se conformaba con desarrollar análisis y estrategias; era, ante todo, un grupo de acción: manifestaciones semanales en la puerta de Damasco, en Jerusalén; concentraciones delante de la Moskobiyé; exposiciones sobre la situación en las prisiones; conferencias de prensa en las que, por primera vez, se presentaban informes sustanciales sobre los diferentes aspectos de la represión en los territorios ocupados; y, en 1987, la primera gran manifestación palestino-israelí a lo largo de la línea verde de Jerusalén. Decir palestino-israelí puede resultar excesivo: había allí una treintena de israelíes para acompañar –y proteger con su presencia– a algo más de mil palestinos que no entendían que pudiera resultar útil una manifestación sin lanzamiento de piedras y gases lacrimógenos. Sin la autoridad de Feisal, no cabía duda de que esta primera manifestación habría terminado como todas las manifestaciones anteriores: con enfrentamientos, heridos y detenidos. Feisal creía que era importante convencer a la población de que podía protestar y expresarse sin correr forzosamente el riesgo de que se le disparase o de acabar con muchos meses en prisión. De ahí la importancia de la participación de los judíos, por modesta que fuese. En opinión de ellos, también era importante dirigirse a la población israelí en su lengua, y teniendo en cuenta sus preocupaciones y prejuicios.

Cuatro años de intensa actividad política a su lado me permitieron conocer muy bien a Feisal Husseini. Sin ser totalmente amigos, nos sentíamos muy cerca uno del otro. Reinaba una gran confianza entre nosotros, incluso después de que sus tareas oficiales hicieran menos estrechas –¡una vez más!– nuestras relaciones. Aristócrata por nacimiento, líder nacional indiscutible, Abu el-Abed (el padre de Abed, tal como los árabes tenían costumbre de llamarle) fue y siguió siendo un militante hasta su muerte prematura. Unas semanas antes de su desaparición, en junio de 2001, lo encontré en una manifestación contra la destrucción de una casa cerca de Jerusalén, y me habló con suma nostalgia de «los buenos viejos tiempos» anteriores a su nombramiento como portavoz de la Autoridad Palestina ante los diplomáticos extranjeros y la «izquierda caviar» o izquierda festiva israelí. Creo poder afirmar que no se sentía a gusto en su nuevo papel. Porque Abu el-Abed no era de esos dirigentes que se conforman con enviar a otros a luchar por una causa. Entre 1984 y 1987 se le podía ver cada semana en la puerta de Damasco o delante de la prisión, con un cartel entre las manos como los militantes corrientes, retenido por un control de identificación. Esta actitud no era común por entonces, y resulta imposible en la actualidad. Incluso después de haberse convertido en el ministro de Yaser Arafat para los Asuntos de Jerusalén, Feisal Husseini raramente se perdía una manifestación, por pequeña o grande que fuera, con la única diferencia de la presencia, desde inicios de la década de 1990, de sus fieles guardaespaldas. La última vez que enfrentamos juntos al ejército, fue al día siguiente de la decisión de Benjamín Netanyahu de construir la colonia de Har Homa en la colina de Abu Ghneim, al sur de Jerusalén. Cuando procurábamos rebasar el cordón de soldados, con la eficaz ayuda de aquellos guardaespaldas, reparé en un gozoso guiño que me dirigía, como si «los buenos viejos tiempos» hubieran vuelto...

Feisal Husseini fue el dirigente palestino que, más que cualquier otro, creyó y trabajó por una verdadera reconciliación. Muchos son los dirigentes palestinos adictos a la paz y a la coexistencia con Israel; la mayoría de ellos están dispuestos a encontrarse con los israelíes, a dialogar y a cooperar con ellos, y algunos hasta afirman que muchos de sus mejores amigos son israelíes. Pero no conozco sino a muy pocos palestinos que hayan integrado de verdad en el fondo de sí mismos una visión de coexistencia y reconciliación. No como un mal menor o por puro pragmatismo, o incluso porque esto resultaría útil como imagen pública de los palestinos, sino porque se trata de algo justo y de un bien en sí. Feisal Husseini se contaba entre ellos. En 1984 no tenía ninguna necesidad práctica de formar, con un puñado de israelíes radicales que no se representaban sino a sí mismos, el Comité contra la Mano de Hierro. Nuestro Comité no tenía ninguna posibilidad de cambiar, ni a corto ni a medio plazo, las opiniones públicas israelí o palestina, ni de ofrecer una nueva imagen pública del movimiento nacional palestino. Pero para Abu el-Abed se trataba de otorgar una expresión concreta y presente a su visión a largo plazo. Era la suya una batalla en el presente, que debía hacer avanzar en las conciencias la perspectiva de un porvenir en común para los dos pueblos que viven en esta tierra.

Si bien Feisal Husseini fue uno de los pioneros de los encuentros con los sionistas, partiendo del principio evidente de que era imperativo tocar el centro de la sociedad israelí, y fue capaz, con rara eficacia, de ganarse su confianza (que muy a menudo sus interlocutores confundían con amistad), siempre supo establecer la diferencia entre aliados, compañeros y enemigos moderados, entre cooperación, diálogo o negociaciones a medias, entre militantismo apoyado en una perspectiva política común y diplomacia. Abu el-

Abed pudo efectuar estas distinciones porque tenía, por una parte, gran conocimiento de la sociedad israelí, y, por otra, una visión muy clara de lo que podía significar la coexistencia, una coexistencia en la que dejasen de existir dos lados para ser uno solo, compuesto por hombres y mujeres de orígenes nacionales, étnicos y culturales diferentes. No es casualidad que se hallara en el origen del eslogan «Nuestra Jerusalén»:[2] Jerusalén no pertenece a israelíes ni a palestinos, ni a cristianos o a musulmanes, ni a judíos, sino a todos, en un colectivo binacional unificado.

Abu el-Abed nunca dudó en valerse de sus compañeros israelíes como mediadores o como consejeros, ni en tomar algunas iniciativas capaces de ganar en eficacia si eran conducidas por israelíes más que por palestinos; lo hacía porque sabía que podía depositar su confianza en ellos. Y en tanto que compañeros, ellos nunca se sintieron manipulados u objeto de aprovechamiento alguno.

Esta inmensa fe en un futuro compartido lo llevó a entregarse en cuerpo y alma al proceso de Oslo, aun cuando no sea un secreto para nadie que era escéptico en cuanto a sus resultados y que se conocían sus divergencias con Yaser Arafat, sobre todo en el tema de Jerusalén. Pero también era consciente de que un fracaso amenazaría con cerrar definitivamente eso que los diplomáticos americanos habían denominado «la ventana de la oportunidad», provocándose así una «bosnización» del conflicto palestino-israelí. La adhesión de una importante parte del movimiento por la paz al consenso, después del fiasco de Camp David en julio de 2000, acabó con su optimismo.

En el momento en que, con Feisal Husseini, Sari Nusseibé, Jane y Samir Abu Shakra, Mahmud Jedda y Jibril Rajub fundamos el Comité contra la Mano de Hierro, el Matzpen y los militantes de la izquierda palestina decidían crear el Centro de Información Alternativa (AIC). El anunciado objetivo del AIC era hacer pasar, de una parte a la otra de la línea de demarcación entre las dos comunidades, la información que no circulaba. Los palestinos poco sa-

---

2. En un discurso pronunciado en 1966, en el transcurso de una manifestación organizada por el Gush Shalom, Feisal Husseini habló del día en que Jerusalén dejaría de ser reivindicada como ciudad exclusiva de israelíes o palestinos, o de cristianos o musulmanes, habría de ser «nuestra Jerusalén, la de todos». Tal habría de ser el título de una instancia internacional sobre Jerusalén, capital de dos Estados soberanos.

bían sobre la realidad política, social y cultural israelí, y los israelíes ignoraban todo lo que ocurría en los territorios ocupados. La prensa palestina, que escribía con frecuencia acerca de la vida política israelí, no siempre sabía diferenciar entre lo esencial y lo anecdótico, y otorgaba igual importancia a una manifestación de ¡Paz Ahora! contra las colonias que a una concentración de unas pocas decenas de antisionistas. Incluso en el movimiento por la paz, cuando se comenzaba a conocer –y hasta a reconocer– a la OLP, no se sabía qué ocurría a cinco minutos de Jerusalén Oeste o a diez de Tel Aviv. Pero las cosas que ocurrían eran importantes.

Así pues, nuestro primer objetivo consistía en producir información cruzada: informar en árabe sobre Israel, informar en hebreo sobre la realidad palestina. Para esto se necesitaba un equipo mixto que, basado en una gran confianza política, pudiera sintetizar la información y dar a conocer lo que parecía más pertinente para cada una de ambas comunidades, así como para el extranjero. Habiéndose desinteresado los medios israelíes, desde largo tiempo atrás, de lo que ocurría en los territorios ocupados, nuestra información pasó a ocupar rápidamente el espacio vacío. Gracias a la red de contactos que manteníamos en Cisjordania y en la franja de Gaza, así como entre los abogados, nuestra información se revelaría de inmediato como rica y original. A los boletines cotidianos de información se añadían informes semanales, más sustanciosos y a veces incluso más analíticos, acerca de la tortura, las destrucciones sistemáticas de viviendas, las detenciones administrativas, pero también sobre el surgimiento de fracturas étnicas y sociales en Israel.

El segundo objetivo del AIC consistía en hacer evidentes y reconocibles las actividades y las tomas de posición de las nuevas organizaciones palestinas de resistencia tanto como las distintas corrientes de izquierda y del movimiento pacifista israelí. Junto con muchos otros, habíamos considerado que la comunicación exigía herramientas diferentes y separadas de las formaciones militantes; que exigía, en suma, una cierta dosis de profesionalidad. Sin pretender en absoluto una «seudoneutralidad objetiva», nos esforzábamos, no obstante, en servir de portavoces a todas las corrientes que combatían la ocupación, el racismo, la discriminación o la explotación.

Pero por importantes que fuesen estos dos primeros objetivos, lo que constituía la razón de ser del AIC era el deseo de trabajar dentro de los cauces de una visión estratégica común, capaz de movilizar a medio plazo a palestinos e israelíes en una misma lucha en pro del porvenir. Esto es lo que hacía de nuestra experiencia algo tan especial: para elaborar una estrategia común, era necesario constituir un equipo de hombres y mujeres pertenecientes a las dos comunidades, que compartiesen los mismos presupuestos ideológicos e iguales valores. Se trataba de una apuesta que jamás se había hecho y que, a fin de cuentas, no se podía considerar en absoluto ganada. La experiencia de las luchas comunes llevadas a cabo en el transcurso de los quince años anteriores había creado un capital de confianza, y las numerosas discusiones políticas habían permitido esclarecer la posibilidad de un amplio acuerdo político, pero de ahí a una verdadera unión, ¡el salto era inmenso! En 1984, este proyecto parecía totalmente utópico. Quince años después, cuando con ocasión de un recorrido por el desierto de Judea, tres colegas del Centro de Información Alternativa –un antiguo prisionero político palestino, una antigua *kibutznik* israelí y un judío practicante originario de Nueva York– perecieron accidentalmente, toda la opinión pública israelí se vio afectada por esta realidad totalmente nueva. Durante muchas semanas, los medios dedicaron numerosos artículos y reportajes al AIC y a nuestro planteamiento de creación de un espacio de lucha, pero también de vida, que trascendía las fronteras de la comunidad. «Lo que ha fascinado a los medios locales y ha hecho soñar a miles de israelíes y palestinos no es tanto cierta curiosidad ante lo inhabitual, sino lo que experimentaron como una promesa de otra posibilidad, infinitamente más segura que el muro más elevado, que el más poderoso de los guetos.»[3]

Después de más de quince años puedo afirmar que ganamos nuestra apuesta, aunque no sin dificultades: un trabajo en común entre ocupantes y ocupados, entre gente que comparte culturas muy diferentes, y que a menudo tienen que emplear una tercera lengua (el inglés) para comunicarse, no puede mostrarse ajeno a los malentendidos, a las tensiones, e, incluso, a distintas crisis.

¿Quiénes eran esas mujeres y esos hombres que se habían planteado el desafío de crear un espacio político común en la frontera? En primer término, militantes: si bien algunos de ellos contaban con cierta experiencia periodística, en su mayoría no eran profe-

©gedisa

3. Simone Bitton, «Chronique», *Revue d'Études Palestiniennes*, nueva serie, núm. 9, primavera de 1999.

sionales. Del lado palestino, casi todos habían pasado por la prisión, y muchos durante largos años: un día se me ocurrió sumar el total de años que habían pasado en prisión los miembros del equipo y del consejo de administración del AIC. Cuando llegué a los cien, dejé de contar. Se trataba de dirigentes conocidos y respetados en sus respectivas comunidades, y los más jóvenes, que se habían incorporado al AIC a comienzos de la década de 1990, eran en su totalidad «diplomados» del famoso campo de detención de Ansar III,[4] en el desierto de Neguev. Pertenecían en gran parte a organizaciones de la izquierda palestina, aun cuando solían sostener posturas heterodoxas en su seno.

Del lado israelí, en un principio sólo había militantes del Matzpen; pero poco a poco fueron llegando militantes de organizaciones feministas o estudiantiles, del movimiento social y del ala radical del movimiento por la paz. El consejo de administración contaba con muchos intelectuales conocidos, que iban desde viejos comunistas hasta nuevos historiadores.

Lo que permitió que esta comunidad de varias decenas de personas trabajasen conjuntamente fue, primero y ante todo, que compartieran los mismos valores, que creyesen contra viento y marea en el internacionalismo, pensando que éste se expresa, en el contexto concreto del conjunto Palestina-Israel, a través de una lucha sin concesiones por la emancipación nacional palestina. Para resultar creíble ante la opinión de los militantes palestinos, este apoyo no puede limitarse a declaraciones verbales y a una toma de posición enunciada en documentos programáticos: se expresa mediante acciones concretas que conducen a menudo al enfrentamiento con el Estado, su policía y su justicia. En base a esta confianza política, se trata luego de desarrollar comportamientos que atestigüen el respeto mutuo, lo que se halla lejos de resultar fácil o evidente. ¿Puede acaso imaginarse qué pasa por la cabeza de Zyad, refugiado de Deheisheh, cuando escucha cómo Tikva, antiguo combatiente del Palmach,* le cuenta a un periodista el modo en que su unidad había conquistado Zakarya, poblado de sus padres, en 1948? ¿O por la de Elías, recientemente liberado después de muchos años de prisión, cuando ve a Reuben en una fugaz visita al

4. Nombre de un campo de detención en Ktsioth, en el desierto de Neguev, en donde, durante la primera Intifada, el ejército israelí había internado hasta a doce mil personas, en su mayoría sin juicio alguno.

despacho durante un corto permiso, pero vestido con uniforme de reservista? ¿O, también, saber qué siente Sergio, que acaba de perder en el sur de Líbano a un compañero de infancia de su *kibutz*, oyendo cómo Abir hace apología de Hezbolá*?

Si uno se encuentra en la frontera, tiene que hacer el esfuerzo de entender al otro en su autenticidad, de comprenderlo sin condescendencia paternalista, y, al mismo tiempo, tiene que aprender a cambiar de idea y de comportamiento ante el impacto que le produce el reconocimiento de aquello que constituye la dignidad del otro. Por ejemplo, si se es israelí y se tiene la costumbre de hablar primero y en voz más alta, hay que hacer el esfuerzo de esperar que el palestino tome la palabra, a la vez que saber descifrar detrás de su discreción o su silencio lo que a veces es una gran cólera o una profunda divergencia.

Todos estos esfuerzos no siempre permiten evitar las crisis, y de hecho las hay. Aun cuando éstas nunca llegaron a dividir al AIC entre judíos y árabes, sería pueril negar que las diferencias culturales y la sensibilidad generada por la relación dominantes/dominados no hayan jugado su papel en el surgimiento o el desarrollo de tales crisis. Cuando debatimos la profesionalización del Centro y la necesidad de una mayor objetividad para reforzar nuestra credibilidad ante los medios, numerosos miembros palestinos creyeron ver en esta postura cierto debilitamiento del espíritu militante de los judíos. El deseo de algunos de abrir las páginas de nuestras publicaciones en hebreo a miembros de la izquierda sionista provocó asimismo un difícil debate. Y más difícil aún fue el referido a los salarios. Habíamos establecido el salario medio de un obrero cualificado, tal como se creía correcto en la izquierda comunista, y, evidentemente, un salario igual para todos. Pero cuando se acaba sabiendo que el salario de un obrero cualificado en Israel es superior al salario de un director general de ministerio en la Autoridad Palestina, ¿qué es lo que hay que hacer? ¿Sacrificar el principio de igualdad o establecer salarios escandalosos ante la opinión pública palestina, justamente en una asociación que se proclama cercana al pueblo y a sus problemas?

Situarse conjuntamente en la frontera para plantear en ella no sólo ideas o acciones en común, sino una asociación viva, con sus dificultades cotidianas, sus divergencias, sus problemas de salarios y de condiciones de trabajo, sin hablar de sus crisis internas de relación, es en cierta medida dar inicio a la experiencia de la coexis-

© gedisa

tencia.[5] Nosotros nunca pretendimos ser un microcosmos de la utopía a la que aspiramos, sino a lo sumo un llamamiento a romper los muros de la separación, la promesa de otra posibilidad.

En los límites de la legalidad, el Centro pone a disposición de la nueva red de organizaciones populares palestinas su pequeña infraestructura técnica: impresión de panfletos, composición de folletos, confección de los periódicos palestinos *al Mara* (La Mujer), *al Taqadum* (El Progreso) y *Gesher* (El Puente), primer periódico publicado en hebreo por una organización palestina. Este aspecto de la actividad del AIC se desarrolla, de hecho, en la frontera geográfica entre el este y el oeste de Jerusalén. Se trata del primer espacio de encuentro entre militantes palestinos e israelíes, que acuden en demanda de una ayuda técnica barata, e incluso, cuando es necesario, gratuita.

Los servicios ofrecidos no son sólo técnicos: cuando, en 1986, las autoridades deciden cerrar el diario palestino *al Mithaq*, el AIC pone sus propias publicaciones al servicio del equipo de la publicación prohibida. Más allá de la demostración de apoyo, el AIC posibilita vínculos entre las organizaciones palestinas y el movimiento de solidaridad que, a partir de 1986, comienza a mostrar cierto vigor. Estos vínculos se traducen cada vez más en una cooperación sobre el terreno, en especial la solidaridad con el campo de refugiados de Deheisheh, algunos de cuyos residentes ocupan un puesto en el comité de dirección del AIC o participan en su red.

En enero de 1987, después de casi tres años de existencia, el Centro de Información Alternativa logró hacerse un pequeño sitio en el espacio político y mediático. Algunos hechos notorios, como la cobertura del intercambio de prisioneros en 1985, la publicación de un primer informe sobre la tortura (que demostraba que, tras haber desaparecido momentáneamente, la tortura había reaparecido ¡después del retorno de los laboristas al Gobierno!), o, incluso, la campaña a favor de Abu Alí Shahin, habían sacado a la luz y otorgado credibilidad al AIC, como fuente de información, como herramienta eficaz para organizar la solidaridad o como primer punto de paso en la frontera entre ambas comunidades. Era de esperar que, tarde o temprano, las autoridades intentasen poner orden.

©gedisa

---

5. Véase, al respecto, Isabelle Avran, *Israël-Palestine: les inventeurs de paix*, París, Éditions de l'Atelier, 2001, págs. 153-157.

12

NO MAN'S LAND

Venía de hacer de guía para un grupo de turistas británicos en Yad Vashem, museo y centro de documentación sobre el judeocidio nazi. Antes de ir a buscar a Talila al jardín de infancia, pasé por el local del AIC para recoger algunos documentos. Acababa de entrar cuando una horda de desconocidos se lanzó al interior del apartamento que nos servía de oficina. Creí que se trataría de un comando del grupo fascista Kach, porque unas semanas antes los secuaces del rabino Kahane habían llenado la puerta con consignas racistas y amenazas de muerte. Intenté coger el teléfono para prevenir a los amigos del Partido Comunista que tenían sus oficinas en el mismo edificio, cuando uno de aquellos tipos me lo impidió; reconocí de inmediato al comisario Schneitcher, jefe del departamento de investigación de la policía de Jerusalén, lo que me tranquilizó durante un momento. No eran los fascistas, sino sólo la policía acompañada por agentes del tristemente célebre Shin Beit, el servicio general de seguridad.

Durante una hora, policías y agentes del Shin Beit hurgaron en el despacho de arriba abajo, apoderándose de todos los papeles que allí había. Por ser el papel la materia prima esencial de la producción del AIC, a la vez que el material escrito una especie de obsesión entre todos los militantes de izquierda del planeta, se llevaron más de cuarenta cajas de cartón llenas de papeles, además de dos ordenadores, una impresora, un aparato de fax y un mimeógrafo. Y todo esto sin decir ni mu, excepto la orden de permanecer sentados, cada cual ante su escritorio, y no pronunciar palabra. Con todo, pedí permiso para avisar a mi hermana para que fuera a buscar a Talila al jardín de infancia, lo que el que parecía ser el jefe me concedió. Así fue como, prevenida por mi hermana, la secretaria de Léa, Fathyié, entendió de inmediato que yo estaba detenido. Acostumbrada a enfrentarse a situaciones semejantes, alertó a mi compañera.

Terminado el registro, Schneitcher se hizo cargo de la dirección de las operaciones y me leyó un documento oficial en el que se estipulaba que, en función del Acta contra el terrorismo de 1950,[1] el comisario general de policía había decidido clausurar el Centro de Información Alternativa por «vínculos y servicios prestados a una organización terrorista: el Frente Popular - George Habache *(sic)*». Añadió que yo quedaba detenido para ser interrogado, y concluyó preguntándome si tenía algo que decir. Quedándome todavía un último rastro de humor, le contesté que no conocía organización alguna con ese nombre (el nombre de la organización dirigida por el doctor George Habache era el Frente Popular para la Liberación de Palestina), que, por consiguiente, nosotros no teníamos vinculación alguna con la organización citada, ni, por lo demás, con ninguna otra organización terrorista. A continuación, me condujeron a la Moskobiyé con los otros seis miembros del equipo. Ya delante del centro de detención, la televisión y un número impresionante de periodistas estaban allí plantados, convocados por la policía, que —esto lo sabría más tarde— les había anunciado «un gran golpe».

En su autobiografía, Carmi Guilon, el ex amo y señor del Shin Beit y responsable de ese «gran golpe», se explica: «Cuando me incorporé a la sección del Shin Beit que tenía que ocuparse de la extrema derecha y de la extrema izquierda, me encontré con una actitud más bien indiferente ante los grupos de extrema izquierda. Se los consideraba como comunistas de salón contra los cuales era una lástima invertir medios considerables. Por mi parte, yo pensaba que era imperativo delimitar unas fronteras claras, y una vez hecho esto, fijarlas: era necesario considerarlos como componentes de redes clandestinas, por lo que tomé la decisión de incrementar nuestros medios [...]. Los miembros del equipo del Centro de Información Alternativa tenían carnés de prensa oficiales, una impresora, y pu-

---

1. El Acta contra el terrorismo, inspirada en una legislación similar del Imperio Británico, fue votada en 1950 ante el riesgo de que algunas organizaciones sionistas de extrema derecha llevasen a cabo una política de desestabilización contra el joven Estado judío. Se sumaba a los Decretos de emergencia de 1945, impuestos por las autoridades del mandato británico de Palestina —y siempre en vigor—, que fueron descritos en su época por el que sería en la década de 1970 ministro de Justicia, Yaakov Shimshon Shapira, como «peores que las leyes nazis». El Acta contra el terrorismo y los Decretos de emergancia de 1945 establecen y exigen que es el sospechoso el que debe probar su inocencia.

©gedisa

blicaban una revista mensual. A primera vista, su acción era legal, pero se hallaban en nuestro punto de mira a causa de sus posiciones políticas extremistas. Fue entonces cuando descubrimos la intensidad de sus contactos y de su colaboración con organizaciones terroristas, en especial con el Frente Popular de George Habache, que todavía hoy se encuentra al frente de la oposición a los acuerdos de Oslo. Tal es la razón por la cual el Shin Beit tiene que mantenerse alerta ante las organizaciones marginales. En tanto que su acción era legal, el Shin Beit no quería ni podía actuar. Pero cuando llegamos a la conclusión de que llevaban a cabo sistemáticamente una acción ilegal y que los perjuicios eran importantes, decidimos poner punto final a sus actividades [...]. El Centro de Información Alternativa fue cerrado en febrero de 1987 debido a que prestaba servicios al Frente Popular y era financiado por este último. "Mikado" fue arrestado, juzgado y condenado a tres años de prisión en firme. "Mikado" era mi objetivo particular. Punto. En el Shin Beit se aprende a no andarse con remilgos cuando se trata de un objetivo: no es profesional y no sirve a la causa. Yo aprendí a conocer a "Mikado" a través de un trabajo sistemático de información, y no resulta exagerado afirmar que conseguí penetrar hasta en lo más profundo de su alma antes de que decidiéramos arrestarlo».[2]

Léa acudió a toda prisa a la cárcel después de la llamada telefónica. Consiguió convencer al oficial de guardia de que nos dejase intercambiar unas palabras, haciéndole creer que se trataba de un arresto trivial por alteraciones en la vía pública. Ambos sabíamos que esta vez se trataba de algo muy serio, por lo que decidimos una estrategia. Acto seguido, fui conducido al siniestro pabellón número 20, que sirve de paso hacia una gran nave, totalmente aislada del resto del edificio. En un brillante artículo que en su momento hizo mucho ruido, el abogado Avigdor Feldman bautizó este sitio como «el reino del Shin Beit», porque no está bajo control de la policía ni del reglamento de prisiones y cárceles, sino dirigido por los agentes del Shin Beit y a expensas de su arbitrariedad y despotismo. Ahí es donde, hasta 1999, se practicó la tortura cotidiana y legalmente. Muchas decenas de palestinos dejaron ahí su vida a partir del comienzo de la ocupación.

©gedisa

---

2. Carmi Guilon, *Shin Beit between the Schisms*, Tel Aviv, Yediot Aharonoth Publishers, 2000, págs. 65-66.

Esa nave está dividida en minúsculas celdas individuales de cuatro a cinco metros cuadrados, así como en salas de interrogatorio. Tuve el raro privilegio de ser conducido allí sin la infame y hedionda bolsa de arpillera con la que cubren, a menudo durante días enteros, la cabeza y el rostro de los presos árabes; y tuve la posibilidad de divisar a algunos detenidos cubiertos por la bolsa y amarrados en distintas posturas a una cañería que recorre la nave.

No fui torturado. En general, mis interrogadores eran educados, tuve derecho a ver regularmente a mis abogados, y tenía cigarrillos, utensilios de aseo e, incluso, sábanas. Sin embargo, los quince días que pasé en el pabellón número 20 fueron los momentos más duros de mi vida, y hasta dos veces creí que estaba a punto de perder la razón. Si no hubiese tenido el inmenso privilegio de ver a menudo a Léa, que no cesaba de repetirme que no se tortura a los judíos, que todo el mundo sabía de mi arresto, que ellos estaban obligados a hacerme comparecer ante un juez en fechas concretas, que esta detención no podía durar indefinidamente, así como otras verdades que, por supuesto, yo conocía muy bien, en suma, si no hubiese sido llamado al orden cada dos o tres días por mi esposa abogada, creo que habría confesado lo que hubiesen deseado que dijera con tal de acabar con esos largos días de soledad en una celda oscura en la que descubrí lo que era el último estadio de la suciedad y la podredumbre, con ratas que corrían de un lado para otro, acostándome en un colchón empapado porque el grifo ante el que me cepillaba los dientes y procuraba lavarme se encontraba a veinte centímetros del suelo. Lo peor era la total ausencia de ocupación, hasta que mi hermano Daniel, que formaba parte de mi equipo de abogados, tuvo la idea de pedir una Biblia para mí, el único libro que no se me podía negar. Veinte años después, abría yo de nuevo el Libro de los Libros, saboreando cada página...

Ya desde el primer interrogatorio, declaré que en tanto que director, era el único responsable de todo lo que se hacía en el AIC. Como consecuencia de lo cual los otros miembros del equipo fueron liberados en las primeras cuarenta y ocho horas, no sin que uno de ellos –una jovencita embarazada que, durante la primera noche, había tenido que ser hospitalizada de urgencia– hubiese firmado una declaración que amenazaba con incriminarnos.

Los interrogatorios podían durar horas, o simplemente unos pocos minutos, habiendo a veces dos o tres sesiones diarias, seguidas de dos o tres días sin interrogatorio alguno. Entonces es cuando se experimenta la necesidad cada vez más intensa, y muy conocida por aquellos que han sufrido interrogatorios, de encontrarse con el interrogador con tal de ver a un ser humano y poder hablarle. También se me «concedieron» algunos careos con personas con las cuales se sospechaba que había estado en contacto. Con el arresto, hacia el fin del interrogatorio, de una amiga cercana que no había tenido nada que ver con el AIC, el trabajo del Shin Beit había concluido.

Contrariamente a la imagen que en general se tiene de ellos, los agentes del Shin Beit no son, todos ellos, unos brutos que sólo saben sacudir. Si bien en su mayoría han practicado la tortura –con autorización explícita no sólo de los gobiernos de derecha y de izquierda, sino también de la Corte Suprema, al menos hasta 1999–, se trata a menudo de hombres cultos que se autoproclaman de izquierda. Tres de sus jefes, Yaakov Peri, Yossi Genossar[3] y Carmi Guilon,[4] se situaron después de su retiro a la izquierda del Partido Laborista, desde donde han defendido posturas políticas más bien moderadas. Si bien en los inicios de mi interrogatorio tuve que enfrentarme con un gorila que no dejaba de amenazarme e insultarme, éste fue rápidamente reemplazado por un tándem mucho más sutil y educado. Ambos empleaban un lenguaje de izquierda y se valían de argumentos que revelaban que tenían sólida formación universitaria.

Así pues, los interrogatorios llegaron a tomar la forma de conversaciones de salón, eruditas y sosegadas. Se trataba, sin la menor duda, de una trampa que exigía de mi parte un gran esfuerzo para no olvidar que nos encontrábamos en dos lados distintos de la barrera y que entre nosotros estaba entablada una verdadera guerra.

3. Yossi Genossar sería acusado de haber practicado la tortura contra Izzat Nafso, oficial circasiano del ejército israelí de quien se sospechaba injustamente que actuaba de acuerdo con el enemigo, y, sobre todo, de haber impedido a sabiendas la constitución de una comisión nacional de investigación sobre las torturas y los asesinatos practicados por el Shin Beit destinada a establecer la verdad. Ello no sería óbice para que sirviese de intermediario entre Isaac Rabin y Yaser Arafat en las crisis que salpicaron las negociaciones palestino-israelíes.

4. Carmi Guilon, después de haber sido responsable del «departamento de los no árabes» y, por tanto, a cargo de la clausura de la sede del AIC, llegó en 1995 a ser jefe del Shin Beit. Su reciente apología de la tortura provocó, a finales de 2000, una crisis entre Israel y Dinamarca, donde acababa de ser nombrado embajador.

¿Era éste un método o simplemente la expresión del turbio tribalismo que caracteriza a nuestra sociedad? Quizá ambas cosas a la vez. Y tanto era así, que mis interrogadores parecían emplearse a fondo en crear un «nosotros», una identidad común de la que sabía que tenía que desligarme a toda costa. Un día, aquel de mis interrogadores que se hacía llamar Alon recibió, en pleno interrogatorio, una llamada telefónica. Entendí que hablaba con su hija, de la que, por una conversación anterior, sabía que era estudiante de secundaria. Pasados unos minutos, me pidió que le echara una mano: la chica tenía que escribir un informe sobre las comisiones parlamentarias, y necesitaba documentación. No le cabía duda de que yo pudiese sacarla del apuro, y, en efecto, le indiqué, junto a nuestro despacho, un centro de documentación donde se distribuían folletos de formación cívica, uno de los cuales estaba dedicado al funcionamiento del Parlamento. ¡Bueno hubiese sido que encima me pasara el teléfono para que explicase a la pequeña cómo redactar su informe! En otra oportunidad, me contó que iba a realizar una excursión de fin de semana por el Golán junto con unos amigos, y me preguntó qué recorrido le sugeriría, precisamente en esa región por la que tanto me había gustado pasear... Esa vez incluso me prometió, con ironía algo excesiva, que cuando yo fuese liberado podríamos realizar caminatas juntos, claro que dentro de diez o doce años, aclaró.

Mi obsesión durante quince días consistió en volver a crear a toda costa una frontera entre ellos y yo, pero la tarea no fue lo que se dice fácil: en el total aislamiento de la celda número 20, ¿quién no sentiría placer en una complicidad amistosa con personas que parecían dispuestas a todo con tal de establecer una proximidad familiar? ¿Quién no acabaría cayendo en la trampa en medio de una discusión sin ton ni son acerca de la concepción leninista del derecho a la autodeterminación, o en cuanto a las ventajas y desventajas del método Freinet en las escuelas de nuestras respectivas hijitas? Al mismo tiempo, yo me mantenía atento para evitar cualquier antagonismo inútil y mantener mi dignidad, a pesar de la situación desigual a más no poder y de mi aspecto físico, del que lo menos que podía decirse es que daba asco; y para no hacer el papel del marginal que se excluye él solo de la comunidad y de su legitimidad, sin por ello caer en la trampa del espejismo tribal. Yo nunca había realizado un esfuerzo que exigiese semejante tensión mental e intelectual.

La situación era más o menos la siguiente:

–Ya ves, Mikado, os pasasteis de la raya. Hace cerca de veinte años que militas en la extrema izquierda y que defiendes posturas radicales y antisionistas, pero aparte de algunas pocas molestias, siempre se te ha dejado hacer. ¿Estás de acuerdo?

–Sí, más o menos...

–¿Y sabes por qué? Porque Israel es una democracia, y en esta democracia nuestro papel consiste en defender la democracia, incluso en beneficio de gente como tú y tus amigos...

–...

–Pero allí (me mostraba lo que yo creía que debía ser el Este, ya que las salas de interrogatorio carecen de ventanas) no hay democracia, hay ocupación. Y nosotros nos enfrentamos con un problema con gente como tú: ¿dónde estais? ¿Aquí, protegidos por la democracia, o del otro lado? Por un lado tú estás bien considerado, eres activo en la comunidad, soldado apreciado por tus superiores, miembro del comité de padres de alumnos de la escuela de tu hija; pero contigo está Alí (un colega palestino que había cumplido diecisiete años de prisión), y está Hamdi (un dirigente del campo de refugiados de Deheisheh); ellos no están protegidos por la democracia. Así pues, tienes que elegir: quedarte de este lado de la frontera y protegido por la democracia, o irte con ellos y ser tratado tal como los tratamos.

–Pero en tanto que nosotros actuamos dentro del marco de la ley...

–No hables como un idiota, sabes muy bien que allí no hay ni ley ni democracia. Te toca elegir... A mí me gusta lo negró o lo blanco, nunca lo gris...

–¿Y si optamos por actuar juntos?

–Nosotros no conocemos la *no man's land*. ¿Me entiendes? Esto es muy importante.

–Déjame pensarlo...

–Como gustes. Tenemos todo el tiempo que queramos por delante.

Después de lo cual me devolvían a mi celda nauseabunda. Habíamos llegado al núcleo del problema. Tras una semana de preguntas acerca de supuestos encuentros con dirigentes palestinos en Chipre, y sobre otras cosas en su mayor parte equivocadas, mis dos interrogadores habían cambiado de estrategia. Querían que abandonásemos la acción en común con los palestinos, y que les ayudáramos a trazar de nuevo una frontera neta y clara entre «ellos» y «nosotros». La información que publicábamos y las acciones de solidaridad que llevábamos a cabo no les molestaban tanto como el hecho de haber creado un espacio común, una brecha en el muro que, a toda costa, tenía que separar la democracia israelí de la arbitrariedad de la ocupación militar. Si tanto insistían en que les diese los nombres de los palestinos con quienes cooperábamos, dirigentes de movimientos estudiantiles, sindicalistas, militantes de asociaciones de mujeres, etcétera, no era porque necesitasen informaciones, sino porque querían desacreditarnos ante los palestinos. Me decían: «¿Por qué te obstinas en protegerlos, cuando ellos hablan y no tienen ningún escrúpulo en comprometerte?». Sabía por mis abogados que habían arrestado a muchos militantes cercanos al AIC, pero confiaba en ellos. De todos modos, yo no sería un chivato. No dar nombres era una cuestión de principios, profundamente anclada en mi tradición política, en los recuerdos de la Resistencia y, más aún, en los valores que me habían inculcado mis padres: la tradición judía considera al delator como al peor de los criminales; en la Edad Media, los rabinos habían dado autorización incluso para liquidar a los soplones sin proceso alguno. En Estrasburgo me habían mostrado un sitio, a orillas del Ill, donde se los ahogaba...

Dos años después, durante mi proceso, persistí en negarme a dar nombres, lo que casi me costó una inculpación suplementaria por ofensa al magistrado; pero yo había anunciado al tribunal mi intención de defender mi causa basándome en textos de la tradición judía, y ante la impresionante pila de libros rabínicos y de exégesis talmúdicas que aportaba, el presidente Tal, él mismo judío practicante y erudito, decidió hacer borrón y cuenta nueva, añadiendo que esto, a la hora del veredicto, podría jugar en mi contra. Ya se verá cómo pagué esta adhesión a la tradición judía y a la memoria de Jean Moulin.

Dos días después de haber planteado el asunto de la frontera, Alon volvió a poner el tema sobre la mesa.

–Bien, veamos. ¿Te lo has pensado?
–Sí. He entendido lo que me explicaste, pero tengo la sensación de que llegáis demasiado tarde: la *no man's land* ya es una realidad, con o sin el AIC. No vais a conseguir cerrar la brecha abierta en la frontera entre ambas comunidades.

Había en esta respuesta un poco de bravata por mi parte, pero las noticias que me llegaban a través de mis abogados en cuanto a la solidaridad con el AIC, las manifestaciones cotidianas delante de la Moskobiyé, las peticiones, las críticas expresadas por diputados laboristas e intelectuales de renombre contra la clausura del Centro y mi arresto, así como las decenas de personas que acudían a expresar su apoyo cada vez que yo era conducido ante el tribunal, sucio y encadenado, para una prolongación de la instrucción... todo esto me devolvía la confianza y me confirmaba en la sensación de un cambio en la actitud de una parte de la izquierda israelí hacia los palestinos... y hacia quienes cooperaban con ellos.

Después de quince días, el juez se negó a prolongar más la instrucción, y mis interrogadores me dieron por vez primera permiso para ducharme y afeitarme; porque iba a comparecer ante el tribunal de distrito, donde se complementarían un acta de acusación formal y una demanda de detención hasta el final de la instrucción. A la celda de este tribunal acudió a verme el juez de distrito Dov Eitan, a quien conocía sólo por su reputación. Ya no era juez, sino abogado, obligado a abandonar una carrera prometedora por haber firmado la solicitud del Yesh Gvoul en calidad de teniente coronel de la reserva. Conocido por su gran inteligencia y su erudición, había sido el único juez que se negó a creer los distintos testimonios de policías que negaban la aplicación de la tortura, reconociendo lo bien fundado del testimonio de un detenido palestino cubierto de heridas que insistía en afirmar que no se había golpeado contra una puerta.

«Tengo dos noticias, una buena y una mala –me dijo–. La mala es que mi colega Bazak es quien va a decidir si permanecerás en prisión, y eso es tanto como decir que seguirás allí, cualquiera que sea el talento de tus abogados. La buena noticia es que, como Bazak celebra sesión hoy, no podrá formar parte del tribunal que te juzgará sobre el fondo de la cuestión. Buena suerte. Léa y Avigdor saben que, si me necesitan, pueden contar conmigo.»

Sin embargo, no pudimos contar con Eitan, que se suicidó en el transcurso de mi proceso tras una odiosa campaña desatada contra él. Había aceptado defender a Iván Demanjuk, acusado de ser el Iván el Terrible de Treblinka y condenado a muerte en primera instancia. Dov Eitan estaba convencido de que el acusado no era Iván el Terrible, y que iba a cometerse un horrible e irreversible error judicial. Pero el alegato, ampliamente ventilado por los medios, de que defendía a un criminal nazi por dinero dio cuenta de este hombre valiente. No tuvo la suerte de asistir al veredicto de la Corte Suprema, que dejó en libertad a Demanjuk.

Dov Eitan tenía razón. Desde mi ingreso en la sala del tribunal, el juez Bazak no supo ocultar su mueca asqueada. Sin embargo, por una vez, ¡yo estaba limpio y afeitado! Este juez se había vuelto célebre, unos años antes, por haber solicitado la anulación del procedimiento contra una red de colonos que habían sembrado la muerte en los territorios ocupados e intentado dinamitar la mezquita de El-Aqsa. Después de haber dado cobertura sistemáticamente a la tortura contra los palestinos, se había escandalizado por las presiones ejercidas por el Shin Beit durante el interrogatorio de los colonos, arguyendo que tal conducta anulaba todo el expediente. Ni que decir tiene que mi caso quedaba resuelto en pocos minutos, por lo que partí al día siguiente hacia la prisión de Ramlé, que, después de los quince días pasados en la celda número 20, me parecía el hotel Jorge V.

Quince días después, en un alegato que se enseña hoy en la Facultad de Derecho de Jerusalén, Avigdor Feldman obtuvo de la Corte Suprema mi liberación sin fianza, creando así un precedente que habría de ser utilizado más tarde para la liberación provisional de algunos sospechosos palestinos también acusados de crímenes contra la seguridad del Estado.

13

EL PROCESO

El proceso, que tuvo lugar delante de tres jueces del tribunal de distrito, una instancia que juzga homicidios y otros crímenes de extrema gravedad, duró más de dos años, a veces con interrupciones de varios meses. Tres temas centrales atravesaron de parte a parte los debates y los testimonios contradictorios, todos ligados a las nociones de límite o de frontera: ¿qué es lo legal en el marco de la arbitrariedad de la ocupación?, ¿qué es lo legal en el apoyo a la lucha de los palestinos?, ¿qué es la solidaridad?

Hay que reconocer que la gran cobertura mediática otorgada al proceso impidió cualquier intento por parte del ministerio fiscal o del Shin Beit de ir más allá de los hechos y de las actividades reales del AIC. Cuando una vez el fiscal intentó ir más lejos, fue llamado al orden por el presidente del tribunal, quien le recriminó: «Señor fiscal, no estamos aquí en una corte militar de los territorios ocupados, ¡aquí se trabaja sobre pruebas y de acuerdo al código penal!».

Una de las acusaciones contra el AIC concernía a la edición del periódico *al-Taqadum,* publicado por la Federación de Estudiantes Palestinos vinculada al FPLP. Interrogado por mis abogados acerca de la necesidad de saber si este periódico era distribuido «a cara descubierta o bajo mano», el experto del Shin Beit tuvo la honestidad de contestar «a cara descubierta», confirmando así lo que nosotros afirmábamos, a saber, que ese periódico era de hecho tolerado por las fuerzas de ocupación, y que nosotros no teníamos por qué ser más católicos que el papa.

La cuestión central era la siguiente: una organización estudiantil, sindical o de mujeres que tuviese afinidades ideológicas con la OLP o con alguna de sus componentes, ¿era automáticamente una organización terrorista? Responder a esto afirmativamente equivalía a declarar ilegal toda forma de organización palestina, no sólo sindical, sino también caritativa o cultural, y cualquier forma de solidaridad o incluso de reunión con palestinos se volvía algo imposible. Esto resultaba inaceptable, al menos desde nuestro punto de vista. Pero entonces, ¿por dónde pasaba la frontera? Valiéndome de un precepto rabínico que hizo sonreír al presidente Tal, contesté: «Todo lo que no está categórica y explícitamente prohibido por la ley es *casher*, estrictamente *casher*». En nuestra opinión, las organizaciones no explícitamente declaradas terroristas son organizaciones legítimas, cualesquiera que sean sus afinidades ideológicas o sus vínculos más o menos discretos con otras asociaciones. «Nosotros rechazamos convertirnos en auxiliares del Shin Beit, así como nos negamos a investigar qué se oculta detrás de la expresión pública y tolerada de las organizaciones populares palestinas.»

Además del caso de *Al-Taqadum*, estábamos acusados de haber impreso, compuesto o compaginado otros treinta y un periódicos, folletos o panfletos «vinculados a organizaciones ilegales» en el transcurso de los tres años anteriores al cierre del AIC. Y estábamos acusados, asimismo, de guardar en nuestros locales «material perteneciente o que pudiese servir a organizaciones ilegales». Se entenderá que no se trataba de granadas, bombas o sustancias químicas que pudiesen servir para la confección de explosivos, sino de material escrito: periódicos, folletos y artículos.

Entre el material incriminado, lo que más había encolerizado al Shin Beit era un folleto compuesto y compaginado por el equipo del AIC para un grupo de estudiantes de Bir Zeit, al que el fiscal se obstinaba en denominar «manual de formación». Se trataba de una colección de testimonios de militantes palestinos que habían sido arrestados y torturados, y que describían al detalle los métodos de interrogación del Shin Beit. Al Shin Beit no le cabía la menor duda de que el propósito de este folleto era formar a los militantes para que supieran resistir en el transcurso de eventuales interrogatorios futuros facilitándoles el máximo de información sobre las trampas tendidas por los servicios secretos israelíes.

El proceso giraba alrededor de dos cuestiones muy diferentes: el contenido de los textos editados por el AIC, ¿podía ser definido como «apoyo al terrorismo»?; y en cuanto a las organizaciones con las que nosotros colaborábamos y para las cuales habíamos producido ese material, ¿eran «organizaciones terroristas»? La primera de estas preguntas fue el centro del testimonio seguido que presté durante tres largas sesiones. Fue éste un verdadero ejercicio de for-

©gedisa

mación marxista acerca de la lucha de clases, la lucha de liberación nacional y el derecho a la autodeterminación. La cobertura mediática de esta especie de «universidad obrera» atrajo desde el segundo día a un público todavía más numeroso que el anterior. Mi exposición de las discusiones entre Lenin y Rosa Luxemburg sobre la cuestión nacional y acerca de la teoría marxista del Estado ¡tuvo mucho éxito! No me sentí lejos de considerarme todo un Althusser profesando en la calle d'Ulm... Mis abogados mantenían la cabeza fría; sabían que el tribunal era mucho menos sensible a mi retórica que los periodistas y el público de simpatizantes que llenaban la sala. Y tanto más cuanto que muchos textos que llevaban mi firma, y que habían sido adoptados por las instancias dirigentes del Matzpen, eran extremadamente virulentos, incluido nuestro rechazo del sionismo sin el menor eufemismo.

Durante los primeros meses éramos más bien pesimistas en cuanto al resultado del pleito: ¿cómo convencer de que era perfectamente legítimo sostener, incluso en el aspecto material, a organizaciones que combatían la ocupación, simplemente porque éstas no estaban directamente implicadas en la lucha armada? ¿No sería mejor aceptar un compromiso con el ministerio fiscal, que se manifestaba dispuesto a reducir sustancialmente las acusaciones con el fin de ahorrarse un proceso que se anunciaba largo y costoso, y poner fin así a una cobertura mediática que mostraba en líneas generales cierta simpatía por el AIC?

Un acontecimiento iba a cambiarlo todo: el 9 de diciembre de 1987, es decir, unas semanas después del inicio del proceso, dio comienzo la Intifada. La población palestina de Cisjordania y de la franja de Gaza se sublevaba, y esta sublevación entraba en la historia como una inmensa llamada de los ocupados a la opinión pública israelí: «Habéis creído que nos resignábamos a la ocupación –decían sustancialmente los rebeldes–, pero nuestra paciencia toca a su fin. Estamos dispuestos a vivir a vuestro lado en coexistencia pacífica, pero para que esto ocurra es necesario que os retiréis de los territorios ocupados en 1967, que desmanteléis las colonias y que nos dejéis establecer nuestro Estado independiente. En tanto que esto no se realice, lucharemos, y vosotros no tendréis la posibilidad de seguir viviendo con normalidad».

Cuando comenzó la Intifada, hacía dos decenios que los israelíes no veían a los palestinos que vivían a apenas diez minutos de sus casas. Los percibían como camareros en los restaurantes, como personal de mantenimiento en los hospitales, como mecánicos en los garajes. Aun cuando hiciesen sus compras en tal o cual ciudad de Cisjordania (donde todo es más barato) o comiesen sus pinchitos en Jericó, la vida de los palestinos de los territorios ocupados les seguía siendo invisible e inaudible. A lo sumo, se hablaba del «pueblo palestino», de los «territorios» y de la OLP de una manera abstracta y ajena a lo cotidiano; incluso los atentados –bastante raros– eran percibidos como un fenómeno proveniente del exterior. La línea verde que separaba Israel de los territorios ocupados había desaparecido del mapa, pero la población que allí vivía no existía sino en forma de mano de obra y de decorado pintoresco. Era inexistente como sociedad, como realidad humana y nacional. Palestinos e israelíes cruzaban cotidianamente la frontera, pero mientras los primeros se topaban con Israel y con el pueblo israelí a cada paso, los israelíes no veían a nadie.

Durante los diez años que habían precedido a la Intifada, pocas unidades de reservistas se vieron comprometidas en el mantenimiento del orden en los territorios ocupados, no tratándose la mayoría de las veces de una experiencia muy traumatizante. Pero todo esto iba a cambiar en unas pocas semanas: en el inconsciente israelí fue trazada de nuevo la línea verde, y la ocupación pasó a convertirse en una realidad concreta para el ocupante. Miles de reservistas llamados a reprimir el levantamiento traían a sus hogares las imágenes de una resistencia valiente y de una represión que a menudo les daba vergüenza; el Yesh Gvoul tomó de nuevo aliento, y un centenar de oficiales y soldados de reserva iban a ser enviados a prisión por insumisión.

De pronto, el Centro de Información Alternativa –vuelto a abrir después de seis meses por decisión del tribunal– se vio acosado por pedidos para organizar encuentros y visitas en los territorios ocupados.

El proceso había convertido a nuestro Centro en la dirección privilegiada para todos aquellos que experimentaban la necesidad de ver, de escuchar, de dialogar con los palestinos. La minúscula brecha abierta por unas decenas de militantes en la muralla que separaba a ambas comunidades se había ampliado. Si no se trataba todavía de un maremoto, sí era, al menos, un arroyo que reemplazaba al goteo entre las décadas de 1960 y 1980. Las iniciativas de solidaridad con los palestinos y las acciones en común se multiplicaban rápidamente.

Una de las numerosas condiciones de mi liberación condicional era la prohibición de actuar desde los despachos de la AIC. Decidí entonces redactar un boletín semanal totalmente dedicado a las acciones israelíes de solidaridad y de protesta contra la ocupación, con el fin de dar a conocer a los palestinos las nuevas posibilidades que se abrían al otro lado de la frontera. La idea de este boletín me había sido sugerida por un diplomático palestino destinado en África que, en el transcurso de una reunión pública en Ginebra,[1] me había escuchado describir los nuevos movimientos que se constituían en la sociedad israelí y quería que esto se supiese en las filas del movimiento nacional palestino. Lo titulamos *The Other Front*, porque en nuestra opinión era ése nuevo frente que se abría. Al no estar autorizado a dirigirme a nuestro local de Jerusalén Oeste, simplemente ¡hacía el trabajo en el despacho de Feisal Husseini, en Jerusalén Este!

En el año nuevo de 1989, cerca de diez mil israelíes, palestinos y extranjeros se manifestaban codo a codo alrededor de los muros de la antigua ciudad de Jerusalén, detrás de Feisal Husseini, que había reunido esta vez a su lado no sólo a los camaradas del Matzpen y del Partido Comunista Israelí, sino también a los dirigentes del partido sionista Meretz* y de ¡Paz Ahora! Por una vez, manifestantes israelíes y palestinos sufrían sin discriminación la violenta represión de una policía que no entendía lo que ocurría (una pacifista italiana perdió allí un ojo).

La acción del AIC se convertía en ejemplo para miles de israelíes. Mi proceso, que seguía su curso de acuerdo a un acta de acusación redactada antes de la Intifada, resultaba incomprensible para una parte cada vez más importante de la opinión pública liberal.

El veredicto, dictado en octubre de 1989, fue una victoria: fuimos reconocidos inocentes de apoyo al terrorismo; en cuanto a la posesión de material destinado a servir a organizaciones ilegales, el tribunal consideró que la posesión de material escrito no podría ser considerada como un crimen. Y sobre las treinta y una bases de

---

1. Habiendo olvidado el fiscal por error solicitar al tribunal la incautación de mi pasaporte en el transcurso del proceso llevé a cabo repetidas veces breves estancias en el extranjero, hasta que las autoridades lo advirtieron y procuraron evitarlo. La Corte Suprema, apelada con este objetivo, declaró para el caso: «El sospechoso no es de los que huyen, por lo que nosotros no vemos razón para prohibirle que abandone el territorio nacional».

acusación concernientes a prestaciones de servicio a organizaciones ilegales, fuimos declarados inocentes en treinta de ellas: el tribunal aceptaba nuestro punto de vista según el cual las organizaciones en cuestión nunca habían sido ilegales, aun cuando sus vinculaciones con organizaciones declaradas terroristas eran de pública notoriedad. Quedaba una base de acusación: la composición del famoso *Manual de formación*. Contrariamente a las otras publicaciones editadas por el AIC, ésta, aun cuando era una iniciativa de una organización estudiantil, incluía una introducción que hacía referencia directa a una organización ilegal –el Frente Popular para la Liberación de Palestina– a la que denominaba «*nuestra* organización». El tribunal admitía mayoritariamente que nosotros no sabíamos lo que estaba ahí escrito, pero de todos modos nos reconocía culpables de haber «cerrado los ojos» ante las evidencias que vinculaban a este folleto con el FPLP. Mi negativa a dar el nombre de los editores palestinos era un agravante que reforzaba mi culpabilidad.

La lectura del veredicto provocó una explosión de alegría en el recinto del tribunal, y durante muchas horas la radio habló de «la victoria del AIC». Cuando llegó la sentencia, treinta meses de prisión, de los cuales veinte de ellos en firme, además de una muy fuerte multa, todo el mundo se quedó estupefacto. Incluso al fiscal le resultó difícil creer lo que escuchaba. Nunca antes un palestino había sido condenado a una pena de prisión que superase los cuatro meses por impresión de material prohibido, aunque fuese con los ojos bien abiertos, y he aquí que por haber «cerrado los ojos» se me enviaba a la cárcel durante veinte meses…

El periodista Guidon Eshet explicó al día siguiente que esos treinta meses de prisión eran una forma de condenarme contra viento y marea por las treinta acusaciones por las que el tribunal no había podido incriminarme. Yo no estaba de acuerdo con este análisis, ampliamente reproducido por los medios, que no veían en la actitud del tribunal sino la expresión de una venganza ruin. Por el contrario, el veredicto del juez Tal y sus acólitos tenía un objetivo muy preciso: poner en guardia al movimiento por la paz israelí para que no se acercara demasiado a la frontera.

Unos días después del veredicto, la periodista Lili Galili describía, en el periódico *Haaretz*, el estado de espíritu que reinaba en Israel en aquel momento, la recomposición de las divergencias internas en la sociedad israelí, los nuevos realineamientos. El mitin de solidaridad organizado en la víspera de mi encarcelamiento le servía de modelo. Se desarrolló (¿una paradoja o un símbolo?) en una sinagoga de Jerusalén:

La sinagoga de Kol Haneshama había conocido ya momentos curiosos. No hacía sino pocos meses, acogía la primera aparición pública de Feisal Husseini después de su liberación de la cárcel. Durante una larga hora, de espaldas al tabernáculo donde están apilados los rollos de la Torá,* Husseini, sobrino del antiguo muftí,* se había dirigido al público israelí por mediación de la izquierda de Jerusalén. Michel Warschawski, más conocido por el apodo de Mikado, lo acompañaba en este acontecimiento. La semana pasada los papeles estaban invertidos: esa vez fue Husseini quien acompañó a Warschawski a una velada de solidaridad, unos días antes de que este último comenzase a purgar los veinte meses de prisión a los que fue condenado por la composición de un folleto del Frente Popular en el Centro que dirige. En cuanto el animador de esta velada tan particular anunció que Husseini iba a decir algunas palabras a Mikado antes de su encarcelamiento, hubo muchos segundos de vacilación: ¿quién entraba en prisión y quién salía? Una desacostumbrada audiencia llenaba la sala: viejos percherones de batalla, esos veteranos de la izquierda que siempre dan la impresión de soportar todos los sufrimientos de la humanidad sobre sus hombros, después de veintidós años aplicados a la dura tarea consistente en ser «la izquierda israelí», muestran el aspecto herido de quienes todo lo han visto y al mismo tiempo son portadores del mensaje de una puesta en guardia permanente acerca de lo que todavía nos espera. A su lado, los jóvenes. Porque los últimos veintidós años han dado nacimiento a una nueva generación de contestatarios, desconcertantes, entusiastas y capaces de manifestar una creencia inquebrantable en su capacidad para cambiar el mundo. Sólo los acontecimientos de los dos últimos años han podido reunir semejante mezcla de personas en el mismo sitio y para el mismo evento: los residuos de la organización antisionista Matzpen de la que Warschawski es responsable al lado de los que acaban de dejar ¡Paz Ahora! No hace mucho un océano los separaba, a unos, que se situaban al margen de la sociedad, y a otros, que se sentían profundamente enraizados en ella. Los movimientos circulares de la política israelí les hicieron converger en el lema «Dos Estados para Dos Pueblos», poniendo punto final, al menos por el momento, a sus divergencias. Esa noche estaba también un teniente de alcalde: Ornan Yekutieli, presidente del grupo Rats* en el consejo municipal de Jerusalén; no hace mucho de esto, Yekutieli tuvo problemas en una sesión del consejo municipal, pues enarbolaba allí una insignia en la que se entrecruzaban la bandera israelí y la bandera palestina. Unos meses después, Warschawski iba a ser arrestado por el mismo motivo. Sus amigos comentan con humor que la policía no había comprendido que lo nuevo para Warschawski no era llevar los colores palestinos, sino los colores israelíes...

Lo extraño de esta velada alcanzó su apogeo con la llegada a la sinagoga de una pareja de personas entradas en años: él, con barba y un gran gorro; ella, con la peluca tradicional de las mujeres ortodoxas: Mireille y Max Warschawski, los padres de Michel. Su entrada provocó un murmullo de excitación: ellos no pertenecían a este paisaje humano [...]. Al día siguiente, el rabino Warschawski me expresó su dolor no por lo que Michel hacía, sino, muy por el contrario, porque lo hacía fuera del marco del judaísmo practicante. Y añadía: «Dicho esto, es mucho más judío en su alma que todos esos que aquí invocan al judaísmo».

Lo dicho por Warschawski en el transcurso de esta velada tiende a confirmarlo. Este antiguo alumno de una escuela talmúdica ha justificado su negativa a revelar los nombres de los palestinos que redactaron el folleto del Frente Popular, compuesto en su asociación, en la prohibición religiosa concerniente al mosser. Es un principio sagrado, explicaba su padre, negarse a ser un mosser, es decir un delator. Entre todos los argumentos que tenía a su disposición, éste fue el elegido por su hijo. En otra parte de su emocionante discurso, dedicado en gran parte a la frontera de la legalidad, Mikado dijo: «Lo que no es explícitamente ilegal es estrictamente *casher*». Pronunció la expresión «estrictamente *casher*» como sólo lo hacen los judíos ortodoxos de origen askenasí. Pero en el ambiente de esta velada no había ya ninguna contradicción entre el contexto en el cual estas palabras eran pronunciadas y la retórica que les había dado origen. De todos modos, sigo teniendo curiosidad por saber cómo la mujer de Mikado, Léa Tsemel, que es también su abogada, resolverá el problema lingüístico de lo «estrictamente *casher*» ¡cuando tenga que traducir la intención de Warschawski a una colega palestina!

Y para colmo, Warschawski se ganó, al final de la velada, dos abrazos especialmente cálidos: uno de Feisal Husseini, el otro de Daniel Boyarin, judío religioso que enseña el Talmud en la Universidad Bar Ilan.[2]

La sentencia del tribunal de distrito era tan severa que el fiscal aceptó que yo permaneciera en libertad hasta que la Corte Supre-

2. Lili Galili, «Solidarité de tous les côtés», *Haaretz* (20-11-1989).

ma deliberase acerca de la apelación que nuestros abogados habían presentado de inmediato. El 27 de junio de 1990, tres jueces de la Corte Suprema confirmaron el veredicto, pero redujeron la pena de prisión de treinta a veinte meses, de los cuales ocho en firme. Seguía siendo más que para un palestino, pero la frontera había tenido esta vez la particularidad de tratar a un judío con mayor severidad que a un árabe.

14

EL COLONO DE IZQUIERDAS

Desde 1982, el movimiento pacifista israelí suscitaba gran interés en la opinión pública internacional. En un país en guerra, el hecho de que decenas e incluso, a veces, cientos de miles de personas se movilicen contra la política de su gobierno no es un fenómeno trivial, sobre todo cuando, contrariamente a la Francia de la guerra de Argelia o a los Estados Unidos de la guerra de Vietnam, es la existencia misma de Israel lo a menudo cuestionado por sus enemigos.

Desde la inmensa manifestación que había tenido lugar tras las masacres de Sabra y Chatila, también los palestinos otorgaron gran importancia a esta disidencia en el seno mismo de la población israelí: se trataba no sólo de un aliado inesperado en el núcleo mismo del campo enemigo, sino de una realidad que volvía a cuestionar la idea que el movimiento nacional palestino tenía de Israel, percibido hasta entonces como una entidad homogénea y totalmente unida en su hostilidad contra los palestinos y sus derechos.

Sin embargo, y bastante rápidamente, los palestinos se vieron decepcionados. Los movimientos de protesta contra la represión de la Intifada no movilizaron a los cientos de miles de manifestantes que habían tomado la calle durante la invasión del Líbano. «¿Es menos roja la sangre palestina que la sangre libanesa?», se preguntaba un antiguo detenido palestino en un encuentro con militantes por la paz, en 1989. De hecho, la diferencia entre la reacción de la izquierda israelí ante la guerra del Líbano y ante la Intifada no es el resultado de una empatía mayor o menor con las víctimas respectivas de estos dos acontecimientos. Es el producto de la naturaleza misma de esta izquierda, de sus contradicciones ideológicas y de sus características culturales. Estas contradicciones se remontan a los primeros días del sionismo, como lo pone de manifiesto, por ejemplo, esta cita edificante de David Hacohen, dirigente del movimiento sionista obrero en Palestina en las décadas de 1930 y 1940: «Cuando ingresé en el Club de Estudiantes Socialistas [en Londres] había ingleses, irlandeses, judíos, chinos, indios y africanos, todos bajo dominio inglés. Y ya en aquella época tenía que discutir con mis camaradas más cercanos acerca de la cuestión del socialismo judío. Defender el hecho de que yo no aceptaba a los árabes en mi sindicato, la Histadrut, que se incitara a amas de casa judías a no comprar en tiendas de árabes, que se organizasen guardias alrededor de los huertos para impedir que los árabes trabajasen en ellos, que se derramase gasolina sobre los tomates árabes y que se rompiesen los huevos árabes en las cestas de las mujeres que los hubiesen comprado. El Fondo Nacional Judío enviaba a Yehoshua Hankin a Beirut para comprar tierras a ricos propietarios ausentes, y nosotros expulsábamos a los campesinos. Estaba pues permitido comprar decenas de hectáreas a un árabe, pero vender, que Dios nos proteja, una hectárea judía a un árabe, eso estaba prohibido. ¡Se trataba de algo realmente difícil de explicar!».[1]

Trabajar «por el sionismo, el socialismo y la amistad entre los pueblos», tal como lo proclamó durante más de medio siglo *Al-Hamishmar*, el periódico del Hashomer Hatsair,* no es, en efecto, nada fácil. El sionista de izquierda tiene que gestionar una verdadera esquizofrenia que no es sólo ideológica, sino realmente existencial. Esta esquizofrenia le obliga a procurarse una infinita cantidad de racionalizaciones, y, también, a mentirse sin cesar, lo que no puede sino agravarla.

No es necesario extenderse acerca de la contradicción interna entre una ideología socialista, o por lo menos humanista, y un proyecto colonialista que, con el noble objetivo de construir un refugio para los judíos perseguidos, niega no sólo los derechos más elementales sino la existencia misma de una comunidad indígena, la priva de sus tierras, de su acceso al trabajo, para finalmente provocar su éxodo masivo. Con el fin de vivir esta contradicción, el sionista de izquierda se ve obligado a negar la realidad, a borrarla literalmente de su memoria. Un día me dirigía hacia Tel Aviv con dos camaradas, Mahmud, arqueólogo palestino que durante muchos años había trabajado para la Sociedad de Estudios Árabes en un mapa de Palestina antes de su destrucción en 1948, y Tikva, una antigua militante de las unidades de choque del Palmach que se había sumado a las filas de la izquierda radical en la década de 1980.

---

1. Publicado en *Haaretz* (15-11-1968).

Pasamos entonces cerca del *moshav** Shoresh. Tikva nos contó que su unidad había acampado allí durante una de las treguas de 1948. Mahmud añadió: «Sí, ahí estaba la aldea de Beit Mahsir», a lo que Tikva replicó: «No, en absoluto, ahí no había ninguna aldea». Desconcertado, Mahmud le recordó que él acababa de realizar una detenida investigación sobre esta región, pero Tikva estaba segura de sus recuerdos: «¡Yo estuve ahí, así que sé de qué hablo!»

Les sugerí que releyesen la documentación correspondiente y pasamos a otro tema. Muchas semanas después, cuando trabajábamos codo a codo en las pruebas del periódico, Tikva exclamó: «¡Claro, las ruinas!». Esperé que siguiera. «¿Te acuerdas de la discusión con Mahmud, hace unas semanas? Pues bien, ahora vuelvo a verlo: a doscientos metros del campamento había unas ruinas donde me encantaba retirarme para escribir mi carta cotidiana a mi madre. Pero ahora que lo pienso, esas ruinas no eran los restos de un poblado antiguo, sino los de una aldea que acababa de ser vaciada de sus habitantes y destruida. ¡Y resulta que yo no lo veía! ¡Y pensar que durante más de cuarenta años evité ese recuerdo!».

Esta amnesia va acompañada en el sionista de izquierda por una imagen de la realidad que nada tiene que ver con los hechos históricos: sus intenciones son puras y los valores que defiende nobles, por lo que nunca puede ser considerado responsable de los crímenes que comete. Si mata, roba o expulsa, ello se debe a que ha sido atacado y a que es doblemente víctima: por ser atacado y por verse forzado a cometer el mal para defenderse. La esquizofrenia del sionista de izquierda suele sostenerse en la paranoia aguda que considera al judío, en tanto que judío, como una víctima eterna y absoluta. La derecha, que no comparte los valores humanistas universales de los que hace alarde el sionismo de izquierda, ha sido por esta razón mucho más honesta que la izquierda en cuanto a los hechos históricos. En 1970, en el transcurso de un debate ante estudiantes del WUJS[2] invitados a Israel por la Agencia Judía, Ezer Weizman, que ya no era general pero tampoco todavía presidente del Estado, provocó, como de costumbre, un pequeño escándalo al declarar: «No perderé nuestro tiempo en discutir las propuestas del diputado [del Mapam, partido sionista de izquierda] Elazar Granot: Haim Hanegbi, del Matzpen, tiene toda la razón al afirmar que se trata de un entramado de mentiras y, en cuanto al plan-

2. Unión Mundial de Estudiantes Judíos.

©gedisa

teamiento, no tengo divergencias importantes ante lo que ha descrito. Lo que nos diferencia a Haim y a mí son las conclusiones que extraemos de todo ello: para él, se trata de dar un giro de 180 grados y de renunciar al sionismo para hacernos perdonar nuestros crímenes; para mí, se trata de mostrarse dispuesto a una guerra permanente con el fin de mantener, por la fuerza, lo que hemos ganado por la fuerza». Después de la Guerra de 1973, el propio Weizman efectuó un viraje político importante que habría de llevarle a ser acusado de traición por la derecha, por haber entablado negociaciones secretas con Yaser Arafat mucho antes que la izquierda sionista.

El sionista de izquierda cree en los valores democráticos y desea vivir en democracia. Pero quiere también, y ante todo, un Estado judío. Así pues, será el promotor de la filosofía de la separación. No como simple medio, sino como valor. A ello se debe que su discurso sea a menudo más segregacionista que el de ciertas corrientes de la derecha.

En la introducción a su *Portrait du colonisé,* dedicada al «Retrato del colonizador», Albert Memmi habla de aquel al que llama «el colonizador que se resiste» o «el colono de izquierda», y lo describe como sigue: «Tiene ante sí a una civilización distinta, costumbres diferentes de las suyas, hombres cuyas reacciones suelen sorprenderle y con los que no comparte afinidades profundas. Y puesto que aquí estamos nosotros –aun cuando se niegue a estar de acuerdo con los colonialistas–, no puede evitar juzgar a esta civilización y a esta gente. ¿Cómo negar que su técnica es gravemente retrasada, que sus costumbres son curiosamente estereotipadas, que su cultura está caducada? Muchas de las características del colonizado le chocan o le irritan; muestra repulsiones que no consigue ocultar y que manifiesta en observaciones que recuerdan curiosamente a las del colonialista. En verdad, se halla lejos ese momento en el que estaba seguro, *a priori,* de la identidad de la naturaleza humana en todas las latitudes. Sigue creyendo en ella, es verdad, pero más bien como en una universalidad abstracta o en un ideal situado en el porvenir de la historia.»[3] Se refiere a los franceses en Túnez, pero estas frases se aplican perfectamente al sionista de izquierda.

El sionista desea la separación para mantener un Estado tan judío como sea posible; el sionista de izquierda desea también la sepa-

---

3. Albert Memmi, *Portrait du colonisé, op. cit.,* pág. 52.

©gedisa

ración para proteger la democracia y el progreso, es decir, su civilización, europea, moderna, liberal y laica, frente a un mundo árabe que le da miedo. «Descubre que, si los colonizados tienen justicia, si él puede llegar a aportarles su aprobación e incluso su ayuda, su solidaridad se detiene ahí: él no es de los suyos y no tiene ningunas ganas de serlo. Entreví vagamente el día de su liberación, la reconquista de sus derechos, pero no sueña seriamente en compartir su existencia incluso liberada.»[4] Yossef Sarid, portavoz de la izquierda en el Parlamento, no repite acaso hasta la saciedad: «Hay que hacer la paz, porque es el único medio de separarse de ellos, y con los árabes es con quienes tendremos que hacer la paz; ¿qué queréis? Si se tratase de una simple cuestión de deseo personal, yo hubiese preferido otra cosa, pero éstos son nuestros vecinos, no los suizos».

El sionista de izquierda está fijado a Occidente, precisamente él, cuyos padres optaron, sin embargo, por resolver la cuestión judía en Oriente. Europa es su verdadera metrópoli y Nueva York su Meca. De donde surge otra paradoja para el sionista de izquierda: es profundamente proamericano y ve en la política de Estados Unidos la única garantía de la salvaguardia de la civilización. El apoyo prestado por su Gobierno a las dictaduras latinoamericanas y africanas no le plantea un problema importante. Pero no entiende por qué es tratado de reaccionario y de proimperialista por los intelectuales de izquierda europeos cuya amistad y respeto reivindica. Para resolver esta contradicción, el sionista de izquierda, una vez más, recurre al antisemitismo: detrás de cada crítica a Israel se oculta un antisemita más o menos consciente. Y puesto que «el mundo entero está contra nosotros», hay que hacer piña, porque no podemos permitirnos el lujo de destrozarnos entre nosotros. La sacra unión es más que un deber motivado por una situación de conflicto permanente; es una manera de ser, intrínsecamente ligada a la posición del colono ante aquel a quien nuestra existencia misma expolia de sus derechos y de su patria. Porque el sionismo provoca, lo quiera o no, un conflicto con los árabes, y este conflicto deja muy poco espacio entre ambos campos. O se elige incorporarse al ala derecha del campo sionista en su guerra contra los árabes, o se tiene que aceptar ser un tránsfuga.

Ahora bien, no es fácil ser tránsfuga, incluso si sólo se lo es en términos de apoyo moral y de actos de solidaridad; porque signifi-

4. *Ibíd.*, pág. 51.

ca dejar de solidarizarse con aquellos con quienes se vive, con quienes se trabaja, con quienes han hecho el servicio militar, sin tener en cambio la posibilidad de encontrar nuevas solidaridades entre los árabes, cuya cultura es totalmente ajena a la del israelí de izquierda, quien de todas formas la rechaza por retrógrada y amenazadora.

Así pues, el sionista de izquierda prefiere «disparar, y después llorar»,[5] proceder a reprimir junto con sus hermanos para luego lamentarse del destino que le ha obligado a cometer los crímenes que ha cometido. Queda en claro que no hay en esta actitud ningún lugar para el otro, para la víctima. Se trata de un asunto sólo entre israelíes, y a lo sumo entre el israelí de izquierda y su conciencia torturada. Si el otro estuviera presente, habría que tomar en consideración sus derechos, y, por consiguiente, volver a cuestionarse fundamentalmente en tanto que sionista.

Y no obstante, el sionista de izquierda desea que se le admire por las lágrimas que vierte, no por la suerte de la víctima, sino por su conciencia mancillada y su juventud privada de inocencia. Del palestino espera incluso que le estime por todo lo que está dispuesto a sacrificar en su nombre. Este afecto es por lo demás la única prueba que puede ofrecer de su voluntad de paz y de coexistencia, porque, en opinión del sionista de izquierda, la reconciliación precede a la paz. ¿Podría ser de otra manera, si sigue considerando que el estado de conflicto es únicamente, o al menos principalmente, resultado del rechazo de los árabes a coexistir con unos vecinos que no les han hecho el menor daño?

Con una actitud típicamente colonialista, el sionista de izquierda sabe de antemano qué es un árabe, cuáles son sus motivaciones, lo que caracteriza su conducta y sus reacciones. Y puesto que ya lo sabe, nunca tendrá necesidad de escuchar, de procurar comprender: él crea al árabe con el fin de mantener la coherencia de su discurso y preservar su buena conciencia. «Lo que realmente sea el colonizado poco le importa al colonizador. Lejos de procurar

---

5. «Disparar y llorar»: expresión común para describir el desgarramiento de los soldados israelíes obligados a luchar a su pesar, retomada en la década de 1980 para criticar las dudas de la izquierda bienpensante. El editorialista de *Yediot Aharonot*, Nahum Barnea, dedicó una serie de artículos a denunciar esta actitud. Estos artículos fueron publicados, incluso antes de la guerra del Líbano, en forma de folleto con igual título (Tel Aviv, Zmora, Bitan, Motan Publishers, 1981).

©gedisa

aprehender al colonizado en su realidad, está preocupado por hacerle experimentar esta indispensable transformación. Otorga segundas intenciones según su conveniencia a unos y a otros, reconstruye un colonizado acorde con sus deseos; en suma, fantasea», sigue diciendo Memmi.[6] Pero como la realidad no es una fábula, el sionista de izquierda siempre resulta atrapado por la realidad y sorprendido por la reacción inesperada de los árabes: ¡le sorprendió la Guerra de 1973, le sorprendió la resistencia a la invasión de Líbano, le sorprendió la Intifada! Esta sorpresa se transforma entonces en cólera: el árabe no ha representado el papel que él le había asignado en un guión del que se suponía que, no obstante, le aportaría el bien y, quién sabe, tal vez algún día la independencia. Así pues, tanto peor para él: ante tanta ingratitud, y sobre todo ante esta negativa categórica opuesta a la única oferta de paz factible (para él, evidentemente), acaba... encontrándose junto a la derecha.

El sionista de izquierda tiene en común con el sionista de derecha lo que el cronista israelí Doron Rosenblum denomina «el método didáctico»: no discute con el palestino, sino que le hace entender, le explica. Le explica lo que es el mundo y sus obligaciones, lo que pertenece al dominio de lo posible y lo que es utópico. Lo que es bueno para él y lo que amenaza con ocasionarle perjuicios. Desde el primer ministro hasta el militante de ¡Paz Ahora!, desde el general en jefe hasta el sargento que manda un cordón policial, los israelíes explican, ponen en guardia y amenazan cuando parece que los palestinos no quieren entender. «Es por vuestro propio interés que entendáis. No cometáis de nuevo el error de 1948 que os ha llevado ahí adonde estáis. Mientras no comprendáis que es imposible desmantelar las colonias, o exigir vuestro derecho al retorno, o recuperar Jerusalén.» El israelí, sea de derecha o de izquierda, siempre habla ex cátedra, con el dedo levantado en señal de autoridad y la vara siempre a la vista. La única diferencia reside en que el sionista de izquierda pretende hacerlo por el bien de los palestinos.

De hecho, lo que diferencia al colono de izquierda del colono de derecha es, sobre todo, el paternalismo: «Paternalista es aquel que pretende ser generoso más allá –una vez admitido, por supuesto– del racismo y la desigualdad. Se trata, si se lo quiere así, de un

6. Albert Memmi, *Portrait du colonisé, op. cit.*, pág. 59.

racismo caritativo. Porque el paternalista más abierto monta en cólera apenas el colonizado reclama sus derechos».[7] Después de que, a riesgo de enfadarse con los miembros de su propia tribu, se ha dignado reconocer la existencia del palestino –y esto le ha llevado más de cuatro decenios–, el sionista de izquierda no puede admitir que éste pueda todavía reivindicar sus derechos: tendría que otorgarle su confianza, un día él encontrará una solución que le convenga al otro, tanto más cuanto que todo el mundo sabe que a él le disgusta su situación de ocupante y que desde siempre ha preconizado la separación. Si el ocupado, el desposeído, el refugiado, se obstina en luchar por sus derechos, esto constituirá una vez más la prueba de que no le interesa la paz, y que por tanto ¡merece la represión de que es objeto!

Al margen del sionista de izquierda –y en conflicto con él– se hallan aquellos y aquellas que han roto con el consenso nacional y sus valores. El colono de extrema izquierda (entre los que me cuento) ¿ha conseguido romper por lo menos con los comportamientos y los rasgos de carácter que su existencia privilegiada –en tanto que miembro de la comunidad dominante– tiene muchas posibilidades de dictarle? No siempre.

Al igual que el sionista de izquierda, el militante antisionista sabe a menudo mucho mejor que el palestino lo que está bien para él. Ha leído a Lenin y a Bauer, incluso también a Fanon y a Césaire, y esta formación le facilita los medios para comprender qué es justo y qué es falso. En cambio, no ha leído nada de la literatura política del movimiento nacional árabe; pero ¿es esto necesario ya que él sabe de antemano lo que debe ser el movimiento de liberación palestino para merecer su apoyo?

Su dificultad para identificarse con los palestinos suele provenir de una diferenciación ideológica. Sin duda alguna, apoya, a veces incluso incondicionalmente, la lucha del pueblo palestino, pero se trata de una lucha abstracta, no de la lucha real que se desarrolla ante él, porque éste no es suficientemente de izquierda, o es demasiado nacionalista, o no lo suficiente. Poco importan las razones para desmarcarse de la lucha real de aquellos a los que Israel oprime; la principal es que con frecuencia el apoyo total e incondicional se traduce en los hechos en un rechazo crítico. Si bien reconoce el derecho a la autodeterminación de los palestinos, el colono de

7. *Ibíd.*, pág. 97.

©gedisa

extrema izquierda «no reconoce» a la OLP, es decir, al movimiento nacional palestino tal como es. Lo trata a menudo como si se tratara de un grupo de colaboradores con el ocupante, prefiriendo un movimiento nacional mítico, que, de hecho, no es más que el reflejo imaginario de él mismo. También él muestra una tendencia a crear al colonizado a su imagen, la del revolucionario europeo dispuesto a sacrificar hasta al último palestino con tal de realizar su propia utopía. Al proceder de este modo, le ocurre que provoca el rechazo o la indiferencia del nacionalista palestino, que, con suma razón, no ve en este militante de extrema izquierda sino a una variante del paternalismo colonial. Tal como sigue diciendo Memmi: «Con la voluntad de rivalizar con los nacionalistas menos realistas, se lanzará a una demagogia verbal cuyas propias exageraciones aumentarán la desconfianza del colonizado. Propondrá explicaciones tenebrosas y maquiavélicas para las actuaciones del colonizador, o, ante el asombro irritado del colonizado, excusará ruidosamente lo que este último condena en sí mismo».[8]

Si no hace un esfuerzo permanente para recordar desde dónde habla y actúa, si no da pruebas de actuar con modestia, el colono de extrema izquierda corre todos los riesgos de encontrarse en el mismo lugar que el sionista de izquierda a quien cree combatir. Se opondrá al movimiento emancipador de los palestinos o no le dará todo el apoyo que éste tiene derecho a esperar de quienes reivindican el anticolonialismo y el derecho de los colonizados a la autodeterminación (es decir, el derecho a disponer de sí mismos, incluyendo el establecimiento de los pactos que consideren necesarios).

Unos meses después de la firma de los acuerdos de Oslo, en 1993, y en el transcurso de una discusión política que agrupaba a militantes de extrema izquierda palestinos e israelíes, escuché que una militante israelí explicaba, tal como una institutriz dicta una lección a sus alumnos, que aceptar un Estado palestino independiente en Cisjordania y la franja de Gaza era pura y simplemente una traición. Ante lo que se vio respondida secamente por una militante palestina que había estado en todas las batallas y que había pasado años en prisión: «¿Por qué nos niegas un Estado independiente, aun cuando pequeñísimo, de menos del 22 por ciento de nuestro territorio nacional? ¿Acaso vas a tolerar cincuenta años

8. *Ibíd.*, pág. 68.

suplementarios de ocupación y de violencia?». Pero lo que merece ser meditado es la reacción insensata de la militante israelí: «Considero que hasta la izquierda palestina ha perdido las ganas de luchar».

TERCERA PARTE

FRONTERAS INTERIORES

INTERLUDIO

LOS SEÑORES DANKNER Y SHEMESH

Unos días después de la firma de los acuerdos de Oslo, el periódico *Hadashot* publicaba un reportaje en el que unas decenas de personalidades del mundo político, mediático, universitario y artístico israelí tenían que contestar a una pregunta: «¿Qué significa para usted la paz que se firmará próximamente con los palestinos?». En su mayoría, las respuestas eran bastante triviales. Sin embargo, la del periodista Amnon Dankner atrajo mi atención. Dankner representa hasta la caricatura al israelí occidental, liberal, laico y, evidentemente, pacifista. Odia a los religiosos y aborrece a los judíos árabes; venera al ejército y se considera el garante del consenso nacional, para el cual está dispuesto a hacer horas extras en el *talk show* que anima junto con el representante de la derecha Tomi Lapid.

Al reportero de *Hadashot*, Dankner le manifestó que para él la paz suponía la pronta posibilidad de poder coger su coche en Tel Aviv y circular sin interrupción hasta Florencia.

Al día siguiente, camino de la tienda de mi barrio, encontré a mi vecino, el señor Shemesh. Este septuagenario es la antítesis de Amnon Dankner. Inmigrado de Irak, trabajó durante treinta años como vendedor en un supermercado, ganando a duras penas lo necesario para alimentar a sus siete hijos y darles un mínimo de educación. El señor Shemesh es profundamente practicante, y, al igual que la mayoría de los habitantes del barrio, vota a la derecha. Algunos de sus hijos apoyaban a la extrema derecha fascista antes de sumarse al partido Shass, convertido en su nueva patria.

Evidentemente, hablamos de la paz. Antes de separarnos, el señor Shemesh me estrechó entre sus brazos y, saltándosele las lágrimas, me dijo: «Ahora que va a haber paz, ¿crees que voy a poder volver a Bagdad, no para vivir sino, al menos, en verano, de vacaciones?».

En ese momento, Dankner se me hizo presente. La paz, para este periodista liberal y pacifista, al igual que para sus semejantes, supone la apertura de las fronteras, pero no cualesquiera: esta apertura tiene que consagrar la integración definitiva de Israel en Occidente, volviendo así la espalda al mundo árabe con el cual se daría por supuesta la reconciliación.

Para el señor Shemesh, y quizá para una mayoría de israelíes a los que se tiene por costumbre situar a la derecha, la paz es también la apertura de la frontera, pero no la que conduce a Florencia o a Londres. La paz es la posibilidad de reconciliarse con el mundo árabe del cual provienen, de encontrar vínculos con esa cultura y, sobre todo, de romper el muro que los separaba de su propia arabidad, de su identidad herida.

Estas dos reacciones diferentes, e incluso contradictorias –de la burguesía media liberal, laica y pacifista por una parte; y de las capas populares tradicionalistas, de cultura árabe y portadoras a menudo de un discurso de derecha por la otra–, reflejan dos mundos que, en Israel, se dan cada vez más la espalda. ¿Es uno de esos mundos portador de una esperanza de paz? Y si tal es el caso, ¿cuál de los dos?

15

¿POR FIN LA SEPARACIÓN?

Tal como suele ocurrir en las luchas de liberación nacional, la Intifada provocó dos procesos de desgaste paralelos. Después de tres años de lucha y de inmensos sacrificios, la población palestina se hallaba al límite de sus fuerzas. En algunos aspectos, el levantamiento comenzaba a generar su propia delicuescencia. Pero el desgaste de la sociedad israelí se revelaba más profundo todavía: mientras la represión israelí comenzaba a dar sus frutos, bajo la presión combinada de la diplomacia americana y una opinión pública fatigada los laboristas acabaron por comprometerse en un proceso de negociaciones con la OLP, primero indirectamente, y luego, tras la elección de Isaac Rabin en 1992, sin intermediarios.

Los acuerdos de Oslo, ratificados solemnemente el 13 de septiembre de 1993 en el césped de la Casa Blanca, marcaban un giro histórico en la actitud del movimiento sionista y del Estado de Israel hacia los palestinos: por primera vez un gobierno israelí reconocía la existencia y la legitimidad de un pueblo palestino en la tierra de Palestina, y se comprometía a permitir, progresivamente, la expresión de su autodeterminación nacional. A cambio de ello, el movimiento nacional palestino anunciaba un alto el fuego en su lucha de liberación nacional y renunciaba a reivindicar el 78 por ciento de su patria.

La «declaración de principios» de Oslo estaba lejos de hacer justicia a los palestinos. Si bien mencionaba «cien años de conflicto», es decir, que fechaba el conflicto con precisión en el inicio de la empresa sionista en Palestina, seguía haciendo que los protagonistas se dieran la espalda, sin señalar las responsabilidades históricas. Las zonas de sombra se anteponían a las medidas concretas, y el objetivo final, el que tenía que ser negociado en la segunda fase del proceso, quedaba poco explícito. Es decir, que la independencia palestina estaba allí más sugerida que anunciada. A pesar de los múltiples obstáculos y riesgos de *impasse,* éramos, sin embargo, muchos los que nos sentíamos –moderadamente– optimistas: las cosas se movían en la buena dirección, y nosotros apostábamos por la sensatez y, sobre todo, por la buena fe de los firmantes.

En esos momentos de euforia hubiéramos debido prestar más atención a las observaciones escépticas del general Matti Peled, quien, junto con Uri Avneri, Haim Hanegbi y yo mismo, había fundado, un año antes, el Gush Shalom (Bloque de la Paz) para paliar la desaparición de ¡Paz Ahora!, puesto que un gobierno de izquierda había tomado el poder. En el transcurso de una discusión acerca del significado de los acuerdos de Oslo y las tareas que esperaban al movimiento por la paz, el anciano general nos puso en guardia: «Dejen de soñar, la aplicación de los acuerdos no cae por su propio peso, y sé de qué hablo: Rabin y yo somos de la misma generación, hemos compartido el rancho. Nunca un gobierno israelí aceptará retirarse de los territorios conquistados o desmantelar colonias, en frío, a menos que se lo impongan. Hará falta una presión inmensa para que acepten respetar los acuerdos tal como los palestinos y nosotros mismos los entendemos, presiones internacionales y presiones del movimiento por la paz israelí, en cuyo defecto harán todo lo posible para vaciar esos acuerdos de su contenido».

Realmente, no tomamos en serio esas predicciones pesimistas. Rabin había firmado ante el mundo entero un acuerdo con los palestinos: ¿cómo creer que se atrevería a no respetarlo? Pero el viejo general nos dió aquel día una lección que habría de revelarse, y muy pronto, como muy pertinente: menos de seis meses después de la firma de la declaración de principios, Rabin comenzó a sabotearla, primero anunciando que no tenía ninguna intención de respetar su calendario («No hay fechas sagradas», anunciaba en febrero de 1994), y luego, considerando que la retirada de la franja de Gaza podía ser apenas parcial.

Sin embargo, ambos pueblos creían en la paz, dispuestos mayoritariamente a pagar su precio renunciando mutuamente a muchos de sus sueños. Durante dos meses fui testigo de decenas de actos de confraternización, incluso con los soldados, y en especial alrededor de los cordones policiales que desde el fin de la Guerra del Golfo señalaban la separación entre Israel y los territorios ocupados. En el ámbito de las instituciones, las reacciones eran más variadas. Cuando, en noviembre de 1993, nuestro Bloque por la Paz quiso organizar en Nablus una manifestación en común con Al

Fatah para exigir la inmediata liberación de los presos políticos palestinos, el ejército se opuso: «Saben ustedes muy bien que las manifestaciones están prohibidas en los territorios ocupados –nos explicó el comandante militar de Cisjordania–, ¡y sobre todo junto a una organización ilegal!». Por vez primera, la Corte Suprema no aceptó los argumentos del ejército. El juez Levine, que autorizó la manifestación, reafirmó: «Los tiempos han cambiado, y, a partir de ahora, las libertades públicas tienen que ser tomadas en consideración tanto como las cuestiones vinculadas a la seguridad y al orden público». Así pues, varios miles de palestinos y de israelíes se manifestaron en esa ciudad que muy pocos israelíes conocían. Mi papel consistía en establecer el contacto entre el gobernador militar de la ciudad y el servicio de orden, compuesto esencialmente por militantes palestinos que dos meses antes todavía eran buscados por los servicios secretos israelíes por «terrorismo». En el transcurso del encuentro preparatorio entre los organizadores y el Gobierno, éste se negó a hablar con los representantes de Al Fatah y actuó como si no estuvieran presentes. Sin embargo, muchos de los soldados confraternizaron con el servicio de orden palestino.

Hacia la misma época, yo colaboraba con un equipo del programa *Envoyé spécial* [Enviado especial] en un reportaje sobre los colonos (que aparecían como las víctimas de los acuerdos). Después de haber entrevistado a muchas decenas de ellos a lo largo del conjunto de los territorios ocupados, llegamos a la conclusión de que todos se disponían a partir, incluso los más extremistas.

Pero tal como había predicho Matti Peled, Rabin y el ejército no estaban dispuestos a tomar las medidas necesarias para impulsar una verdadera dinámica de paz. Les resultaba imposible tratar a los palestinos de igual a igual, o al menos con un mínimo de respeto. Además, la vieja generación no podía creer que los palestinos estuviesen dispuestos a dar carpetazo. Tal como solía comentar otro general, el antiguo ministro y jefe del partido de extrema derecha Tsomet,* Rafael Eitan: «Si nos llegaran a hacer lo que nosotros les hicimos en 1948, nunca nos lo perdonaríamos; y por esto es por lo que no creo en la paz».

Así pues, dos factores se combinaron desde el comienzo para impedir el funcionamiento de los acuerdos de Oslo: primero, la certeza de que las relaciones palestino-israelíes iban a llevar mucho tiempo, y que siempre iban a ser conflictivas. Tal como subraya con suma pertinencia Camille Mansour,[1] esta certeza suponía una lectura de los acuerdos estrechamente vinculada a la seguridad pública; y luego, la extrema dificultad, por no decir la incapacidad, de los israelíes para cuestionar su relación colonialista clásica respecto de los palestinos y los territorios que éstos habitan. ¿Hay que concluir en que la firma de los acuerdos por parte de Rabin no era más que el resultado de las presiones internacionales consecuencia de la Guerra del Golfo? Creo que no, y que para el Gobierno israelí, así como para la abrumadora mayoría de la población israelí, la declaración de principios de Oslo era bienvenida, pues llevaba implícita una promesa de separación, esa separación que había reemplazado en sus sueños al traslado de los palestinos.

¿Podían los acuerdos de Oslo conducir a otra cosa? Sin duda, tal como escribía Camille Mansour: «Una lectura israelí de los acuerdos de Oslo según su espíritu verdadero, según las reglas de la buena fe y del interés bien entendido de Israel, significaba que la colonización tenía que ser no solamente congelada, sino también deslegitimada, que la seguridad debía ser entendida en su acepción política más amplia, que los dividendos políticos, económicos y psicológicos del proceso de paz tenían que ser distribuidos cuanto antes, que no era necesario llevar demasiado lejos las ventajas contando con la supremacía militar. En cambio, una lectura israelí de los acuerdos según la relación de fuerza implicada en su dimensión militar estrecha implicaba que Israel sólo había firmado esos acuerdos porque el ejército de ocupación consideraba, desde la Intifada, demasiado costosa la gestión de la vida cotidiana de los palestinos en los centros urbanos de Cisjordania y Gaza, que era preciso retirarse de esos centros en provecho de una Autoridad Palestina a la que se haría responsable de lo que allí ocurriera. Enfrentado a estas dos lecturas posibles de los acuerdos de Oslo, o más bien a la alternativa de dos líneas de conducta posibles, Isaac Rabin inauguró, inmediatamente después de la firma de la declaración de principios en Washington, el 13 de septiembre de 1993, los mecanismos y las políticas que indicaban que era la segunda lección la que iba a prevalecer».[2]

Matti Peled lo presentía: sólo presiones políticas, internaciona-

---

1. Camille Mansour, «L'impasse coloniale d'Israel», *Revue d'Études Palestiniennes*, núm. 28, verano de 2001.

2. *Ibíd.*, pág. 22.

les e internas, habrían podido imponer otra lectura. Pero la comunidad internacional reveló su gran cobardía, arguyendo, con toda la hipocresía de que son capaces las cancillerías, que no había sino que dejar solos a los protagonistas. En cuanto al movimiento por la paz, éste consideró, con aplastante mayoría, que «la declaración de principios» cumplía con todos sus objetivos. ¿A pesar de sus evidentes limitaciones? No, más bien a causa de esas mismas limitaciones.

Unos días después de la firma de Washington, ¡Paz Ahora! organizó un festejo en una plaza de Jerusalén para celebrar lo que parecía ser el comienzo del fin del conflicto. Me encontré con Mossi Raz, secretario general del movimiento, quien insistió en que participara. Me negué cortésmente. Mi hija fue la que, finalmente, me convenció de que la acompañara. Ella y sus amigos acudían allí para festejar la paz y para expresar, lo más sencillamente posible y sin reservas, su alegría y su esperanza en un futuro sin guerras y sin conflictos. Pero Mossi y sus amigos de ¡Paz Ahora! no celebraban únicamente la paz y la esperanza de reconciliación, sino su victoria, por cierto que sobre la derecha, pero también sobre los árabes, pues este acuerdo, que implicaba enormes compromisos del lado de los palestinos, les otorgaba la absolución y, sobre todo, la promesa de separación. Para Talila y sus colegas, la paz constituía un objetivo en sí; para mis amigos de ¡Paz Ahora!, el medio de garantizar el carácter «judío y democrático» de Israel con la conciencia tranquila. Yo compartía con Talila la ingenua esperanza de una tierra reconciliada consigo misma, pero sabía que habría todavía que llevar a cabo muchas batallas para que esa esperanza se realizase, que habría que exigir el respeto de los acuerdos concertados, el inmediato desmantelamiento de las colonias, la liberación de los detenidos palestinos, el derecho… Y temía que, para esas batallas indispensables para la realización de los acuerdos, Mossi y sus camaradas, ya satisfechos con las firmas de Oslo, fallaran una vez más.

De hecho, volvimos a encontrarnos solos. Primero, al solicitar el inicio del desmantelamiento de las colonias, la liberación de los detenidos políticos y el retorno de los palestinos expulsados entre 1967 y 1993, tal como prometían los acuerdos. Luego, al exigir el respeto de los acuerdos suplementarios firmados. En opinión de nuestros amigos de ¡Paz Ahora! nosotros éramos, una vez más, unos soñadores, unos iluminados que se negaban a readaptar sus objetivos en función de las novedades surgidas durante «el proceso».

Pero la desaparición del movimiento pacifista, que confió ciegamente en el Gobierno Rabin y en la dinámica interna de ese «proceso», dejó el campo libre a los colonos y a la extrema derecha que, viendo que el Gobierno Rabin no tenía la menor intención de proceder sino a una idea mínima de descolonización, recuperaron su espacio. Muy pronto, este espacio se convirtió en arrogancia y en una agresividad sin precedentes, que condujo al asesinato del primer Ministro y, a través de él, al del proceso de Oslo en su totalidad.

Para el pueblo palestino, los acuerdos de Oslo significaban el comienzo de la aplicación del derecho internacional, la perspectiva cercana del fin de la ocupación de Cisjordania y de la franja de Gaza, y la esperanza de una independencia largo tiempo reivindicada. Para la mayoría de los israelíes, se trataba ante todo de la posibilidad de separarse de los palestinos y de liberarse de las obligaciones de una ocupación cada vez más costosa.

A partir de 1991 y de la Guerra del Golfo, el Gobierno israelí había puesto en funcionamiento el dispositivo conocido con el nombre de «acordonamiento». Mucho antes de los acuerdos de Oslo, el acordonamiento de los territorios respondía a dos conclusiones a las que habían llegado la mayoría de los dirigentes israelíes: por una parte, que los buenos tiempos de «la ocupación liberal», que no tenía que apelar a la represión masiva, se habían acabado; y por otra, que, salvo un milagro, la opción del «traslado», es decir la expulsión de los palestinos hacia Jordania, ya no estaba a la orden del día. Había pues que encontrar un medio de deshacerse de la población palestina, sin por ello volver a cuestionar en profundidad el proceso de colonización en Cisjordania, y, tal vez, incluso en la franja de Gaza. Fue éste el momento del «acordonamiento de los territorios», es decir el encierro de los palestinos en verdaderas reservas, de las cuales la franja de Gaza es la mayor y la más hermética.

El acordonamiento empezó mediante uno de los procesos de «limpieza étnica» más discretos conocidos en estos últimos decenios: en pocas semanas, Tel Aviv y sus alrededores se vieron vaciados de unos veinte mil trabajadores palestinos, casi todos de Gaza. Muchos, la mayoría, jamás volverían a la ciudad que habían contribuido durante veinticinco años a construir, mantener y desarrollar, a una cincuentena de kilómetros de sus cuchitriles.

El acordonamiento desarticuló por completo la vida social, cultural, familiar y económica de los palestinos, al dividir los territorios en cuatro zonas totalmente separadas unas de otras. Era esto el fin de su libertad de movimientos, una de las pocas libertades que Israel no había cuestionado durante los veinticinco primeros años de la ocupación. Excepción hecha de algunos militantes políticos y antiguos prisioneros, los palestinos podían circular sin trabas por el interior del espacio controlado por el ejército israelí. El proceso de paz llevaba consigo el fin de esta libertad fundamental: los territorios ocupados se vieron cubiertos por barreras militares, adjudicando la administración según su criterio permisos de paso a privilegiados, trabajadores indispensables y *vips* palestinos. Al simple acordonamiento iba a añadirse, de vez en cuando, el acordonamiento total (anulación de los permisos existentes); luego, el acordonamiento interno (estado de sitio de las zonas autónomas palestinas) y, desde finales de 2000, el «cerco» militar a todas las ciudades y decenas de poblados de Cisjordania.

A causa del acordonamiento, en sus formas más o menos agudas, numerosos palestinos acabaron añorando el período anterior a los acuerdos de Oslo, y consideraron el «proceso de paz» como la peor forma de ocupación desde 1967. Ahora bien, para la mayoría de los israelíes, el acordonamiento era la esencia misma del proceso: «Ellos en su casa, nosotros en la nuestra» fue el eslogan electoral de los laboristas, que se negaban incluso a desmantelar las colonias implantadas en el corazón mismo de la población palestina, como en Hebrón o en Psagot, cerca de Ramala. A Ehud Barak le gustaba decir: «Las barreras altas hacen buenos vecinos». La palabra «separación» *(hafrada)* pasó a formar parte del léxico de conceptos sagrados, junto a «Estado judío», «inmigración judía» *(aliya*)* y «seguridad» *(bitahon)*.

Pocos fueron los israelíes que comprendieron la perversidad de esta separación unilateral e impuesta. En junio de 1995, le pregunté a Naomí Hazan, diputada por el Meretz, qué podía hacerse en contra del acordonamiento. Pareció sorprenderse y me contestó: «Nada. El acordonamiento es el comienzo de la separación, un paso hacia el Estado palestino. Así es como se acostumbrará a la opinión pública a reconocer las futuras fronteras». ¡Qué ceguera! El acordonamiento nunca fue percibido como una frontera por la mayoría de los israelíes, sino, con mayor perspicacia que la diputada del Meretz, como el portalón de una prisión. El concepto de frontera implica un mínimo de reciprocidad, pudiendo decidir cada entidad, en cada momento, quién entra y quién sale, y la posibilidad de negociar con la otra los procedimientos, las condiciones, e incluso las cuotas de ingreso en su territorio. Por el contrario, el acordonamiento está impuesto a los palestinos por los israelíes que deciden, unilateralmente, quién entra y quién sale, no sólo para el territorio israelí sino también para el palestino. El acordonamiento es un sistema que impone a los palestinos la separación, y una separación impuesta unilateralmente se traduce, en neerlandés, como *apartheid*. Tal como comenta Ilan Halevi: «Resulta significativo que el término hebraico sea *hafrada* [separación], que expresa la idea de una acción exterior, de un acto coercitivo, y no *hipardouth*, de la misma raíz, que remite a la noción de autoseparación, es decir de secesión. Así pues, se trata de un *apartheid* en su sentido más clásico».[3]

Al igual que en la Suráfrica de la década de 1950, se trata aquí de una verdadera obsesión segregacionista, coherente con el objetivo de un Estado judío tan étnicamente puro como sea posible y que permite separar a las poblaciones manteniendo el control del espacio, de las fronteras y de los recursos naturales en manos israelíes. Los palestinos son libres de administrar su policía en sus reservas, haciendo frente también a la educación, la salud, los servicios sociales y municipales; si dan con los fondos necesarios para ello, evidentemente.

Por mucho que el acordonamiento fuera la forma que adquiría el período de transición, los palestinos y sus dirigentes estaban dispuestos a sufrir sus efectos devastadores. Según los acuerdos de Oslo, este sistema debía desaparecer a lo sumo al cabo de cinco o seis años, para dar lugar a un Estado independiente que gozase de continuidad territorial, de fronteras verdaderas y, en consecuencia, de soberanía. En la cumbre de Camp David, en julio de 2000, los negociadores palestinos descubrieron, para su gran sorpresa, que el Gobierno israelí quería hacer del sistema de *apartheid*, es decir, de la parcelación de los territorios, del control de las fronteras y de los recursos naturales, el estatuto definitivo y la solución última para la cuestión nacional palestina. Este ofrecimiento, presentado en su momento como extremadamente generoso por parte de los medios de comunicación, que no se habían tomado el trabajo de

©gedisa

---

3. Ilan Halevi, «L'apartheid n'est pas socialiste», *Revue d'Études Palestiniennes*, núm. 22, invierno de 2000, págs. 116-117.

informarse sobre su verdadera naturaleza, fue experimentado por la totalidad de la comunidad palestina como un camuflaje y como la prueba de una insoportable arrogancia, sobre todo por parte de un Gobierno que se había comprometido a «poner punto final y definitivo a cien años de conflicto».

Fue el comienzo de la segunda Intifada. Las negociaciones de Taba, unos meses después, en las que los americanos hicieron nuevas propuestas que permitían progresos reales, no pudieron, por diversas razones, invertir el curso de los acontecimientos. El proceso de Oslo quedaba definitivamente enterrado y, con él, se cerraba lo que la diplomacia americana había denominado «la venta de oportunidades». Porque, entre tanto, la opinión pública israelí también había cambiado. En menos de diez años, una verdadera revolución social había acabado por cambiar de arriba abajo el tablero político israelí, lo que permitió que Ariel Sharon fuera elegido primer ministro de una sociedad que había cambiado mucho desde el comienzo del proceso negociado.

Lo que ocurría dentro de las «fronteras interiores» de Israel había ganado por la mano a la dinámica de las relaciones árabe-israelíes, y se había vuelto determinante en la evolución de la realidad de las fronteras exteriores.

16

JUDÍOS E ISRAELÍES

En Tel Aviv fue donde escuché, por primera vez, una observación antisemita. Nunca había sido blanco de ellas en Estrasburgo, donde, sin embargo, había vivido dieciséis años como judío practicante, y proclamando mi judaísmo con la *kipá* en lo alto de mi cabeza. (Únicamente me había quitado la *kipá* una sola vez, en 1965, con ocasión de una concentración de extrema derecha en la que debía hablar Tixier-Vignancour. Había concebido la idea un poco alocada de acudir a abuchearle en compañía de un amigo, pero la presencia de un musculoso servicio de orden de cabezas rapadas nos había disuadido de hacerlo.)

En 1964, en el transcurso de una visita a Tel Aviv, me vi tratado de *yupin*[1] por parte de mi propio primo hermano. A mí me gustaba Jerusalén, donde pasaba el verano en un colegio talmúdico y me sentía en mi propia casa. En Tel Aviv, ciudad que me parecía impersonal y sucia, todo me resultaba ajeno salvo la lengua. Los judíos practicantes no eran tan numerosos, o al menos no tan visibles. Mi primo, nacido en Tel Aviv, era un verdadero *tsabar*: deslenguado, seguro de sí y de su físico. A su lado y en su opinión, yo debía tener un aspecto demasiado judío: más bien canijo y un poco cargado de espaldas, con mi gran *kipá*, mi camisa de nilón blanca y mi pantalón de tergal. Seguramente pedí muchas veces disculpas a los transeúntes que me atropellaban por la calle Dizengoff (la arteria que, debido a su anónima modernidad, era por entonces el orgullo de Tel Aviv) porque mi primo me dijo, con el desprecio de quien siente vergüenza de llevar a su lado a un cateto recién llegado de su pueblo: «Deja de conducirte como un pequeño *yupin*, no estás en Estrasburgo».[2]

1. Término con origen en la Segunda Guerra Mundial, que implicaba en la Francia de esa época gran desprecio por los judíos extremadamente religiosos. [*N. del T.*]

2. No hay que suponer que se tratase de un incidente aislado o remoto. En enero de 2002, Zwi Mendel, diputado del Partido Unidad Nacional, trató repetidas veces

La que habría de convertirse más tarde en mi compañera, también ella una *sabra*, tenía la costumbre de llamar «jaboncillo» a quienquiera que no fuese suficientemente fuerte a su entender. Esta expresión israelí es una alusión blasfematoria a la utilización efectuada por los nazis de la grasa de los judíos masacrados en Treblinka y en Auschwitz. «Blasfematoria» es el término que se me ocurrió al escucharla por primera vez. Recuerdo haber experimentado un temblor en todo el cuerpo, como si se hubieran tratado de puta a mi madre, o como si alguien hubiera orinado ante el tabernáculo en la sinagoga. Era algo totalmente increíble, y, sin embargo, terriblemente trivial, en ese Israel de la década de 1960 donde la debilidad se consideraba un defecto. Toparme con este aspecto de la cultura israelí me enfrentó a la barrera de odio y de sangre que separó, a todo lo largo de la historia, a judíos de antisemitas. Pero yo estaba tratando con judíos como yo, y de pronto me parecía que se habían vuelto curas de la Inquisición o cosacos de Chelminsky, o que se habían puesto el uniforme de las SS. Para volverse un israelí, ¿era necesario hacer juramento de fidelidad ante los verdugos del pueblo judío y ante sus ideologías? ¿Se esperaba de mí que escupiera sobre los cadáveres calcinados de mis allegados para no desmerecer ante la nueva soberanía judía?

La relación entre sionismo y antisemitismo fue siempre ambigua. Este movimiento, nacido para dar una respuesta al antisemitismo moderno, que el caso Dreyfus había vuelto a poner al orden del día en Europa Occidental, compartía algunos síntomas de la enfermedad que se suponía que tenía que curar. Para muchos pensadores sionistas de Europa Central, el sionismo habría de aportar un remedio al problema de los judíos de Europa del Este, a los que ellos consideraban un obstáculo para la asimilación de los judíos de Francia y de Alemania, de Viena y de Budapest, de Inglaterra y de Italia a la modernidad europea. La miseria y el antisemitismo del Imperio Zarista impulsaban a cientos de miles de judíos de Polonia, de Bielorrusia y de Lituania a emigrar a Europa Occidental. Imponían aquí una imagen del judío de la que hacía un siglo que los judíos asimilados querían desembarazarse. Si los judíos del Este podían emigrar a otro sitio, entonces podría triunfar el proceso de

---

de *yupin* al embajador (judío) de Estados Unidos en Tel Aviv, y en el Parlamento, porque éste había sugerido invertir menos dinero en las colonias.

asimilación: de ahí la idea de un Estado judío, que en su origen no estaba necesariamente ligado a Palestina.

Así pues, había desde el principio en el sionismo un cierto rechazo no sólo del judaísmo, sino también del judío en sí, al menos de cierta manera de ser judío. Este judío fue caricaturizado hasta el extremo por las ideologías del sionismo: primitivo, retrógrado, improductivo, parásito, pasivo, afeminado; en una palabra, degenerado. El sionismo quería eliminar en Europa a esos malos judíos, en pro de los «israelitas» modernos y civilizados.

Para conseguirlo, el sionismo necesitaba, evidentemente, del antisemitismo. Tal como afirmaba Golda Meir a inicios de la década de 1970: «Demasiado antisemitismo no es bueno, porque conduce al genocidio; ningún antisemitismo, en absoluto, tampoco es bueno porque entonces no habría inmigración [a Israel]. Lo que nos hace falta es un antisemitismo moderado». Y de ahí las extrañas relaciones del movimiento sionista –y más tarde del Estado de Israel– con algunos regímenes antisemitas: desde Herzl, que negoció la partida de los judíos de Rusia con el ministro zarista Plehve, un destacado antisemita, hasta las relaciones económicas y militares del primer Gobierno Rabin con las dictaduras militares antisemitas de Argentina y de Chile, países donde la Agencia Judía, encargada de facilitar la inmigración a Israel, gozaba de un estatuto privilegiado.

La creación del Estado judío hará de éste un objetivo en sí, y ya no un simple medio para protegerse del antisemitismo. De «Venid a Israel para salvar la piel» se pasó muy pronto a «Venid a Israel para reforzar Israel». Una de las consignas populares de la década de 1970 era: «De un inmigrante a otro, nuestra fuerza se afirma». En la década de 1980, la campaña por la libertad de los judíos de la URSS se concibió únicamente desde la óptica de una inmigración a Israel, oponiéndose los distintos gobiernos israelíes a la política de emigración libre defendida por el canciller austriaco Bruno Kreisky. Esta batalla fue ganada por Israel en la cumbre de Malta en 1985, cuando Gorbachov tuvo que suprimir el tránsito por Viena, donde más del 90 por ciento de los emigrantes optaba por Occidente y no por Israel; gracias a los vuelos directos Bucarest-Tel Aviv, los judíos de la URSS que querían dejar su país (así como todos aquellos que se hacían pasar por judíos para obtener el codiciado visado...) se volvían sionistas por obligación.

Esta ambigüedad respecto al antisemitismo no se limita a la política de Estado; se la encuentra asimismo en la ideología sionista y en la cultura israelí. Porque el sionismo no se ha fijado como objetivo únicamente crear un Estado judío reuniendo en su tierra ancestral a los exiliados de los cuatro rincones del globo. Quiere también, mediante una acción voluntarista, regenerar a los inmigrantes judíos. Éstos, en su hogar nacional, llevarán una vida libre, productiva y moderna y se convertirán, mediante un proceso de aculturación y de asimilación, en hebreos, en israelíes. En el crisol de la nueva cultura israelí, del sistema educativo y del ejército, se secarán las raíces que vinculan a los nuevos inmigrantes con su historia, desaparecerán sus tradiciones y su cultura originaria, y su aspecto exterior –bosquejado a menudo por los dibujantes israelíes de las décadas de 1940 y 1950 de una manera que recuerda a las caricaturas antisemitas– será reemplazado por la imagen del *tsabar*, grande, viril, rubio, de ojos azules: en suma, un judío ario.

El historiador Tom Seguev ha descrito adecuadamente, en *Le Septième Million*,[2] la actitud despreciativa de estos *tsabarim* hacia los refugiados judíos de Europa Central, y más tarde, hacia los supervivientes del genocidio nazi, que cometían el error de ser pálidos y canijos, así como el de mostrar a menudo unos ojos tristes. En una palabra, tenían aspecto demasiado judío y, sobre todo, no habían sabido hacer frente a sus enemigos, dejando que sus allegados se hicieran masacrar «como borregos rumbo al matadero».

¿Cómo explicar esta actitud de desprecio hacia las víctimas del judeocidio? Mucho se ha escrito sobre el malestar de los supervivientes, su sentimiento de culpabilidad de hallarse todavía vivos y su extremada dificultad para comprender el horror, para contemplar los cuerpos y las almas afligidos de aquellos que habían vivido la discriminación, los guetos, las razias y los campos de concentración. Pero en lo que concierne a la actitud de los judíos de Israel, con anterioridad y, sobre todo, después de la creación del Estado, es necesario añadir al menos dos factores suplementarios. Primero, la vergüenza profunda del judío de la diáspora, cuya debilidad, individual y colectiva, queda ilustrada en sumo grado bajo el yugo del nazismo. El sionismo quiere ser, precisamente, la antítesis de todo esto. El israelí siente vergüenza del judío del gueto, tal como el nuevo rico siente vergüenza de sus padres que siguen siendo lo que eran, simples, pobres de espíritu, zafios y ajenos a la modernidad que quiere imponerse como única normalidad. A esta ver-

---

2. Traducido al francés por Eglal Errera, París, Liana Levi, 1998.

güenza se le superpone un sentimiento de culpabilidad y de fracaso: la existencia de una comunidad judía en Palestina, moderna, armada y parcialmente soberana, no pudo impedir el judeocidio, y muy poco, demasiado poco, fue lo que se emprendió –a no ser detener la masacre– para al menos salvar al máximo de judíos. En el inconsciente de Israel, sobre todo en los años que siguieron a la creación del Estado, el sentimiento de culpabilidad permanece, aunque parezca imposible. Pero de manera perversa y trivial, se convierte en acusación contra las víctimas: ¿por qué se dejaron arrollar? ¿Por qué los judíos, en su gran mayoría, no lucharon? Y la respuesta sionista acaba imponiéndose: porque no eran en realidad hombres como los demás, porque eran «jaboncillos».

Mis amigos del colegio talmúdico me insistieron durante meses: «Ya que escribes en francés, es necesario que traduzcas este libro para que todo el mundo sepa la verdad». El hecho de que mi yídish dejase mucho que desear no los desalentaba en absoluto: para ellos, era imperativo que el mundo francófono supiese lo que efectivamente había pasado durante la guerra en Europa Oriental, y midiese así el papel poco glorioso desempeñado por la dirección sionista. A mis diecisiete años ¡se me encargaba una sagrada misión que cumplir!

Mis camaradas hablaban del libro *Du fond de l'abîme* [Desde el fondo del abismo], del rabino Michal Dov Weismandel. Este hombre notable relata aquí los inmensos esfuerzos desplegados por él para salvar a los judíos de Eslovaquia, y, después, para convencer a los gobiernos aliados de que tomasen las medidas militares capaces de frenar el genocidio. Pero el libro es también una terrible acta de acusación contra la pasividad criminal y cínica de la dirección sionista en Palestina, que se negaba a movilizar a la opinión pública judía internacional para intentar convencer a los angloamericanos de, por ejemplo, bombardear las vías férreas que conducían a Auschwitz. «Nunca hay que olvidar lo más importante, a saber, que al final vencieron los aliados, y, tal como hicieron después de la primera guerra, volvieron a dividir el mundo entre distintas naciones, y por ello resulta necesario hacer todo lo necesario para que Palestina se convierta en el Estado de Israel», le escribía el dirigente sionista Nathan Schwalb al rabino Weismandel, añadiendo: «También es necesario saber que los aliados vierten su sangre, y que si nosotros no contamos con nuestros propios mártires, ¿con qué derecho podremos sentarnos a su mesa cuando se repartan pueblos y países después de la guerra? Sólo con la sangre heredaremos un país nuestro».[3] Esta respuesta, que reflejaba fielmente el punto de vista de la dirección sionista de la época, puede ayudar a comprender el inmenso foso que separaba a la mayor parte de la comunidad religiosa de Israel del sionismo. Un foso en el que, al desprecio de unos, los otros respondían con una terrible acusación de complicidad –o de complacencia pasiva– con el genocidio.

El mundo religioso, que se sentía depositario de la memoria del judaísmo europeo masacrado, acusaba al *establishment* sionista de haber considerado el genocidio como un factor de aceleración del proceso de creación del Estado de Israel. Hubo quienes estaban convencidos incluso de que, para los sionistas, el judeocidio era un fenómeno positivo que contribuía a la depuración del pueblo judío, facilitando de este modo la futura regeneración de los supervivientes en Palestina.

En 1954, la sociedad israelí iba a verse sacudida por el proceso de difamación intentado por el Gobierno contra Malkiel Greenwald, un miembro de la comunidad religiosa de Jerusalén que, en un boletín de difusión, no obstante, confidencial, había acusado al notable sionista húngaro Rudolf Kastner y a la dirección sionista en Palestina de colaboración con los nazis. El tribunal no habría de condenar a Greenwald sino a un franco por daños y perjuicios, pero había llegado a la conclusión de que «Kastner había vendido su alma al diablo».

Nunca traduje el libro del rabino Weismandel; pero el hecho de volver a encontrar su nombre unos años después, en un círculo de extrema izquierda antisionista, fue uno de los factores que incidieron en mis posturas políticas. Estos militantes se contaban entre los pocos israelíes que experimentaban profunda empatía por el judaísmo de la diáspora y su sufrimiento, rechazando la actitud manipuladora e instrumentalista del sionismo ante la muerte de las masas judías de la diáspora. Su humanismo universalista no se limitaba a la defensa de los palestinos: se expresaba asimismo mediante un gran respeto por el judío no israelizado, el del *shtetl* y el del *mellah*, así como el de los barrios ortodoxos de Jerusalén.

Paradójicamente, con mi *kipá* yo me sentía más extranjero en Israel que en Estrasburgo. En la década de 1960, ser judío practi-

---

3. Citado en S. B. Beit-Zwi, *Post-Ugandian Zionism in the Crucible of the Holocaust*, Tel Aviv, Bronfman Publishers, 1977, pág. 346.

©gedisa

cante y parecerlo significaba que no se era todavía un verdadero israelí, un poco como el pariente que llega del campo y que, aun cuando es aceptado de buen grado por su familia urbana y moderna, tendrá que hacer todavía muchos esfuerzos para merecer convertirse en un verdadero habitante de ciudad, en un ciudadano de pleno derecho. En opinión del nuevo israelí, el judío practicante era un residuo de la diáspora al que era necesario ayudar a desaparecer.

Israel pertenecía ya a su segunda generación, a la que la primera le perdonaba con una admiración no disimulada su agresividad, su falta de cultura y su vulgaridad. Admiraban, por encima de todo, todo aquello que otorgaba un aspecto nada judío a sus hijos. ¿Acaso es por azar que también en Occidente gustaran mucho más Israel y el judío nuevo que allí crecía? ¡Parecía tan poco judío! Para los europeos, Israel era Sofía Loren en *Éxodo,* o los filmes de propaganda que mostraban fuertes mozos bien plantados, ¡y rubios!, conduciendo tractores con la metralleta en bandolera.

A los otros no se los mostraba, salvo para afirmar la continuidad con la historia judía a través de cierto sentido del folclore: inmigrantes yemeníes bajando del avión en la Tierra Prometida, o judíos ortodoxos en los barrios religiosos de Jerusalén. Continuidad pero también ruptura. El «otro Israel», que casi nunca se veía en los filmes de propaganda y en los reportajes maravillados con el renacimiento de Israel, era la periferia: los «poblados de desarrollo» del Neguev y de Galilea o las aldeas agrícolas, miserables *moshavim* del corredor de Jerusalén, donde después de quince años ni siquiera se hablaba hebreo. Ahí es donde se concentraban la mayoría de los inmigrantes llegados de los países árabes, religiosos en su mayor parte, o al menos tradicionalistas, muy aferrados a su cultura y a sus ritos, pero conminados a cambiar su modo de vida y de pensamiento para ser dignos del nuevo Estado judío.

Hasta finales de la década de 1980, estas dos realidades tenían nombres muy distintos: de un lado, el «Hermoso Israel», occidental, moderno, liberal y laico; y del otro, el «Segundo Israel», tradicionalista, oriental, religioso, diaspórico. Para pasar del Segundo Israel al Hermoso Israel, para atravesar la frontera que separaba la periferia del centro, había que quitarse la *kipá*, perder el acento propio y elegir la modernidad occidental y laica.

Entre los judíos practicantes, muchos fueron los que se encerraron en su gueto, cultivando una animosidad más o menos discreta contra esa nueva cultura y quienes la representaban; otros intentaron ocultar su fe; una minoría procuró encontrar una síntesis entre su fe y su sionismo, esmerándose para merecer la nueva patria. Me acuerdo de mi tía Claire que, a la salida de la sinagoga, me mostraba de lejos a Elhanan Blumental, en uniforme de paracaidista, y afirmaba con orgullo: «Ya lo ves; también hay *parás* religiosos». Esta observación me recordó a mi abuelo materno, tan orgulloso también él de los soldados judíos que habían recibido ¡la cruz de hierro en el frente de Verdún!

Existen países en los que la frontera interior atraviesa las clases sociales; hay otros en los que priman las diferencias étnicas o nacionales. En Israel, la línea de demarcación pasa entre el centro israelí y la periferia judía. Mientras que la inmensa mayoría de la izquierda liberal y democrática se situaba claramente en el centro, yo me hallaba normalmente en la periferia. Normalmente, porque yo era practicante y diaspórico; y normalmente, también, porque todo, en mi infancia y en mi educación, me conducía a identificarme con aquellos que eran diferentes, señalados con el dedo, a lo sumo tolerados, y, en el peor de los casos, excluidos del colectivo soberano.

Un cuarto de siglo después, cuando la periferia decidiría reivindicar su lugar en el núcleo mismo de la sociedad israelí, iba a estallar toda la contradicción entre judíos e israelíes. Contrariamente a los proyectos de los padres fundadores, la frontera erigida entre el pasado diaspórico y el presente moderno y soberano no se disolvió en un proceso de absorción del margen por el centro. Sí se convirtió en un muro de odio y de terror recíprocos.

17

LA PERIFERIA SE CONVIERTE EN EL CENTRO

Al día siguiente de la elección de Isaac Rabin en 1992, el diputado laborista Yossef Beilin (que más adelante habría de ser el principal negociador de los acuerdos de Oslo) comentó en televisión lo siguiente: «Los resultados de este escrutinio son el fruto de una coyuntura que corre el riesgo de no volver a producirse. Así pues, hay que aprovecharla para avanzar rápidamente en el proceso por la paz, porque puede que sea ésta la última vez que la izquierda tenga la posibilidad de aplicar su programa».

Este perspicaz análisis contrastaba con las declaraciones triunfalistas del conjunto de la izquierda sionista, que veía en el retorno al poder de los laboristas el fin de una anomalía, el cierre de un paréntesis que, no obstante, había durado quince años. Los partidarios de la izquierda sionista consideran, por lo general, que el Estado de Israel se confunde con ellos mismos, pues fueron ellos quienes lo construyeron a su imagen y según su concepción del mundo. Desde hace quince años se niegan a ver las conmociones sociológicas, culturales y políticas que intervienen en la sociedad israelí. Ante cada derrota electoral, ante cada fortalecimiento del Partido Shass, hablaban con sorpresa de un incidente en el camino que no volvería a repetirse. Sin embargo, la tendencia general era indiscutible, el Israel de Ben Gurión, de los *kibutzim* y de los coroneles capaces de citar a Virgilio, estaba en vías de extinción.

En cierta medida, la advertencia de Beilin llegaba demasiado tarde: el gobierno de izquierda instituido por Isaac Rabin no reflejaba la realidad sociopolítica de Israel, y su política de compromisos con los palestinos chocaba con una parte cada vez más influyente de la opinión pública. Desde inicios de la década de 1980, se había formado un nuevo bloque social y político cuyo punto de unión era un rechazo visceral del Estado laborista, sus élites, su ideología y su proyecto de sociedad. Este bloque está atravesado por profundas contradicciones sociales y culturales, pero su rechazo de los laboristas es un cemento suficientemente poderoso como para garantizar su solidez. Está compuesto por quienes, desde la creación del Estado, no respondían a los criterios del «judío nuevo» y eran desplazados hacia los márgenes de la nueva sociedad en construcción. Por una parte, los judíos de cultura árabe u oriental (judíos kurdos, persas o indios), percibidos como demasiado atrasados como para ser los portadores del proyecto sionista moderno; por otra parte, los judíos religiosos, cuya fe y prácticas eran percibidas como secuelas de la diáspora. En opinión de los padres fundadores de Israel, estas particularidades étnicas o culturales debían desaparecer en una o dos generaciones en el crisol de una socialización agresiva tendente a forzar la integración –o más bien la asimilación– en el modelo occidental y laico. Una vez completado el proceso de asimilación, todos habrían de encontrar su lugar en el centro de la sociedad israelí, incluidos los hijos de quienes habían sido empujados hacia los márgenes, a la periferia geográfica y social.

Pasó más de una generación, pero la periferia seguía siendo la periferia.

La inmigración masiva procedente de las repúblicas de la ex URSS, presentada como capaz de elevar a las olas de inmigración anteriores mucho más alto en la escala social, de hecho las superó, dejando muy a la zaga a cientos de miles de hijos de inmigrantes marroquíes, kurdos, iraquíes y yemeníes. A pesar de la escuela, el ejército y las otras instituciones destinadas a la integración, el «Segundo Israel» no desapareció. No obstante, las cosas habían evolucionado: puede afirmarse que, si entre las décadas de 1950 y 1980 la periferia estaba excluida del colectivo nacional, a partir de 1980 se excluyó por sí misma, rechazando voluntariamente el discurso oficial y la cultura dominante. Yo lo comprendí después de mi salida de prisión, cuando decidí proseguir una parte de las actividades sociales que había desarrollado detrás de las rejas. Además de dar cursos de alfabetización (pues en prisión había descubierto que había israelíes analfabetos, judíos y árabes, nacidos en Israel), participaba como voluntario en las tareas de un centro de desintoxicación, donde proponía actividades sobre temas de actualidad. Un día se me pidió que organizase alguna actividad con ocasión de la jornada de conmemoración de la Shoah, acerca de un tema en el que mostraba gran interés y sobre el que tenía la costumbre de preparar discusiones, en especial dirigidas a los jóvenes. Los hombres y las mujeres que frecuentaban el centro de desintoxicación eran,

©gedisa

en su gran mayoría, de origen sefardí, y casi todos nacidos en Israel. Tenían entre veinticinco y cuarenta años. Llevaba yo casi un cuarto de hora de exposición, cuando uno de los participantes me interrumpió diciendo: «Michel, tú eres un tipo culto y sabemos que no eres idiota. Además, creemos realmente que nos respetas. Entonces, ¿a qué viene relatarnos todos esos cuentos sobre seis millones de judíos asesinados? ¡No nos digas que crees en todo eso!». La mayoría de los otros movieron la cabeza mostrando su acuerdo. Totalmente estupefacto, contesté: «Y tú, ¿qué es lo que tú crees?». Me respondieron todos al unísono: «Los askenazíes quieren hacernos creer que son ellos las víctimas, y no nosotros. Pero nos negamos a tragarnos el anzuelo». Este incidente se repetía todos los años, incluso después de que yo los llevara al monumento conmemorativo de Yad Vashem, donde abundan, sin embargo, documentos y fotos insoportables.

Creo que cuando las clases dominantes no consiguen imponer su visión del mundo y su ideología a quienes quieren mantener bajo su control, cuando la periferia comienza a tomar conciencia de sí misma, de su especificidad y de lo que la opone al poder de las élites, hay revolución, o por lo menos ruptura. En el transcurso de la década de 1980, fuimos testigos de un verdadero movimiento de báscula entre centro y periferia, tanto en el poder político como en el discurso dominante. Las capas periféricas, en especial las comunidades religiosas y los judíos orientales, se volcaron a sostener en masa a los partidos de derecha, no tanto por afinidad ideológica como por rechazo de la izquierda, es decir, el Partido Laborista. Esta coalición entre la derecha tradicional y los excluidos constituye un bloque ganador, estadística e ideológicamente. Estadísticamente porque el peso de los religiosos y de las comunidades orientales no deja de aumentar, en detrimento de los judíos laicos de origen europeo; ideológicamente, porque el discurso de la izquierda sionista está impregnado de nacionalismo y de religión, por lo que no puede sino reforzar a aquel a quien supuestamente combate para reconquistar su hegemonía.

Es muy importante comprender que el denominador común de este bloque antiizquierdista no es la ideología del «Gran Israel» y la colonización, sino el deseo de otorgar a Israel un carácter judío más pronunciado, a la inversa del discurso universalista y del modo de vida no practicante de la izquierda. Este proyecto de judaización de Israel se expresa abiertamente contra la «israelización», simbolizada en el mito del *kibutz* sin moral y de Tel Aviv, ciudad descreída e infiel. En medio de este estado de ánimo, las frecuentes visitas electoralistas de los dirigentes laboristas a rabinos y a otros cabalistas centenarios no provocan sino sonrisas burlonas.

Las familias yemeníes no han olvidado a los niños que se les quitaron en la década de 1950 para entregarlos en adopción a familias askenazíes. Y se acuerdan también de las trenzas de los jóvenes yemeníes cortadas por severos funcionarios del ministerio de Inmigración. Los judíos iraquíes nunca perdonaron a los que les recibieron rociándolos con DDT, cuando una gran parte de los inmigrantes de Bagdad era más educada y culta que quienes pretendían civilizarlos. Y los marroquíes, sobre todo, no olvidan ni perdonan el desprecio de que fueron objeto, y consideran con envidia la suerte más dichosa de aquellos hermanos suyos que, en vez de «subir» a Israel, eligieron emigrar a París o a Montreal. En cuanto a los judíos ortodoxos originarios de Polonia, de Besarabia o de Lituania, ya no quieren permanecer confinados en el desprecio y la condescendencia en los que se les ha encerrado.

A los judíos marroquíes les gustaba Beguin no sólo porque no los despreciaba, sino también porque iba a la sinagoga y sabía citar los textos sagrados; los religiosos han respetado a Netanyahu porque su corriente política nunca expresó públicamente desprecio por la tradición. Así es como religiosos y judíos árabes tomaron el poder de manos de los laboristas para dárselo a la derecha. La victoria de Isaac Rabin en 1992 era, aunque pareciera imposible, un paréntesis provocado por la manera catastrófica con que Shamir había dirigido la política interna y exterior de Israel, hasta tal punto que consiguió poner en su contra, debido a su extremismo arcaico, tanto a la administración americana como a una parte de su electorado tradicional.

En el comienzo de esta alianza entre la derecha y los excluidos del Estado laborista, la ideología del Gran Israel no ejercía sino una influencia limitada sobre la masa de electores. Contrariamente a lo que afirman análisis superficiales, no desprovistos de prejuicios, las capas populares de Israel no son «espontáneamente de derechas». Al comienzo del proceso de paz, querían la paz y estaban dispuestas a pagar un precio por ello. Cuando el diputado Meir Shitrit intentó movilizar a los candidatos locales electos del Likud* en la víspera del voto en la Knesset sobre la declaración de principios de Oslo, éstos le anunciaron que no podrían iniciar una campaña contra los acuerdos por temor a perder el apoyo de su electorado.

El retorno de la izquierda al poder no dio ocasión a un giro en la actitud de las élites hacia las poblaciones periféricas, sino todo lo contrario. Todo ocurrió como si estas élites hubiesen recuperado lo que se les debía y recobrado el control de un Estado que siempre habían considerado como su propiedad privada. Su altanería evocaba la de los versalleses volviendo a entrar en París después del aplastamiento de la Comuna, agitando como bandera la privatización del sector público y el desmantelamiento de los servicios sociales. Es la época en que el ministro de Salud decretaba un pago para las visitas médicas, en que el ministro de Asuntos Sociales quería abolir los subsidios familiares para los dos primeros hijos, en que la ministra de Educación, Shulamit Aloni, lanzaba la idea de una escuela de la que «se toma posesión», con una amplia autonomía en términos de programas y de financiación para los comités de padres de alumnos que podían permitírselo; mientras que los representantes de los barrios pobres y de los poblados de desarrollo solicitaban presupuestos para una escuela pública que no tenía nada.

En enero de 1997 hice un reportaje sobre la crisis de la industria textil en las ciudades del sur de Israel. Una tras otra, las fábricas que habían sido construidas y subvencionadas para dar trabajo a los inmigrantes enviados a judaizar el sur del país cerraban sus puertas. Las consignas del FMI eran claras: fin de las subvenciones gubernamentales, y únicamente las empresas competitivas –o sea ninguna– permanecerían abiertas. La cólera era grande en Dimona, Ofakim y Sderot. Me encontré con Yaish Jerusi, emigrado en 1961 directamente de Casablanca a Dimona, nueva ciudad surgida de las dunas del Neguev. Había trabajado durante treinta y seis años en una fábrica textil que acababa de cerrar: «El país termina en Kiryat Gat.[1] ¿No has observado que hasta la lluvia se detiene en Kiryat Gat? Esto, Dimona, ya no es Israel, es Gaza. Peor que Gaza, porque en Gaza el Gobierno invierte mucho dinero, y a nosotros se nos tiene olvidados. Todo para los árabes, nada para nosotros; esto es el nuevo Oriente Medio de la izquierda».[2] En Dimona comprendí que si las clases acomodadas de la sociedad mostraban interés inmediato

1. Ciudad de inmigrantes del sur de Israel.
2. *Mitsad Sheini*, núm. 7, enero-febrero de 1997.

en el proceso de paz, aunque fuese económico, profesional o simbólico (con respecto a la opinión liberal de Europa), las capas populares no ganaban con ello gran cosa, a no ser la seguridad individual, también ésta cuestionada por los atentados suicidas de 1996 que siguieron al asesinato del dirigente islamista Yihya Ayash.

El asesinato del primer Ministro israelí en noviembre de 1996, o más bien la manera en que la izquierda respondió a este acontecimiento,[3] iba a consagrar la victoria del bloque antilaborista y a consolidar la hegemonía de la ideología de derecha en el interior de este bloque. Menos de una semana después del asesinato de Rabin, sonó el teléfono en el Centro de Información Alternativa. El secretario general de ¡Paz Ahora! me anunciaba que la reunión de urgencia de las organizaciones por la paz, prevista para el día siguiente, quedaba aplazada *sine die*. En ella había que discutir la réplica al asesinato y a la campaña de odio y de violencia que lo había precedido. «El momento no es propicio para semejante iniciativa –me dijo Mossi Raz–. No hay que echar más leña al fuego.» Al día siguiente supe por la prensa que los dirigentes de ¡Paz Ahora! habían preferido un encuentro con los representantes del Consejo (de las colonias) de Judea, Samaria y Gaza, ¡los mismos que habían incitado a la violencia y rechazaban la legitimidad del primer Ministro!

Esto pone de manifiesto hasta qué punto la «reconciliación nacional» se convirtió inmediatamente en el credo de los tiempos después de Rabin. Pasados algunos días de desconcierto, la derecha comprendió rápidamente que el asesino de Rabin y quienes lo habían empujado a cometer su crimen habían ganado su apuesta: nunca más la izquierda tomaría iniciativas sin otorgarle un derecho de veto acerca de lo políticamente legítimo y lo que no lo es. Había dejado de tener una línea política claramente suya, diferente en cuanto al fondo de la de la derecha militante. Las ideas de la derecha, hasta entonces minoritarias, se habían convertido en *la* política, en especial en lo que concernía a las colonias. Ahora bien, si la izquierda se adscribía a las concepciones de la derecha, ¿por qué no habría de ocurrir lo propio con la base popular del bloque antilaborista? Después del asesinato de Rabin, la discrepancia izquierda-derecha dejó de existir. La colonización de Cisjordania y

---

3. Acerca de los cambios en la sociedad israelí en la década de 1990, véase Dominique Vidal, «Troublante normalisation pour la société israélienne», *Le Monde Diplomatique* (mayo de 1996).

de Gaza se convirtió en una de las componentes del nuevo consenso, restringiéndose el debate al aspecto cuantitativo de dicha colonización. Por lo demás, esto es lo que permite comprender cómo tantos electores y militantes laboristas pudieron votar a Sharon unos años después.

En 1996, la elección de Benjamín Netanyahu representaba ya mucho más que el retorno de la derecha al poder, tras el paréntesis Rabin-Peres. Con una brutalidad verbal sin precedentes, Netanyahu había formulado el nuevo programa político de Israel y las nuevas líneas del discurso legítimo. Al actuar de este modo, empujaba a la izquierda sionista a una batalla de retaguardia, siempre a la defensiva para limitar la extensión de su retroceso. Bajo la presión de la ofensiva de la derecha, el proceso de Oslo quedó definitivamente vaciado de sustancia, para finalmente perder toda legitimidad ante los ojos de una parte importante de la opinión pública. Contrariamente a la elección de Isaac Rabin en 1992, la de Ehud Barak en 1999 ya no será la expresión de una alternancia política. Barak se sitúa abiertamente en la política y la ideología nacionales tal como son definidas en el transcurso de los «años de plomo» del Gobierno Netanyahu. Cuando inmediatamente después de su elección el antiguo jefe de Estado Mayor Barak va a visitar a los colonos extremistas de Ofra y de Beit-El llamándolos «mis queridos hermanos», no está haciendo demagogia para neutralizar a la oposición de derecha: se identifica realmente con los colonos, con su política y su ideología. Contrariamente a Rabin, Barak se niega a colaborar con los partidos árabes que le han aportado el 90 por ciento de los votos de la población palestina de Israel, pero integra de inmediato en el gobierno al Partido Nacional Religioso, la formación política de los colonos de extrema derecha. A ello se debe que el fiasco de Camp David se inscriba en el proyecto político inicial de Ehud Barak y de su gobierno de unión nacional. Este proyecto no cuestionaba en absoluto la política de colonización de los territorios palestinos, condenados a convertirse en bantustanes según los deseos de Netanyahu antes de él, y de Ariel Sharon después.

La victoria del discurso de derecha sobre la opinión pública israelí, y en especial sobre las comunidades periféricas, no era inevitable. Es el resultado directo de la incapacidad de la izquierda para defender un programa coherente y alternativo al de la derecha, que pusiese por delante los valores de la paz, la coexistencia, la democracia y el respeto de los derechos humanos, rechazando la filosofía y la práctica de la colonización sobre la base de principios y no de una oportunidad pragmática. Y es consecuencia asimismo de una dimisión total de su vocación social.

En la actualidad, la principal fractura de la sociedad israelí no se halla allí donde se tiene por costumbre situarla, entre colonialistas y pacifistas, entre moderados y extremistas. La fractura es social y cultural y, contrariamente a las cuestiones ligadas al conflicto árabe-israelí para las que derecha e izquierda siempre han sabido encontrar la base de un consenso nacional, esta fractura puede resultar fatal para el proyecto sionista y amenaza realmente con cortar en dos al pueblo israelí.

Falta poco para que se erija un telón de acero entre dos bloques sociales que defienden proyectos de sociedad antagónicos. Por una parte, los que desean continuar con el proyecto original de los padres fundadores del sionismo, a saber, un Estado moderno, judío pero no teocrático, democrático para su población judía e integrado en la globalización neoliberal; pertenecen, en su mayoría, a la segunda y a la tercera generaciones de inmigrantes provenientes de Europa Occidental y Oriental, con un modo de vida europeo, confortable y, a veces, opulento. Frente a ellos, los niños y los nietos de los inmigrantes de Oriente, que siguen viviendo en sus guetos: poblados de desarrollo del norte y del sur de Israel y barrios pobres de las grandes ciudades, lejos de la riqueza de los barrios residenciales de Tel Aviv. Éstos sueñan con un «retorno a las fuentes» y a un paraíso perdido, en donde los valores de la tradición, la familia y la solidaridad comunitaria reemplazarían a los de la modernidad liberal, negociante y cosmopolita, que los pisotea. Cada uno de estos dos campos reivindica una legitimidad diferente: para los primeros, se trata del pasado reciente que justifica su hegemonía, la obra de sus padres pioneros, sus esfuerzos y sus sacrificios por la construcción del país y su defensa; han hecho fructificar el desierto y han defendido, con las armas en la mano, la nueva soberanía judía. Los segundos reivindican un pasado muy lejano, e interpelan a los que sus dirigentes espirituales denominan «los helenizados»: «¿Habéis dicho un Estado judío? Pero ¿qué sabéis vosotros del judaísmo? ¿En qué os concierne a vosotros, que coméis carne de cerdo y ostras y que nunca habéis pisado una sinagoga? Nosotros somos los herederos de la historia judía triplemente milenaria, los garantes del carácter judío de Israel, donde vosotros sois extranjeros; ¡estaríais mejor en vuestras casas de Los Ángeles o de Londres!».

©gedisa

Hoy día, las capas periféricas reivindican la legitimidad producto de las urnas: son mayoritarias en la sociedad y en el Parlamento, son el Gobierno y, sin embargo, no detentan el poder. El poder económico, los medios, las instituciones siguen estando en manos de las viejas élites. A ello se debe que odien a los medios («¡No a los medios hostiles!» es una pegatina muy popular) y que detesten el sistema judicial, en especial a la Corte Suprema, que con sus decisiones procura salvaguardar el proyecto original del sionismo liberal y modernista. En 1997, más de doscientos cincuenta mil israelíes se manifestaron contra la Corte Suprema porque ésta se había atrevido a cuestionar una decisión rabínica antidemocrática.

Resumiendo: desde hace más de una generación, los partidos que representan a la periferia se hallan en el poder, pero el poder real se les escapa. La periferia siente que se le roba lo que es suyo, y el centro teme que el «populacho» –es el término utilizado– le destroce su «hermoso» Estado judío y democrático. Tal como suele ser el caso, el odio recíproco es directamente proporcional al miedo que experimenta cada uno de estos dos campos con respecto al otro: unos temen que el pueblo ignorante y fanatizado los arrastre nuevamente hacia las tinieblas del gueto; los otros, que se los asimile a la fuerza en la ciudad global y su modo de vida occidental. Cada uno de estos campos se cierra sobre sí mismo y se eriza detrás de verdaderos muros para protegerse del otro.

¿A qué lado de esta frontera hay que situarse? Esta pregunta es más difícil que aquella a la que teníamos que responder en las décadas de 1960 y 1970. La frontera entre Israel y los árabes era la frontera entre ocupantes y ocupados, entre opresores y oprimidos. Si uno disponía de una brújula política y ética en funcionamiento, se sabía qué denunciar y qué apoyar, contra quién luchar y con quién había que mostrarse solidario. Pero armado de esta misma brújula que señala la dirección del derecho, la justicia, la libertad y la igualdad, ¿puede uno optar por uno de los dos campos creados por esta fractura que se perfila en el corazón mismo de la sociedad israelí?

Una semana después de la elección de Ehud Barak, participé en la inauguración del Festival Anual de Música Litúrgica de Abu Gosh, un maravilloso poblado árabe cercano a Jerusalén, con su basílica dedicada a Nuestra Señora del Arco de la Alianza. Como parte de la coral, de la que soy miembro asiduo, tuve que cantar el *Requiem* de Fauré. Este Festival de Abu Gosh es uno de aquellos acontecimientos donde uno se encuentra con gente culta y acomodada para escuchar buena música, beber vino excelente y sentirse bien entre sus iguales, lejos del «otro Israel» que amenaza a nuestra hermosa civilización. Unos minutos antes del comienzo del concierto, el director del Festival, Hagi Goren, hizo un brindis por «nuestra» victoria y por «la esperanza de encontrarnos por fin con el Israel que tanto amamos». Los cientos de personas presentes levantaron su copa, felices de haber salvado al país de la «levantinización». A mí me indignaba tanta pretensión y prejuicio. Nadie, evidentemente, imaginaba que los electores del Shass o del Likud pudiesen degustar a Fauré o a Mendelssohn. Yo me conformé con dejar mi copa y entrar a solas en la basílica, para esperar allí el inicio del concierto.

Eran los mismos que, unos días antes, ante el anuncio de la victoria de Barak, aullaban en la plaza Rabin de Tel Aviv: «¡Cualquier cosa antes que el Shass!». No planteaban ninguna objeción a que Barak formase una coalición con el Partido Nacional Religioso de extrema derecha, pero rechazaban con asco al partido religioso de las capas populares judías de cultura árabe, en cierta época mucho más moderada políticamente. El conflicto entre la derecha y la izquierda no era ya un conflicto ideológico, sino un conflicto de clase, y un conflicto entre dos proyectos de sociedad antagónicos, entre dos maneras de concebir Israel.

Confieso preferir a Mahler y el merlot australiano a la música árabe y al anís. Lamento no haber aprendido a disfrutar las dos cosas, al igual que muchos amigos. Pero me niego a pertenecer a ese Israel que se cree progresista porque detesta a los religiosos y desprecia al pueblo. Un Israel para el que La Meca es Washington y la Santa Biblia el *Wall Street Journal,* un Israel que desea la paz porque la paz le ofrece la ocasión de quitarse de encima a los árabes, pero que la teme porque le dejará cara a cara con sus hermanos orientales. Ese Israel no es el mío, y yo lo combato. Pero desde el otro lado de esta frontera tampoco puedo encontrar mi lugar en este Israel que reconstruye su identidad escarnecida conjugando el integrismo, el chovinismo y el rechazo de las normas democráticas; que mitiga el desmantelamiento de la educación pública enviando a sus hijos a las escuelas al estilo de *el ha-Maayan,*[4] donde se con-

4. Escuelas de formación integrista. Hace referencia a sus equivalentes árabes, conocidas como «madrasas», en las que toda la educación se cifra en la adscripción pura y dura al Corán. [*N. del T.*]

vertirán en seres incultos y fanáticos; que, por último, aspira a establecer un régimen ortodoxo en el que las mujeres –y los hombres– perderán lo que han ganado de libertad y de igualdad en el transcurso de las últimas décadas.

Después de cincuenta años de existencia del Estado judío, la fractura que divide a la sociedad israelí amenaza con dejar muy poco espacio a quienes defienden un proyecto democrático y solidario, laico pero respetuoso con las diversidades culturales, abierto hacia el mundo árabe pero cargado de las tradiciones democráticas de las revoluciones francesa y americana. Es grande el riesgo de caer a un lado de la frontera en busca del mal menor y el rechazo de lo que denominábamos, no hace mucho, «el enemigo principal». Sin embargo, es necesario tomar la difícil opción de negarse a elegir entre esos dos horizontes mortíferos y proseguir un combate simultáneo contra aquellos que quieren hacer de Israel la avanzadilla de la nueva cruzada neoliberal en el seno de los pueblos del Oriente Próximo, y aquellos que desean encerrarlo en un gueto armado, dirigido por los rabinos de un nuevo mesianismo en el que el integrismo y el nacionalismo se fortalecerán mutuamente.

18

LA PLEGARIA DEL HALLEL

«¿Hay que rezar o no rezar la plegaria del Hallel[1] en el día de la fiesta de la Independencia de Israel?» Todos los años, esta pregunta dividía a la comunidad religiosa de Estrasburgo. Mi padre la había resuelto según un antiguo método rabínico, optando por el punto medio: se rezará el Hallel, pero sin bendición alguna. Detrás de este problema ritual se oculta toda la actitud del mundo religioso frente al sionismo y, desde 1948, ante el Estado de Israel. La mayoría de los judíos practicantes, en la diáspora y en Israel, no consideraba la existencia de Israel como vinculada, de una u otra manera, con la religión judía. Pocos de ellos se consideraban sionistas, e incluso muchos se decían antisionistas; en mi familia no se afirmaba ni una cosa ni la otra; éramos judíos practicantes y con esto bastaba.

Desde sus orígenes, el sionismo fue considerado como un contrapunto, radical y modernista, de la religión. Ésta era percibida no sólo como un anacronismo que ya no tenía lugar en el mundo moderno, reivindicado por los ideólogos y los pioneros del sionismo, sino también como la principal responsable de la miseria material y moral de los judíos, así como de su opresión doblemente milenaria. En su mayoría, los sionistas eran ateos y antirreligiosos. Se cuenta que en la década de 1920, Golda Meir y otros pioneros del movimiento sionista obrero celebraban el Kipur con un gran banquete en la plaza principal de la colonia de Petah-Tikva; era su manera de afirmar públicamente que para ellos se había pasado definitivamente una página de la historia judía, y que las fábulas, los ritos y otras supersticiones de sus padres habían sido arrojados a los cubos de la basura de la historia.

Los rabinos eran conscientes de esta dimensión subversiva del sionismo, y muchos de ellos formularon anatemas contra los sio-

---

1. Plegaria de gracias que se reza en los días de fiestas religiosas.

nistas y su movimiento. Incluso después de la creación de Israel, y a pesar de la inmigración en masa de los supervivientes religiosos del judeocidio nazi, los religiosos de origen europeo siguieron siendo en su mayoría hostiles al sionismo. Aun cuando este fenómeno era menos pronunciado entre los judíos religiosos de cultura árabe, hacia esta época era el judaísmo askenazí el que marcaba la senda.

El día de la fiesta de la Independencia, en 1966 o 1967, vi quemar la bandera israelí en el barrio ortodoxo de Mea Shearim, y carteles pegados en las paredes convocaban a los creyentes a ayunar en señal de duelo. Desde luego, esta postura extremista era muy minoritaria, incluso en este barrio ortodoxo, así como era marginal y aislada la del colegio talmúdico en el que yo estudiaba, el Merkaz Harav, donde se izaba la bandera de la estrella y se rezaba el Hallel, bendición incluida, el día de la fiesta de la Independencia de Israel. Es verdad que se trataba de la única escuela talmúdica superior en la que la mayoría de estudiantes habían cumplido con su servicio militar y se apoyaba al Mizrahi.* Allí no se vestía el traje negro ni se calzaba el borsalino, como en los otros colegios talmúdicos; prevalecía, más bien, el estilo *kibutz*, con la camisa de colores por fuera del pantalón, las sandalias a lo Jesús y una kipá de ganchillo tejida por una hermana o... por una amiguita. Las escuelas talmúdicas no consideraban al Merkaz Harav como perteneciente a su esfera, aun cuando algunos de sus maestros eran verdaderas autoridades en los círculos rabínicos. Su fundador, el rabino Abraham Isaac Kook, había sido el gran rabino de Palestina en los treinta, y, en tanto que tal, había procurado crear –con limitado éxito– puentes entre el movimiento sionista y el judaísmo ortodoxo. Su principal contribución teórica consistió en ver, en el movimiento sionista y el proyecto de creación de un Estado judío, los primeros pasos de la era mesiánica. Para la mayoría de rabinos y de judíos ortodoxos, estas tesis rayaban en la herejía. Detrás de la decisión de mis padres de enviarme a estudiar en el Merkaz Harav no había –así lo creo– ninguna complacencia hacia esta ideología mesiánica, sino más bien la elección de cierta continuidad con el judaísmo ortodoxo de Europa Occidental, la opción por la modernidad.

Muy minoritario en los medios religiosos de Europa antes de la creación de Israel, el Mizrahi, Partido Nacional Religioso (PNR), se convirtió a partir de 1948 en uno de los partidos políticos más importantes del país. En opinión de Ben Gurion, su papel era doble:

©gedisa

por una parte, otorgar al joven Estado y a su Gobierno una garantía religiosa ante las comunidades judías a través del mundo, así como ante la fuerte minoría de practicantes dentro de la población israelí; por otra parte, servir de marco político-cultural para integrar a los cientos de miles de inmigrantes religiosos o tradicionales provenientes de los países árabes. El poder del Mizrahi –en especial a través de los ministerios y los ayuntamientos que controlaba– era, de hecho, una parte del poder hegemónico del movimiento sionista obrero, que hacía extensivo a este partido satélite. En cierta medida, el Mizrahi jugaba un papel idéntico al de los partidos campesinos de las democracias populares de Europa del Este, cuya existencia dependía únicamente de la buena voluntad de los partidos comunistas y del interés que estos últimos depositaban en la existencia de tales partidos satélites.

El Mizrahi compartía en todo su alcance la ideología dominante salvo su anticlericalismo, al que reemplazaba por el mesianismo político del rabino Kook. Era el hermano menor del Partido Laborista, admiraba al hermano mayor y, mediante un mimetismo a menudo ridículo, procuraba parecérsele en todo lo posible, con una *kipá* de punto en lugar del «bonete del idiota».[2]

El desprecio mostrado por los sionistas hacia la religión y los religiosos sólo tenía su igual en el odio que les profesaban estos últimos; pero si el primero se exhibía, el segundo se mantenía oculto. Este odio se conjugaba por lo demás con un verdadero temor a ser arrastrado al *shmad*,[3] a tener que renunciar al modo de vida y a la existencia propios de la comunidad religiosa. Entre 1965 y 1967 participé en numerosas manifestaciones organizadas por las instituciones religiosas de Jerusalén contra las autopsias o por el mantenimiento de la prohibición de circular en sábado por los barrios religiosos: los sollozos de los oradores eran desgarradores y los manifestantes se arrancaban por momentos sus ropas en señal de duelo. Veían en el Estado judío a un régimen antisemita tan peligroso como el de Plehve en Rusia, y en su policía, a los cosacos que no dudarían en masacrarlos, en especial cierto sargento Marko-

2. En hebreo, *kova tembel*, gorro utilizado por los pioneros y los primeros *kibutznikim*. Durante las décadas de 1950 a 1970, el *kova tembel* fue el símbolo del *tsabar*.

3. Literalmente, «exterminación». Por extensión, el *shmad* es el término utilizado en la tradición judía askenazí para describir la conversión obligada.

216 / FRONTERAS INTERIORES

vitz, o más bien «el *gestapo* Markovitz» tal como era llamado en las paredes del barrio de Mea Shearim. Los *kibutznikim* del Hashomer Hatzair y los militantes de la Liga contra la Coerción Religiosa que acuden en sábado a dar palizas a los *calotin*[4] en la plaza del Sabbat no hacen sino reforzar esta imagen de pogromo que obsesiona a los habitantes de Mea Shearim y de Bnei Brak. También a mi entender, recordaban más a los pogromistas de Polonia que a sus propios abuelos.

En estos ambientes ortodoxos se veía el peligro de conversión por todas partes: a causa de mi francés se me había reclutado incluso para la organización Peilim, que tenía como misión salvar a los niños judíos enviados por sus padres, debido a razones financieras, a estudiar a escuelas cristianas. Mi papel consistía en buscar a tales niños en las instituciones católicas; aunque sin gran éxito, por lo demás. Menos heroicas pero más eficaces eran las operaciones culturales: íbamos, con una pequeña orquesta y golosinas, a organizar fiestas en las aldeas pobres de la periferia para contrarrestar la influencia de los movimientos de juventud laicos.

Las comunidades ortodoxas se consideran, por consiguiente, comunidades oprimidas que tienen que luchar para salvaguardar su existencia en un Estado que, en su opinión, tiene la intención de liquidar al pueblo judío tal como ellas lo entienden. En cuanto a los religiosos reclutados por el PNR, se ven llevados a ser judíos vergonzantes, que tienden a asimilarse a la identidad israelí, aunque manteniendo su fe y sus prácticas lo más discretamente posible.

En 1967 todo quedó trastocado, y en el espacio de una generación la religión y las comunidades religiosas no sólo dejaron de estar oprimidas por el régimen, sino que se convirtieron en uno de sus componentes esenciales. Esta inversión se produjo mediante dos movimientos complementarios.

La Guerra de junio de 1967 despertó un sentimiento mesiánico sin precedentes, en especial en los círculos sionistas religiosos. La victoria «milagrosa» sobre los ejércitos árabes, la «liberación de Jerusalén» y de otros lugares santos que se hallaban con anterioridad bajo control jordano, crearon una atmósfera totalmente nueva. Para unos, había llegado la era mesiánica; para los laicos, o

©gedisa

---

4. Expresión francesa peyorativa para nombrar a los católicos practicantes. [*N. del T.*]

supuestamente tales, se trataba de la realización del objetivo último del sionismo. Rápidamente, estas dos corrientes de opinión se confundieron en un gran movimiento mesiánico y nacionalista cuyo discurso llegó a ser progresivamente hegemónico en la opinión pública israelí, al menos en su expresión moderada.

En el mundo religioso, la corriente representada por los discípulos del rabino Kook, que hasta 1967 había sido marginal, adquirió un auge considerable. Sus rabinos se convirtieron en personalidades cortejadas por los políticos de todos los partidos sionistas, y sus procesiones al Muro de las Lamentaciones, religiosas en su origen, se volvieron rápidamente paradas nacionalistas y militaristas masivas, para degenerar, a partir de la década de 1980, en sangrientas «ratonadas»[5] efectuadas dos o tres veces por año.

Este es el movimiento que creó el Gush Emunim* (Bloque de la Fe) que se situará en la vanguardia y al frente de la colonización entre 1970 y el final de la década de 1980. Los discípulos del rabino Kook y las decenas de miles de jóvenes que les siguieron ya no intentaron remedar a los laicos: ellos fijan la nueva norma, la posterior a 1967, primero para los laicos, pero rápidamente, asimismo, para los religiosos.

Entre los primeros, incluso aquellos que no comparten el nacionalismo mesiánico del Gush Emunim le reconocen un gran idealismo y le otorgan fácilmente el título de «nuevo pionero del sionismo». Y, en efecto, sus miembros son los que van a impulsar la colonización de Cisjordania y de la franja de Gaza, arrastrando tras ellos a los distintos gobiernos de derecha y de izquierda, al ejército y, poco a poco, a una mayoría de la opinión pública. «Mis hermanos queridos», llamará el primer ministro laborista Ehud Barak a los colonos de Ofra y de Beit-El, bastiones del Gush Emunim en Cisjordania, unos días después de su elección en 1999. E incluirá en su Gobierno a los representantes de esta tendencia, mientras que provocará sin gran pesar la partida del Meretz de su coalición.

En menos de una generación, el mesianismo nacionalista se convierte en una componente esencial del nuevo discurso nacional, incluidos los ámbitos sionistas obreros. De derecha a izquierda se habla de tierra sagrada, se evoca la promesa divina, se veneran los

5. Del francés *ratonnades*, incursiones colmadas de violencia contra los magrebíes, fundamentalmente a cargo de las tropas francesas colonialistas. [*N. del T.*]

lugares santos. El movimiento sionista e Israel ya no son una solución para la cuestión judía, sino que constituyen elementos de la redención del pueblo judío y de la liberación de Tierra Santa.

El impacto de esta nueva síntesis entre religión y nacionalismo no dispensa a las corrientes ortodoxas que, hasta 1967, habían separado celosamente el proyecto sionista del mensaje divino. «Nadie puede negar el hecho de que la Guerra de los Seis Días y sus consecuencias provocaron un giro a la derecha de los religiosos y los ortodoxos. La revolución política de 1977[6] acentuó aún más ese giro [...] Somos testigos de una extraña combinación: por un lado, una parte importante de la sociedad ortodoxa no sionista experimentó un proceso ultranacionalista; y, por otro, sectores enteros del público nacionalista-religioso experimentaron un proceso de ortodoxización, heredando de los ortodoxos su odio a la izquierda.»[7]

Si bien la Guerra de junio de 1967 había abierto una brecha en la ideología laborista tradicional, y en especial en su dimensión antirreligiosa, la victoria electoral de Menahem Beguin en 1977 iba a significar, en sí, el fin de la hegemonía política laborista, y la combinación de estos dos factores empujaría a la mayoría del mundo religioso a integrarse en la derecha, primero políticamente, luego ideológicamente y, por último, culturalmente. Dado que los sionistas de izquierda adoptan, al menos parcialmente, el discurso religioso, los religiosos ya no tienen nada que temer: no sólo no se los quiere destruir y obligarles a adoptar los modos de vida y de pensamiento de los laicos, sino que estos últimos adoptan cada vez más el bagaje cultural de los religiosos y comienzan a expresar públicamente su respeto y su deuda con una cultura hacia la cual, unos años antes, no ocultaban su desprecio.

El apoyo al Likud es considerado por los partidos ortodoxos como mucho más natural que la alianza con los laboristas, a los que, sin embargo, habían acompañado regularmente desde la creación del Estado. Es verdad que Menahem Beguin y su partido nunca compartieron el estilo antirreligioso del sionismo obrero y que, en su mayoría, los dirigentes de la derecha no ocultaban su apego

---

6. Que vio el fin del poder político de los laboristas.

7. Levy Isaac Hayerushalmi, *The Domineering Yarmulke*, Tel Aviv, Hakibbutz Hameuhad, 1997, pág. 108. Véase también Israel Shahak y Norton Mezvinsky, *Jewish Fundamentalism in Israel*, Londres, Pluto Press, 1999, en especial págs. 55-96.

©gedisa

a la tradición, usaban a menudo un lenguaje de connotaciones religiosas y no faltaban a la sinagoga, al menos en las fiestas. Si la colaboración política entre los partidos religiosos y el laborismo era funcional, la nueva alianza con la derecha dibuja rápidamente una perspectiva en común, en la que cada una de las partes va a dar pasos sustanciales en dirección a la otra.

Para la derecha se esboza poco a poco un proyecto de sociedad alternativo respecto de aquel que el movimiento laborista había intentado instaurar, un proyecto en el que los valores de la tradición judía cubren el lugar de las pretensiones socialistas y donde una amplia autonomía de las comunidades religiosas reemplaza al centralismo jacobino de Ben Gurion. Los programas escolares son progresivamente modificados en los institutos públicos, y se asignan fuertes subvenciones a las concertaciones escolares vinculadas a los partidos religiosos; los medios estatales multiplican los programas religiosos, y las festividades religiosas están cada vez más de moda. Por añadidura, el Parlamento vota numerosas leyes que restringen las libertades individuales para ceñirse en mayor grado al código religioso (prohibición de la venta de carne de cerdo, prohibición de abrir las tiendas en sábado, etcétera).

Sin embargo, hay que reconocer que el *statu quo*, ese concepto inventado por Ben Gurion desde finales de la década de 1940 para describir el *modus vivendi* entre Estado y religión, se vio seriamente dañado a partir de la década de 1970: mientras que en la década de 1960 sólo había en Jerusalén un único restaurante abierto (discretamente) en sábado, y dos carnicerías que vendían carne de cerdo, pueden contarse por decenas, a inicios de la década de 1990, los restaurantes abiertos en sábado y las tiendas que venden productos no rituales. Contrariamente a lo que afirman los laicos israelíes –creyéndolo sinceramente–, los religiosos no cuestionan el *statu quo*, sino que más bien procuran restaurarlo. Para ellos, se trata de servirse de su peso creciente en el aparato del Estado para poner freno a la laicización creciente de la vida civil.

Esta doble y contradictoria percepción se traduce en un doble sentimiento de agresión[8] y de cuestionamiento de sus modos de

8. Véase el libro reciente de Tsvia Greenfield, *Cosmic Fear: the Rise of the Religious Right in Israel*, Tel Aviv, Yediot Aharonoth Books, 2001. Este libro, escrito por una judía ortodoxa que describe desde dentro la evolución de las comunidades ortodoxas de Israel, tiene como título en hebreo: *¡Tienen miedo!*

vida respectivos. Es el trasfondo de lo que se denomina, desde hace un decenio, «la guerra entre culturas». Por lo demás, es significativo que los laicos hayan luchado con mucha más tenacidad por el derecho a comer camarones que por la introducción masiva de textos religiosos en los manuales escolares, así como de rabinos en las escuelas.

Pero la alianza entre la derecha y los religiosos no sólo condujo a una mayor judaización del Estado; provocó también la nacionalización de la religión y de los religiosos. Tradicionalmente, estos últimos habían sido los defensores de una política moderada en las relaciones árabe-israelíes, fuertemente influidos por la actitud del judaísmo diaspórico que incitaba a empequeñecerse en el seno de las distintas naciones, a no provocarlas y a economizar como fuera la sangre judía. De un modo más general, el nacionalismo, el militarismo y el machismo son valores que el judío ortodoxo siempre ha relacionado, con un desprecio más o menos evidente, con los gentiles, reservándose los atributos de quien es débil, pero astuto y malicioso.

En el transcurso de la década de 1980, la alianza política con la derecha va a provocar un deslizamiento ideológico de los partidos religiosos: con un rechazo cada vez más generalizado de todo lo que pudiese identificarse con la izquierda, los partidos religiosos adoptan progresivamente los análisis y los conceptos de la derecha, no sólo en los asuntos de carácter social, sino también en los relacionados con el conflicto árabe-israelí. La corriente jasídica* Habad-Lubavitch llegará incluso a adoptar las concepciones mesiánicas que, hasta entonces, eran monopolio del Partido Nacional Religioso. Lo todavía más sintomático en este giro ideológico, y hasta teológico, es que los otros rabinos hayan aceptado cerrar los ojos ante lo que antes habrían considerado como una verdadera herejía, y que no hayan optado por romper con las corrientes mesiánicas en su lucha contra el poder laborista.

Así las cosas, me encontré –en 1994 y junto con un equipo de la televisión israelí que preparaba un documental sobre mi trayectoria política– delante de la *yeshiva** de Hebrón (uno de los más antiguos colegios talmúdicos de Jerusalén), alta esfera del judaísmo ortodoxo askenazí de Israel. El director había querido organizar un encuentro de los ultraortodoxos conmigo en uno de los parajes de mi adolescencia devota. Nos vimos seriamente reprendidos por una media docena de ortodoxos de todas las edades («Nosotros no hablamos ante los medios hostiles al Estado de Israel», «Los medios son antirreligiosos», «Los medios son izquierdistas»), cuando se nos acercó una señora con el propósito de mandar callar a los más jóvenes, que se volvían cada vez más agresivos, y que aceptó contestar a mis preguntas. Y no era una cualquiera: se trataba nada menos que de la nieta del rabino Zonenfeld, la más alta autoridad de los judíos ortodoxos de Jerusalén en la década de 1930, militante antisionista convencido y que había llegado a lanzar su anatema hasta sobre el gran rabino Kook por su apoyo al sionismo. Para hacerla entrar en confianza le dije que, hacía ya mucho tiempo, yo había seguido los cursos de la *yeshiva* de Hebrón y había tenido el privilegio de haber sido alumno de su padre. Le hablé a continuación del antisionismo que caracterizaba al judaísmo ortodoxo y, para mi gran sorpresa, me contestó: «¡Pero si nosotros somos sionistas! Somos incluso los mejores sionistas porque sólo nosotros, los ortodoxos, podemos garantizar el carácter judío de este Estado. Y es ésa, por lo demás, la razón por la que no debemos hacer el servicio militar, porque respetamos la división de las tareas entre todos nosotros: están los que batallan, los que colonizan y los que estudian la Torá. Pero entre todos nos complementamos». Me quedé francamente estupefacto, y sólo pude preguntarle: «¿Qué diría su abuelo, el venerado rabino Zonenfeld, de estas declaraciones?». A lo que ella respondió: «También él habría acabado adaptándose a la nueva realidad».

Si bien es innegable que los rabinos saben hacer malabarismos con los textos y, por consiguiente, cambiar la ley en función de coyunturas e intereses, no se podría entender este desplazamiento ideológico-teológico sin tener en cuenta otro factor que marca un verdadero giro en la historia del judaísmo religioso, al que yo denominaría populismo rabínico. Durante muchas generaciones, los rabinos dictaban la ley y los fieles la seguían sin condiciones. Hoy día, dos fenómenos acuden a alterar ese modelo: por una parte, la gran diversidad de corrientes, de sectas y de tendencias rabínicas; por otra, el apoyo gubernamental a las instituciones religiosas en proporción con la importancia de cada una. Se trata pues, para los rabinos, de ganar el máximo de fieles y de aumentar así las subvenciones gubernamentales para sus instituciones religiosas y escolares: ya no pueden mostrarse indiferentes ante *su* opinión pública. Se cuenta que en varias ocasiones el gran rabino Ovadia Yossef –autoridad espiritual del Partido Shass y de la mayoría de los judíos de cultura árabe– deseó acercarse al Partido Laborista y que su mujer, Margalit, le disuadió de ello, arguyendo cotilleos que había escuchado en el mercado acerca de la dificultad que tendría el electorado del Shass para entender una alianza con la izquierda. Poco a poco, las posturas relativamente moderadas de Yossef se vieron reemplazadas por un discurso extremista y groseramente racista. Cuando unas semanas después de la firma de los acuerdos de Oslo, Uri y Raquel Avneri, Matti Peled, el diputado Charlie Bitton, Haim Hanegbi y yo mismo fuimos en delegación ante el gran rabino Ovadia Yossef para convencerle de que hiciese valer todo su peso en la batalla de opinión con miras al proceso de paz, nos vimos sorprendidos, y nos sentimos algo vejados, por su rechazo a recibirnos. De hecho, estábamos librando una batalla de retaguardia perdida de antemano: ante la opinión de su público, él no podía permitirse ser fotografiado en presencia de un grupo de personalidades conocidas por sus posiciones de izquierda y, además, laicos.

Los cambios político-ideológicos que atraviesan el mundo religioso van acompañados por cambios culturales y comportamentales: los ortodoxos, tanto askenazíes como sefardíes, pierden poco a poco sus comportamientos diaspóricos, humildes, pacíficos, incluso resignados, en suma, todo aquello que Herzl caracterizaba como afeminado, para convertirse cada vez más en israelíes, es decir: machos,[9] brutales, agresivos, arrogantes. ¡Qué choque –para quien, como yo, creció en ese medio– ver a jóvenes con levita negra y grandes sombreros participando activamente en agresiones! Y qué sorpresa un día, en una calle de Mea Shearim, al advertir un revólver debajo de la levita de un judío ortodoxo. ¿Un religioso con un revólver? Recuerdo a mi abuelo diciéndome, cuando paseaba el cocker de un vecino: «¿Un judío con un perro?».

¿No es ésta la victoria definitiva de Ben Gurion? ¿Haber conseguido borrar finalmente al viejo judío humillado, incluido el de la periferia ortodoxa, para reemplazarlo por el israelí seguro de sí, aun cuando este último no acepte renunciar a su fe y a su modo de vida en pro del proyecto modernista, laico y globalizado que se le ha querido imponer? Después de todo, ¿nos hemos vuelto finalmente «como todas las naciones»? Esto es lo que exigían los hebreos al profeta Samuel, que, decepcionado por esta ambición, les

©gedisa

9. En español en el original. [*N. del T.*]

anunciaba que corrían el riesgo de lamentarlo algún día... A mi amigo Daniel Boyarin, gran talmudista, judío gay y orgulloso de serlo,[10] tal como él se complace en describirse, le gusta repetir: «Sí, se han vuelto realmente como todos los *goyim*»,[11] empleando el término bíblico con el acento yídish que le otorga toda una significación despreciativa, como si se quisiese decir: «Sí, se han vuelto realmente horteras...»

Lejos de combatir este deslizamiento del Estado hacia la religión, el sionismo obrero lo hizo todo por favorecerlo, compitiendo con la derecha: más presupuestos para las instituciones religiosas y los partidos religiosos, más concesiones en términos de legislación, y, sobre todo, más remilgos. ¿Cómo olvidar a Simón Peres efectuando obsequiosos peregrinajes a casa del gran rabino Yossef; o las bendiciones solicitadas por un ministro laborista en casa del centenario cabalista Kadduri, simple fiel consagrado como rabino milagroso por razones puramente –si así puede decirse– electoralistas; o al ministro Shlomo Ben Ami inclinándose para besar la barba del rabino Abuhazera?

Pero todos los intentos de los dirigentes de la izquierda sionista para dar pruebas de su fidelidad a la tradición judía, lucir la *kipá* ritual en cada conmemoración, recordar que su abuelo era rabino y que lo querían mucho, jurar que no comen carne de cerdo y que leen la Biblia todas las noches antes de dormir, no ejercen ningún efecto y acaban pareciendo lo que son: intentos hipócritas y demagógicos destinados a recuperar el apoyo de las capas sociales y de las comunidades que les vuelven la espalda. Cuanto más haga la corte la izquierda a los religiosos, a sus rabinos y a sus partidos, mayor será el desprecio que les mostrarán los religiosos: éstos le arrancarán con maña todo lo que pueden, para luego volver siempre con la derecha, de la que se sienten mucho más cercanos. El afán de emulación en la carrera detrás de los rabinos no resulta únicamente patético, sino que es contraproducente, pues refuerza a la vez la confianza en sí mismas de las organizaciones religiosas y

©gedisa

10. En angloamericano, *sissy*. Véase Daniel Boyarin, *Unheroic Conduct, the Rise of Heterosexuality and the Invention of the Jewish Man*, Berkeley, University of California Press, 1997, prólogo y págs. 33-80.

11. Plural de *goy*, término genérico para nombrar a los gentiles en los ámbitos judíos cerrados. La enunciación a que el autor hace referencia de inmediato en el texto suena «goim». [*N. del T.*]

su certidumbre de que se encuentran frente a adversarios sin valores propios, sin bandera, sin futuro.

Unas semanas antes de escribir estas líneas, acompañé a Léa a Bnei Brak en la visita a unos primos ortodoxos con cuyas huellas había vuelto a dar después de treinta años de ruptura por sus actividades político-profesionales. La conversación, en la que no quise participar, reflejaba el diálogo de sordos entre laicos y religiosos, pero también la evolución de los discursos de unos y de otros en el transcurso de las dos últimas décadas. Por una parte, la necesidad de Léa de probar que no era menos judía que ellos, que tenía una cultura judía bastante sólida (un poco gracias a mí) y una adhesión sincera a la tradición, al menos en el plano cultural; por otra, y en contrapunto con estas declaraciones apologéticas, un discurso ofensivo, seguro de sí, triunfalista y condescendiente, que procuré transcribir, ya de vuelta en Jerusalén, más o menos del siguiente modo: «Nosotros vamos ganando. Vuestro proyecto ha fracasado. Para dar un mínimo de consistencia a la perspectiva de un Estado judío, estáis obligados a beber en las fuentes de nuestra herencia religiosa. ¿Es acaso casual que vuestros hijos busquen un significado para su existencia en la religión y que haya tantos arrepentidos? Vuestro hedonismo está vacío de sentido. Vuestros hijos se preguntan por qué soportar la vida, difícil y a veces peligrosa, en Israel si sólo es para vivir aquí como los *goyim*. Los que no emigran se vuelven hacia nosotros. Incluso los más laicos de los vuestros nos necesitan, no sólo por razones de politiqueo, sino también para dar coherencia a su política. Vamos a convertirnos en la mayoría porque aquellos que no se nos incorporan prefieren irse a vivir a otra parte. Por el contrario, nosotros no partiremos jamás, pues sabemos por qué vivimos aquí y lo que nos ata a este país. No nos dais miedo, nos dais lástima. Lástima porque sois hermanos a los que amamos, ovejas descarriadas de las que somos responsables. Habéis sido los instrumentos de la voluntad divina, y con vuestras armas habéis creado un Estado para los judíos. A nosotros nos corresponde, ahora, darle contenido». Tal como lo expresa con suma pertinencia el título del libro de Seffi Rachlevsky sobre el ascenso del integrismo mesiánico en Israel, el sionismo ha sido «el asno del Mesías», el brazo secular e inconsciente mediante el cual se realiza la voluntad divina y la redención del pueblo judío. En su conclusión, Rachlevsky describe lo que sienten hoy día los religiosos en Israel: «El resultado de las elecciones de 1996 supuso para el judaísmo religioso la señal de la victoria. Su camino es el ganador, y la certeza mesiánica se ha afirmado todavía más. Al avance hacia la redención mediante la conquista de territorios y la llegada de determinado Mesías[12] se añade un nuevo avance: el del retorno a la fe del pueblo de Israel. Todos lo sienten así: el pueblo pecador hace penitencia. La hora de esa izquierda que impulsa al pecado y que corta trenzas se ha acabado; y ha llegado la del verdadero corazón judío, ese corazón que sólo desea judaísmo. El pueblo ha votado, y a pesar del crimen y de la incitación contra los religiosos, a pesar de los medios de comunicación, el pueblo quiere *Eretz Israel*, quiere nacionalismo y, sobre todo, quiere judaísmo».[13]

Al menos en un punto los religiosos tienen razón con su arrogancia condescendiente hacia las ovejas descarriadas: el sionismo no religioso es patéticamente impotente para ofrecer un proyecto alternativo, laico y democrático al que sostienen los religiosos. No hay, y nunca ha habido una corriente realmente laica en Israel, dotada de una filosofía y de un proyecto de sociedad en los cuales la religión no juegue un papel constitutivo. Hace unos años, después de una manifestación en la que cerca de un cuarto de millón de religiosos exigían la abolición de la Corte Suprema así como la institución de un «verdadero Estado judío», la primera cadena de televisión entrevistaba al anciano ministro laborista Simón Shetrit, por añadidura profesor de derecho constitucional en la Universidad Hebrea. Ante la pregunta «¿Qué propondría usted ante esta reivindicación de un Estado judío tal como lo quieren los partidos religiosos?», el ministro contestó, después de haber reflexionado largamente: «Un Estado tradicionalista». No podía responder «un Estado laico», o «un Estado democrático», sin cuestionar la naturaleza misma del Estado de Israel. Lo mismo ocurre con la mayoría de los partidos y políticos que creen ser laicos al reivindicar menos poder para los partidos religiosos, más tolerancia hacia las corrientes religiosas no ortodoxas, el derecho a elegir a mujeres en los consejos religiosos[14] o a permitir que las mujeres dirijan el culto en el

12. Se trata de Menahem Mendel Schneersohn, último rabí de los Lubavitch, percibido por sus discípulos como el Mesías.

13. Seffi Rachlevsky, *Messiah's Donkey*, Tel Aviv, Yediot Aharonoth Publishers, 1998, pág. 319.

14. Los consejos religiosos son instituciones estatales, elegidos por los consejeros municipales para administrar el aspecto material de los asuntos religiosos (judíos únicamente).

©gedisa

Muro de las Lamentaciones, pero en ningún caso reivindican la separación entre religión y Estado. Estos «laicos» encuentran por lo demás totalmente normal que la Knesset delibere sobre los tipos de conversión válidos, estipule qué divorcio religioso es practicado dentro de las reglas, y qué corriente, en la religión judía, tiene derecho a representar la tradición y legislar sobre cuestiones rituales, lo que, democracia obliga, lleva a menudo a que sean diputados árabes los que dicuciden cuestiones de orden estrictamente rabínico.

Lo conocido como laicismo en Israel no es otra cosa que un desprecio por los religiosos, una falta de respeto por la diferencia que culmina a veces en los peores estereotipos antisemitas. Durante la campaña electoral de 1999, los *spots* electorales del Partido Shinuy,*[15] donde se ve, por ejemplo, a un judío ortodoxo de nariz ganchuda hurgando en el bolsillo de un valiente israelí, no tendría nada que envidiarle al *Stürmer*.[16] A pesar de sus posturas muy de derecha en cuanto al conflicto árabe-israelí, lo esencial del electorado del Shinuy provenía de la izquierda.

En la coral en la que yo canto una vez por semana, hay muy pocos religiosos. Sospecho, en cambio, que la gran mayoría votó, en las últimas elecciones, por el Partido Shinuy. Y, sin embargo, todos los años estos antirreligiosos notorios imponen que con ocasión de la fiesta de Hanuka* nos alumbremos con las velas tradicionales, sin omitir ninguna de las plegarias que exige la tradición. Porque en la izquierda se detesta a los religiosos, y este sentimiento está hasta tal punto trivializado que se expresa en frases hechas; así, resulta corriente que se grite, cuando se circula en coche y se divisa a un ortodoxo, *Dross kol doss!*, es decir: «¡Machaca a ese religioso!». Sin embargo, se considera totalmente normal comenzar cada sesión parlamentaria con una plegaria, y se juzgaría chocante que un rabino prohibiese que un descreído destacado recitase las gracias en el transcurso de una conmemoración nacional.

Detestar a los religiosos no es más que una de las formas de la intolerancia y del rechazo de un pluralismo cultural que caracterizan a la sociedad israelí. Mediante el seudolaicismo israelí, de hecho, se le niega al otro el respeto por su especificidad y se expresa el rechazo de la diferencia.

---

15. Partido constituido al efecto y cuyo único programa es la denuncia de la religión y de los partidos religiosos.
16. Periódico nazi.

©gedisa

En 1986, mi amigo Ami Ornan Yekutieli, teniente de alcalde de Jerusalén y gran dirigente de las campañas contra la coerción religiosa, organizaba las manifestaciones contra la prohibición de que durante el sábado circularan coches en la calle Bar-Ilan, de Jerusalén. Convencido de que ser de izquierda implicaba necesariamente compartir el rechazo contra los religiosos, me solicitó que coorganizara con él una de esas manifestaciones, que amenazaba con ser bastante violenta. A lo que le contesté: «No sólo no tengo la menor intención de manifestarme con vosotros, sino que es muy posible que me encontréis del otro lado de la barricada, para defender el derecho de los religiosos a vivir su Sabbat tal como lo entienden, en los barrios en los que son claramente mayoritarios». Añadí, con ironía, que el Estado de Israel era especialista en la construcción de carreteras de circunvalación en los territorios ocupados, destinadas a evitar a los árabes, y que por tanto no había el menor problema técnico para construir una más que circunvalase los barrios religiosos del norte de Jerusalén.

Al otro lado de la barricada, una vez más. Con hombres y mujeres con quienes yo no compartía ningún valor, que viven en un mundo que dejé hace más de tres décadas, y en contra de aquellos que apelan formalmente a valores que son los míos, como el laicismo, el respeto por la mujer y las libertades individuales. Pero esto no me ocurría por espíritu de contradicción o ganas de provocar.

Creo profundamente que el respeto por el otro, en aquello que no perjudica a los demás, es un valor esencial, y que faltar a este respeto o saltárselo corre siempre el riesgo de desembocar en un imperialismo cultural. Que nadie se llame a equívocos: rechazo el relativismo posmoderno para el que todo vale, y, sin por ello caer en las ilusiones de nuestra juventud, sigo creyendo en una cierta idea de progreso. La igualdad entre los géneros, incluso cuando no es mucho más que un deseo piadoso, es preferible a la opresión de la mujer. La democracia, esa que llamamos formal, es superior a la arbitrariedad de dictadores o sacerdotes. Y, por consiguiente, considero un deber luchar por esos valores, en mi sociedad y en cualquier parte.

Pero aborrezco demasiado a los proselitistas y su hipocresía como para aceptar las cruzadas de los que quieren imponer a los demás los valores de nuestra civilización. Ésta tiene demasiados crímenes que reprocharse como para tener derecho a considerar que su superioridad cae por su propio peso. Aquellos que han construido su civilización sobre la expoliación y las masacres, sobre la destrucción de cientos de ciudades y poblados, sobre la expulsión de cientos de miles de personas, aquellos que han hecho de la discriminación institucionalizada un sistema de gobierno, así como todos aquellos que se callan sobre los crímenes del presente tanto como sobre los del pasado, están mal situados para predicar a otros el progreso, y todavía peor para tener derecho a imponerles su modo de vida en nombre de ese mismo progreso.

El laicismo tiene que ser, en Israel, objeto de una lucha, pero de una lucha totalmente distinta de la que se entabla actualmente contra los religiosos. Una lucha por una separación total entre religión y Estado, tanto como una lucha por la separación entre etnia y Estado. Una lucha a favor de un Estado laico y democrático, un Estado que sea el de todos sus ciudadanos.

©gedisa

19

MÁS ALLÁ DE JUDEA Y DE ISRAEL

A comienzos de la década de 1980, Meir Kahane y la Liga de Defensa Judía llevaron a cabo una campaña para la creación del Estado de Judea. En opinión de este rabino fascista y de su grupo, el Estado de Israel, a pesar de sus pretensiones, no era realmente un Estado judío: demasiados árabes tenían en él derechos cívicos, y los principios democráticos impedían aplicar estrictamente los de la ley judía, la Torá. Tomando el proyecto de Estado judío al pie de la letra y considerando que la definición del carácter judío era únicamente religiosa y en ningún caso nacional o cultural, querían instaurar una teocracia. Miles de carteles pegados en las paredes de las ciudades de Israel planteaban la disyuntiva: «¿Estado judío o Estado democrático?», recuperando de este modo, pero al revés, un viejo eslogan del Matzpen.

Pocos fueron los que se tomaron en serio la idea del Estado de Judea, que desapareció del discurso político con la muerte de Kahane, asesinado en Nueva York por un árabe después de haber sido elegido diputado a la Knesset. Sin embargo, quince años más tarde, la idea de una partición entre Judea e Israel volvió a aparecer gracias a la pluma de un hombre esta vez de izquierda, el célebre escritor Yoram Kaniuk. En una tribuna libre publicada por el periódico *Haaretz* unos días después de que una provocación política del Gobierno de Netanyahu hubiera ocasionado la muerte de cerca de noventa palestinos e israelíes, Kaniuk anunció que no quería formar parte de este Estado, que deseaba separarse del gobierno y de todos los extremistas, colonos y otros integristas que lo apoyan, y crear su propio Estado, democrático y civilizado. No logré dar con el texto exacto de Kaniuk, pero lo que sigue es, en sustancia, lo que sostenía: «Tomad Jerusalén y los montes de Cisjordania, guardaros vuestras colonias, edificad ahí vuestra teocracia nacionalista y dejadnos Tel Aviv y la franja costera para continuar allí con nuestro sueño de un Israel laico, democrático, moderno y abierto al mundo».

Unos años después, como consecuencia de un artículo publicado por un periódico de gran difusión en el que un profesor de la Universidad de Haifa llamaba, también él, a reconstruir el Estado judío en ultramar, sin los olores nauseabundos y el ruido de los levantinos, decenas de personas expresaron, mediante cartas al director, su deseo de sumarse a esta aventura.

Entre las fantasías de Kahane y los de Kaniuk se destacan dos puntos en común: primero, la conciencia del hecho de que la sociedad israelí está profundamente dividida por una verdadera guerra de culturas que opone proyectos de sociedad diferentes, incluso contradictorios; y luego, la negativa a encarar una coexistencia basada en el pluralismo y la confrontación democrática. Se trata de ¡vosotros o nosotros!

En cierta medida, Judea representa la antítesis del proyecto original de los padres fundadores del Estado judío. Para éstos, el sionismo se inscribía en su tiempo y tenía que ser el medio por el cual los judíos –del este de Europa– ingresarían realmente en la modernidad. Sus modelos eran Alemania, Francia y Gran Bretaña. Al dar ostensiblemente la espalda a la religión, el sionismo adoptaba para su proyecto de sociedad las normas, los valores y las instituciones de la Europa industrializada y democrática, aun cuando su dimensión colonialista tuviese a menudo que resultar disonante con éstas. La idea de progreso es algo que guió durante mucho tiempo a la filosofía sionista: a partir de un voluntarismo que hizo sonreír a la mayoría de los pensadores y dirigentes judíos de comienzos del siglo XX, había que arrancar a los judíos de una Edad Media que nunca se acababa y orientarlos hacia las adquisiciones y las realizaciones de la civilización occidental moderna. La dimensión socialista, o mejor dicho cooperativista, de este proyecto, que se hizo dominante en la década de 1930, no constituye sino otro aspecto de esa opción por la modernidad bajo la influencia, esta vez, de los movimientos socialistas y sobre todo populistas, propia de la época del Imperio zarista.

Pero dado que el proyecto sionista no podía ni quería ser laico, su revolución fue perdiendo fuerza en menos de dos generaciones, posibilitando que se desarrollara su antítesis en lo más profundo de sus contradicciones. Judea nace de las antinomias entre democracia y Estado judío, entre modernidad y etnicismo, entre la religión del progreso y la legitimidad sostenida en el pasado y los libros santos. Porque el proyecto de sociedad que se diseña desde hace una generación en el seno de esta parte de la sociedad a la que se denomina «el otro Israel» está claramente volcado hacia el pasado: «Volver a dar vida a la gloria pasada» es el eslogan electoral del partido Shass, que supo galvanizar a cientos de miles de judíos de cultura árabe. En los medios de comunicación se habla abiertamente del Tercer Reino de Israel, y en presencia de varios ministros –¡entre ellos el de Educación Nacional!– y numerosos diputados, no todos religiosos, muchos miles de personas debaten seriamente, en 1998, problemas concretos planteados por la reconstrucción del Templo de Jerusalén, incluidas las cuestiones prácticas vinculadas a la recuperación, después de dos mil años, de los sacrificios rituales. El ala moderada de este congreso sobre la reconstrucción del Templo dejaba a Dios la decisión de resolver la espinosa cuestión de las mezquitas implantadas en el lugar donde debería ser reconstruido el centro espiritual y político del judaísmo, mientras que los radicales defendían una política más voluntarista...

El mundo religioso, que marca cada vez más la pauta en esta partida de la sociedad israelí, experimenta un proceso de endurecimiento bajo cuyo efecto las diferentes corrientes del judaísmo se impregnan de lo más integrista que hay en las otras: el judaísmo sefardí (del mundo árabe y mediterráneo), tradicionalmente moderado y tolerante, adopta el integrismo intransigente del judaísmo de origen lituano, y el judaísmo occidental, por lo general más bien refractario al misticismo y a las prácticas supersticiosas, se aficiona a los amuletos y a los rabinos milagreros.[1] Esta doble evolución es, por lo demás, objeto de una discusión epistolar que mantuve durante años con Abraham Serfaty, que sigue viendo en el Partido Shass un elemento moderador, que se apoyaría en la tradición moderada y tolerante del judaísmo sefardí, sin percibir que en el transcurso de las dos últimas décadas sus dirigentes espirituales sucumbieron, en su mayoría, al peso hegemónico del fanatismo de las escuelas talmúdicas de origen lituano.[2]

Occidentales u orientales, las dos corrientes del judaísmo religioso integran hoy día sus concepciones teológicas en un proyecto político, o más bien en una visión religiosa que requiere una práctica política. A ello se debe que se pueda hablar de integrismo, es

---

1. Seffi Rachlevsky, *Messiah's Donkey*, *op. cit.*, págs. 261-278.
2. Abraham Serfaty y Mijael Elbaz, *L'Insoumis. Juifs marocains et rebelles*, París, Desclée de Brouwer, 2001.

decir de un judaísmo con intenciones políticas, de un judaísmo político. Reconstruir un Reino judío que sea regido por la Torá y dirigido por los doctores de la Ley exige una doble cruzada: una contra el Estado moderno y sus estructuras democráticas, y otra contra los árabes, con el fin de garantizar su carácter étnicamente homogéneo.

Bajo influencia de los rabinos, en el transcurso de las dos últimas décadas las instituciones estatales perdieron gran parte de su legitimidad: a las grandes manifestaciones contra el sistema judicial hay que añadir el descrédito del poder legislativo, aun cuando los partidos religiosos no dudan en utilizarlo para procurar reforzar la legislación religiosa.[3]

En este mismo contexto hay que situar el asesinato de Isaac Rabin, el 4 de noviembre de 1995. Durante más de dos años, los rabinos de extrema derecha negaron legitimidad al primer ministro, arguyendo que ciertas decisiones políticas tomadas por su Gobierno desafiaban la voluntad divina y, por tanto, suponían traición. Sin casi otorgar importancia al hecho de que Rabin y su Gobierno habían sido elegidos por la mayoría del pueblo, y utilizando a veces el argumento según el cual sólo una minoría del electorado *judío* había votado por Rabin, la derecha y una parte importante de la opinión pública se fueron convenciendo poco a poco de que éste era un usurpador, por no decir un agente del enemigo. Se pudieron ver carteles que caricaturizaban a Rabin como oficial de las SS; de hecho, se lo comparaba con Pétain, o más bien con una especie de síntesis entre el mariscal y el rey Ajab del Primer Libro de los Reyes, muerto como un perro por haber osado desafiar la voz de Dios y de sus profetas.[4]

Yigal Amir asesinó al primer ministro israelí porque sus maestros le habían convencido de que la voluntad divina exigía aniquilar una política que cuestionaba el advenimiento del reino de Dios en la tierra. Y todavía hoy día, para cientos de miles de israelíes, Yigal Amir no es un asesino, sino un héroe que consiguió que fracasara un proyecto político que amenazaba con obstaculizar la llegada del Mesías, o al menos la instauración del Estado judío en el

3. Levy Isaac Hayerushalmi, *The Domineering Yarmulke, op. cit.*, págs. 170-178.

4. *Ibíd.*, págs. 145-147; Israel Shahak y Norton Mezvinsky, *Jewish Fundamentalism in Israel, op. cit.*, págs. 113-149.

©gedisa

sentido religioso del término. Incluso quienes no llegan a justificar su acción criminal se muestran a menudo inclinados a reconocer que, si bien Rabin no merecía la muerte, sí habría debido considerar la existencia de una opinión pública hostil a su estrategia, a falta de lo cual se hacía responsable de una fractura en la sociedad israelí.

Debido a que este nuevo mesianismo judío implica igualmente una política ultranacionalista contra los árabes, así como la negativa a toda forma de concesión territorial, una parte de la derecha no religiosa optó por incluir a las corrientes integristas y una parte de su discurso teológico-político en su estrategia, a riesgo de contribuir a la desestabilización del Estado y de abrir el camino a la teocracia.

Ciertamente, una parte importante de la derecha laica no está dispuesta a correr este riesgo: en 1998 se unió a los laboristas para derrocar a Benjamín Netanyahu, percibido como un aprendiz de brujo que al crear un bloque político, pero también cultural e ideológico, con las corrientes más integristas, desestabilizaba gravemente las estructuras del Estado de Israel con las que había existido desde hacía medio siglo. Pero esta reacción de las viejas élites político-económicas de la derecha tradicional no hizo sino fortalecer el sentimiento de una fractura entre esas élites –en el maremágnum de todas sus tendencias confundidas– y una parte relativamente importante del pueblo que se sentía cada vez más estafada ante el Estado de Israel tal como es. Además, intensificó la aspiración a un Estado de Judea en el que, de una vez por todas, las capas periféricas –es decir las clases populares de origen judeoárabe y las comunidades religiosas– se sentirían en su propia casa, realizándose así por fin lo que es, en su opinión, el verdadero objetivo del sionismo. Judea es a la vez un gueto y un búnker, encerrado sobre sí mismo y armado hasta los dientes, tercera soberanía judía pero también tercer Templo, una verdadera teocracia manejada por los preceptos de la Torá, en nada diferente en cuanto a sus principios del Irán de los ayatolás o del Afganistán de los talibanes.

¿Exageración? ¿Dramatización de un fenómeno que en resumidas cuentas sigue siendo marginal? Pues no. Si bien a comienzos de la década de 1980 el rabino Meir Kahane parecía efectivamente un loco aislado cuando predicaba la creación del Estado de Judea, veinte años después casi un tercio de diputados judíos de la Knesset compartían abiertamente esta visión del futuro de Israel. Un tercio de los elegidos, más del 40 por ciento de la opinión pública judía: hay aquí, evidentemente, material para hacer reflexionar a quienes, con toda la razón, temen esta perspectiva de un Estado teocrático, militarizado al máximo y dispuesto a entablar la guerra apocalíptica de Gog y Magog para poder reconstruir el Templo y establecer el reino de Dios en la Tierra. Para reflexionar y actuar.

Sin embargo, aquellos a los que aterroriza esta perspectiva y que prefieren un Israel más laico, más democrático, más moderno y más abierto al mundo, no hacen nada para atajar esta evolución. En su mayoría se conforman con lamentarse, con llorar por un paraíso perdido y fantasear un nuevo Israel desembarazado de sus levantinos y de sus religiosos.

Frente a la fe mesiánica que anima al bloque de la derecha y lleva a la acción a sus elementos más extremistas y más decididos, la izquierda sionista ha optado por la dimisión. Claramente simbólica fue la reacción de Léa Rabin al día siguiente de la victoria de Benjamín Netanyahu, apenas unos meses después del asesinato de su marido, cuando declaró, desolada y verdaderamente desdichada: «Es el momento de hacer las maletas y partir». Al igual que toda su generación, la misma que luchó por crear Israel, la misma, también, que carga en su conciencia con los crímenes de la Naqba, Léa Rabin vio que su sueño estallaba en mil pedazos y que su herencia era dilapidada por aquellos con quienes quería compartir los beneficios del sionismo. Se ha repetido a menudo que el asesinato de Isaac Rabin es el asesinato del padre, y por su mediación, el asesinato simbólico de una generación entera y de su utopía. Enredado en sus contradicciones entre proyecto emancipador y métodos colonialistas, entre Estado étnico y democracia, entre laicismo y necesidad imperiosa de legitimidad religiosa, el sionismo laico y «de sentido común», tal como le gusta definirse, ha llegado a un callejón sin salida. No es casual, entonces, que la noción más empleada por los sociólogos así como por los medios de comunicación israelíes para describir a la tercera generación sea la de «crisis de motivación».

Durante los meses que siguieron al asesinato del primer ministro, era de buen tono organizar encuentros de jóvenes (judíos) de orígenes y de ideologías diferentes. La reconciliación nacional estaba al orden del día para todos. Aun cuando ferozmente opuesto a esta idea perversa de reconciliación nacional, como educador y miembro del comité de padres de alumnos del instituto de mi hija Talila, tuve la oportunidad de animar muchas veces encuentros de

©gedisa

esta clase. Al igual que todos mis amigos que habían pasado por la misma experiencia, salí de ella profundamente desmoralizado: «nuestros» jóvenes, es decir, aquellos cuyos padres se consideran de izquierda, laicos, pacifistas o como mínimo moderados, eran incapaces de responder a los planteamientos de los jóvenes formados en las escuelas religiosas de extrema derecha; se quedaban literalmente mudos. «Si no sois religiosos, ¿por qué queréis un Estado judío? Si no creéis en la promesa divina, ¿cómo justificáis lo que les hacemos a los árabes? ¿Qué os da derecho a vivir aquí? ¿Por qué no vivir en Europa, donde la vida es más fácil y donde existe mayor seguridad? ¿Qué es lo que os hace consideraros judíos? ¿Por qué devolver Hebrón y Ramala a los palestinos, y no Jaffa y Haifa? ¿En qué la colonización de las décadas de 1920 y 1930 es más legítima que la de estos últimos años?» A estas preguntas, al fin y al cabo pertinentes, les hacía eco, casi siempre, un silencio incómodo.

Después de haber enrolado con éxito a los jóvenes en un nacionalismo totalizador durante dos generaciones, el sionismo liberal y laico descubre su incapacidad para encontrar un nuevo impulso, mientras que la situación de Israel parece normalizarse. Se vuelve difícil, por no decir imposible, dar a la nueva generación referencias político-culturales capaces de definir una identidad y de dar cierto sentido a su ciudadanía. De ahí la atracción de las sectas religiosas o la fascinación ejercida por la India y sus *ashram* sobre una parte de la juventud laica. Por supuesto que, en este cambio de milenio, este fenómeno no es exclusivo de Israel y se repite, bajo distintas formas, en todos los países industrializados; con todo, en Nueva York, Londres o Amsterdam, la juventud no se enfrenta al peligro real e inmediato de una revolución integrista y una guerra que amenazan con destruir su sociedad.

La crisis de motivación se expresa, por ejemplo, y para la juventud laica y liberal, en la caída en picado del voluntariado para cubrir las unidades de élite y los cuerpos de oficiales. Los que durante dos generaciones conformaban el esqueleto del ejército israelí, en especial los *kibutznikim*, se vuelven poco a poco minoritarios, dejando su lugar a los religiosos formados en los colegios talmúdicos de extrema derecha, que en 1998 representaban ya el 25 por ciento de los suboficiales. Se está lejos de la época en que mi tía Claire me mostraba con orgullo a Elhanan Blumental, esa *rara avis*: un paracaidista con *kipá*, gloria de nuestra sinagoga... Si bien

©gedisa

a pesar de su declaración Léa Rabin no dejó Israel, una parte de la juventud urbana, laica y liberal, no duda en partir o, al menos, no excluye hacerlo un día u otro. En un mundo donde las fronteras se vuelven cada vez más abiertas para las capas acomodadas y cultas de los países del Norte, ¿por qué deberían vivir en Israel cuando otros países ofrecen, o parecen ofrecer, posibilidades más atrayentes, sin graves problemas de seguridad y, aparentemente, sin amenaza integrista?

Quienes, por el contrario, intentan salvar un determinado Israel, se ven atrapados en contradicciones aparentemente insuperables: rechazan el repliegue hacia un nuevo gueto judío y desean volcarse hacia el mundo, pero viven igualmente con angustia la apertura hacia el mundo árabe circundante, frente al cual querrían construir una especie de telón de acero. Quieren la paz, es cierto, pero son incapaces de deshacerse de su mentalidad colonialista y echan una mirada asustada a la vez que arrogante sobre ese Oriente en el que viven y con el que les es necesario pactar. Es verdad que apostaron por la modernidad, laica y globalizada, pero siguen estando apasionadamente aferrados a un discurso tradicionalista y religioso sin el cual la idea misma de Estado judío perdería toda coherencia. Por último, y sobre todo, están profundamente marcados por el espíritu tribal y sus corolarios: el consenso y la sacra unión.

El retorno a los años míticos del joven Israel sigue haciéndoles soñar, aun sabiendo que se trata de un paraíso definitivamente perdido. Así pues, frente a los partidarios de la nueva Judea, capitulan y se lamentan, procurando reducir los riesgos del integrismo intentando no contrariarlo, con lo que consiguen, poco a poco, cavar su propia tumba.

Entre, por un lado, un Israel cuyas referencias siguen siendo la epopeya sionista de la década de 1920 a la de 1970 y el sueño de una reconstitución de la sacra unión alrededor de los valores de un colonialismo de rostro humano, y, por el otro, la huida adelante hacia una Judea arcaica, mesiánica, nacionalista e integrista, existe no obstante una tercera vía capaz de conducir a una normalización de la sociedad israelí y a una coexistencia pacífica con el mundo árabe. Como a menudo en la historia contemporánea, sus primeras expresiones se encuentran en los círculos intelectuales tanto como en la juventud.

Ya he mencionado a los nuevos historiadores que han emprendido la tarea de revisar toda la historia de Israel y volver a situar el con-

©gedisa

flicto árabe-israelí en la verdad de los hechos históricos. Tal como muy bien lo ha explicado Dominique Vidal,[5] su importancia, en tanto que fenómeno de sociedad y no sólo como corriente universitaria y científica, ya no es algo que requiera demostración: a partir de un rechazo en principio minoritario de la historiografía oficial, los nuevos historiadores se convirtieron, en menos de veinte años, en la corriente predominante en las universidades israelíes, y sus investigaciones sobre la historia judía tanto como sobre la historia de Israel y de Palestina parecen haber desenmascarado definitivamente las leyendas apologéticas de los ideólogos sionistas disfrazados de científicos. Fenómeno de sociedad, porque el trabajo de estos nuevos historiadores permite que la sociedad israelí piense su existencia, sus orígenes y sus implicaciones en la actualidad con herramientas más aptas para otorgar racionalidad a los fenómenos políticos. De este modo, han conseguido marginar progresivamente el discurso según el cual el conflicto árabe-israelí sería la expresión de un odio atávico de los árabes por los judíos, en beneficio de un análisis en términos de resistencia a una situación colonialista. La propia clase política se ha visto obligada a tomar en consideración sus trabajos y, en el transcurso de las negociaciones sobre la cuestión de los refugiados, han servido de referencia común tanto a palestinos como a israelíes.

Menos conocidos que sus homólogos historiadores, los nuevos sociólogos han realizado en el curso de la última década un trabajo crítico muy serio sobre la formación social israelí, y más especialmente sobre las relaciones entre los grupos étnicos que la componen, la cuestión de la ciudadanía y la problemática de la democracia en un Estado que se pretende institucionalmente judío. Si bien son todavía poco numerosos los análisis que definen a Israel como un Estado colonialista, o como el producto de un proceso colonialista, el cuestionamiento del principio de un «Estado judío y democrático» se ha convertido, en cambio, en una postura ampliamente compartida. Aquí también, la importancia de la crítica científica desborda el marco de los centros universitarios y afecta directamente a lo político al definir las grandes líneas de un cuestionamiento del régimen y de sus instituciones.[6]

©gedisa

5. Dominique Vidal, *Le Péché originel d'Israël. L'expulsion des Palestiniens revisitée par les nouveaux historiens israéliens*, París, Éditions de l'Atelier, 1998.

6. Mencionemos, entre otros, a Henriette Dahan, Lev Grinberg, Baruch Kimmerling, Yoav Peled, Uri Ram, Yehuda Shenhav, Sami Samoha, Ella Shohat y Shlomo Swirsky.

238 / FRONTERAS INTERIORES

En este sentido, los postsionistas, como les gusta denominarse, rompen a la vez con el Israel de Ben Gurion y el de sus sucesores laboristas de derecha y de izquierda, tanto en su relación colonialista con los palestinos como en las relaciones de dominio sociocul- turales (el dominio socioeconómico no es clave en la reflexión de los nuevos intelectuales israelíes, hay que decirlo así), y con la perspectiva judaica y sus designios integristas, mesiánicos y nacionalistas. En su crítica, estos intelectuales rechazan el Estado judío como concepto y también como proyecto de sociedad.

Los nuevos historiadores y los nuevos sociólogos reconocen en su mayor parte que no hacen sino confirmar, con las herramientas de la investigación científica y un lenguaje más sofisticado y nada moralizante, las posturas sostenidas treinta años antes por el Matzpen, ya se trate de la historia del sionismo o del análisis del Estado judío y de la sociedad israelí.[7] Reconocimiento tardío pero no menos significativo de un análisis político que, muy simplemente, se negaba a caer en la trampa de los postulados de un pensamiento hegemónico y que, sobre todo, reconocía una legitimidad a la palabra del otro, a sus testimonios así como a sus derechos.

Esta generación de intelectuales críticos que es posible encontrar también en los medios de comunicación, así como en el mundo de las artes plásticas o cinematográficas, rechaza, de maneras diferentes y con distintos niveles de radicalidad, los postulados sionistas y sus objetivos fundamentales. Sin embargo, en su mayoría prefieren el calificativo de postsionistas al de antisionistas, porque el único tema que sigue siendo tabú para ellos a pesar de su impertinencia intelectual, es precisamente el sionismo en tanto que tal. Muy raros son los trabajos que se le han dedicado, prefiriendo la mayoría de estos intelectuales conformarse con afirmaciones vagas acerca del hecho de que el sionismo sería una ideología superada a lo largo del tiempo por la realidad. En su opinión, Israel debe y puede convertirse en un Estado normal, a condición de que ponga punto final a la ocupación de Cisjordania y la franja de Gaza, que sepa asumir su pasado y emprenda las reformas constitucionales necesarias para su democratización. Desde luego, la combinación de estas tres series de medidas significaría efectivamente el fin del régimen sionista, pero la ausencia de cualquier reflexión seria y crí-

---

7. Véase la introducción en Uri Ram, *Israeli Society – Critical Perspectives* (en hebreo), Tel Aviv, Brerot Publishers, 1993.

©gedisa

tica sobre esto último hace muy difícil la evaluación de los inmensos obstáculos que hay para esta vía de la democratización radical y, en consecuencia, para la elaboración de estrategias eficaces. Además, se trata aquí del dominio de la acción política, que no parece concernir, a excepción de una minoría, a esos intelectuales críticos, instalados y cada vez más reconocidos en sus carreras universitarias, a menudo brillantes. El descrédito generalizado de la política institucional y la realidad de un trabajo militante modesto, con frecuencia ingrato y raramente gratificante, hacen que los elementos más críticos de la *intelligentsia* israelí deserten del campo político o incluso de la propia realidad israelí.

Existen, sin embargo, israelíes que se comprometen activamente en conseguir que emerja un Israel nuevo, democrático y solidario. Son jóvenes –en su mayoría no tenían ni diez años en el momento de la primera Intifada, y comenzaron a desarrollar su conciencia política cuando el proceso de Oslo era ya una realidad–, libres de cualquier forma de nacionalismo, e incluso a menudo de identidad nacional, y realmente laicos; no han conocido el adoctrinamiento ideológico que tanto marcó a las generaciones anteriores, aunque tampoco cualquier otra forma de cultura política. Han recibido su formación por intermedio de Internet, y sus modelos son Greenpeace, José Bové y el subcomandante Marcos; sus referencias son las movilizaciones contra las multinacionales, las luchas ecológicas y los movimientos pacifistas del mundo entero. Sólo descubren la solidaridad con los palestinos por mediación de las luchas contra la globalización y los valores que transmiten.

En Israel, al igual que en muchos otros rincones del mundo, esta generación –y se trata aquí de un fenómeno social y no de simples grupos marginales– se politiza por la vía de un rechazo de la sociedad mercantil y de sus efectos devastadores sobre la vida de la gente y su entorno. Para estos jóvenes radicalizados, la crítica de lo social y lo cultural precede a la de lo político. Hace ya dos o tres años, conseguí convencer a varias decenas de ellos para que participaran en una manifestación contra la construcción de una carretera de circunvalación en la región de Ramala, uno de esos nudos de carreteras cuyo objetivo es enlazar las colonias en el territorio israelí y dividir el territorio palestino en una docena de bantustanes. Cuál no sería nuestra sorpresa cuando abrieron sus pancartas, donde se podía leer: «¡No a la carretera, sí al tren!».

Para esta nueva generación militante que tiene el mundo por patria, la idea de un Estado judío está caduca; aborrecen el racismo en todas sus formas, rechazan encerrarse en una identidad judía o un patriotismo israelí, y si bien la mayoría cumple todavía con su servicio militar, lo hacen sin el entusiasmo patriotero que animaba a las generaciones anteriores. La solidaridad con los palestinos es para ellos una evidencia: se inscribe en una solidaridad más amplia con todos aquellos que, en nuestro planeta, sufren la opresión, desde los albaneses de Kosovo hasta los niños filipinos explotados por Nike, y desde los indios de Guatemala hasta las focas bebé de la Antártida...

En medio de este rechazo global y sin distinciones de la globalización mercantil, estos jóvenes experimentan cierta dificultad para saber elegir y definir prioridades. En 2001, José Bové participaba en una misión civil de protección de los palestinos; en el transcurso de un encuentro con militantes antiglobalización, y puesto que él quería discutir con ellos tareas de solidaridad con los palestinos, se vio sorprendido por el interés que mostraban por el maíz transgénico, por su conocimiento muy detallado de las luchas entabladas contra McDonald's, pero también por la escasa atención que parecían prestar a la cuestión palestina: «Algunos de ellos han estado en Seattle y en Praga y, sin duda, quieren viajar a Génova, pero nunca se manifestaron ante un cordón del ejército israelí a las puertas de Belén».

Que José Bové no se preocupe demasiado: pronto la realidad israelí los habrá atrapado. Los valores solidarios que animan a esta parte de la juventud israelí, así como su rechazo profundo de toda forma de tribalismo, se convertirán rápidamente en el elemento constitutivo de un nuevo movimiento por la paz que, a diferencia de los anteriores, ya no estará motivado por el deseo de separación sino por valores de justicia, de cooperación y de coexistencia.

20

RETORNOS

Una vez más me detuvieron en los campamentos del regimiento apostado en la región de Belén. Y de nuevo por haber intentado entrar en las tierras del poblado palestino de El-Jader, declaradas desde nuestra llegada «zona militar cerrada».

La última vez que había pasado por esta experiencia fue en 1993, unos meses antes de la firma de los acuerdos de Oslo. Los colonos de Efrata se habían apoderado de una de las colinas de El-Jader y, a las cuatro de la mañana, los residentes del poblado nos pedían auxilio: estaban dispuestos a detener con sus cuerpos a los *bulldozer*, pero querían a israelíes a su lado. Antes del alba y todavía medio dormidos, los miembros del equipo del Centro de Información Alternativa, a los que se incorporó una media docena de militantes de la Bat Shalom,* llegaron a este hermoso poblado del sur de Belén y se reunieron con unas decenas de aldeanos que acampaban al lado de un inmenso *bulldozer*. Cuando se presenta el conductor, acompañado por muchas decenas de soldados y un grupo de colonos dirigidos por uno de mis antiguos colegas del Merkaz Harav, nosotros nos tendemos en el camino de tierra, delante del *bulldozer*. Los soldados nos detienen, sin emplear excesiva violencia, pero la televisión ya está allí y, antes de ser conducidos al cuartel del regimiento para ser interrogados, tenemos tiempo de ver a varias decenas de militantes llegados de Jerusalén, alertados por las noticias. El *bulldozer* no podrá moverse durante toda la jornada. Y durante toda la semana, la pequeña guerrilla continuará en su acción: bloqueo, dispersión, arresto, liberación condicional, retorno al lugar, bloqueo, etcétera. Harto de detenernos todas las mañanas, el comandante militar de la zona nos prohíbe –a unos cuantos– el ingreso en toda la región de Belén, e intercepta nuestro avance apenas cruzamos la frontera entre Jerusalén y los territorios ocupados. Pero es demasiado tarde: después de una semana de enfrentamientos, ¡Paz Ahora! se moviliza a su vez y hace intervenir a los ministros del Meretz. Rabin decide que la colonia podrá seguir expandiéndose, pero esta colina se salvará. ¿Victoria?

A todo esto siguió el encuentro de Oslo, la esperanza al menos de un freno a la colonización. Y siguió el asesinato de Rabin y el retorno de la derecha: Netanyahu-Barak-Sharon. Los colonos vuelven a ocupar la colina del Olivo, como se la llama en los mapas de la colonización. El ejército los protege y los *bulldozer* han abierto ya una carretera casi tan ancha como la autovía Haifa-Tel Aviv. Sin embargo, los palestinos habían respetado al pie de la letra su compromiso de no cultivar sus propias tierras en esta colina codiciada por las aves rapaces de Efrata. Y nosotros recuperamos nuestros viejos reflejos, un poco embotados, hay que reconocerlo, por siete años de «proceso de paz»: esquivar las barreras para pasar al otro lado de la frontera, avanzar hasta la primera línea sin por ello dictar a los palestinos las formas y los límites de su acción, negociar con el joven coronel que, por una vez, parece impresionado por la determinación de los manifestantes, y luego, una vez bloqueadas las negociaciones, forzar la barrera. Y esta vez al lado de José Bové, de la Confederación Campesina; Jean-Claude Amara, de ¡Derechos Ante Todo!; Marcel Francis Kahn, de la Asociación Francia-Palestina; y una quincena de otros franceses llegados para expresar una solidaridad concreta con los campesinos palestinos, procuramos abrirnos paso hacia la colina ocupada. Intercambio de golpes, detenciones y retención vigilada en las barracas del regimiento. Nada ha cambiado: las oficinas están tan sucias como ocho años antes, y las edificaciones están todavía en peor estado; si los soldados me parecen más jóvenes, es porque yo he envejecido un poco. El único cambio aparente es la *kipá* que luce en la cabeza de todos los oficiales.

¿Será la historia un eterno retorno? El calabozo es un lugar propicio para la reflexión, tengo experiencia en el asunto, y ese pasillo en el que esperamos que las autoridades decidan nuestra suerte –unas horas después se nos liberará sin condiciones, pero yo, como era de esperar, seré inculpado por violencia contra agentes de la fuerza pública– me trae muchos recuerdos. A pesar de los divertidos chistes de José y de Jean-Claude, me sorprendo a mí mismo cavilando sobre la historia. Ésta no es ninguna marcha lineal hacia el bien, marcada aquí y allá por algunos accidentes del terreno. Lo entendimos así a finales de la década de 1970, en momentos en que el Gran Día comenzaba a hacerse esperar demasiado, cuando los últimos logros de la Revolución de Octubre se venían abajo ante la ofensiva de McDonald's y Coca-Cola, y cuando Walter Benjamin pasaba a ser uno de nuestros nuevos clásicos. Pero ¿qué podía significar todo esto para nuestra lucha, aquí, en Israel-Palestina?

Cuando concebí la idea de este libro, hace ya una decena de años, la Primera Intifada tocaba a su fin, la sociedad israelí parecía progresar hacia la normalización, y el conflicto árabe-israelí parecía dar con las grandes líneas de una solución satisfactoria para unos y otros. Después de toda una generación de travesía del desierto, habían aparecido brechas en el consenso sionista, y el muro estanco que separaba los discursos y las aspiraciones de ambos pueblos parecía agrietarse. Las perspectivas de la pequeña minoría –marginal en las dos sociedades– que había apostado por una coexistencia basada en el derecho, el respeto mutuo y la justicia encontraba eco en sectores cada vez más amplios de nuestras respectivas sociedades. Yo creía, reconozco que ingenuamente, que después del desierto y de la brecha, la tercera parte de este libro se titularía «Nuevos horizontes», y describiría la próxima y patente caída del muro que desgarra a los habitantes de este país en dos entidades enemigas. La visión de un futuro hecho de coexistencia, de solidaridad y de cooperación, que motivó nuestras batallas en el curso de las tres últimas décadas, parecía tomar forma o, por lo menos, pasar de un estadio de generosa utopía al de un proyecto capaz de movilizar la imaginación y la energía de decenas de miles de hombres y de mujeres, israelíes y palestinos.

Me parecía que la prosecución de la colonización, el fortalecimiento de las ideologías nacional-mesiánicas, la persistencia de las mentalidades colonialistas eran los últimos coletazos de una realidad que no sólo no tenía ningún porvenir, sino que tampoco la mayoría del pueblo israelí podía seguir deseando, o que en cualquier caso no tenía las menores ganas de pagar un precio por ello. Tanto más cuanto que, al otro lado de la frontera, el pueblo palestino tendía la mano y proponía un compromiso cuya moderación y generosidad no podían sino sorprender. Error. Grave error. La historia no es una marcha más o menos ineluctable hacia lo mejor, animada por la razón, que se abre camino a través de la rocalla de la malevolencia, los prejuicios, los errores de juicio o los integrismos. A lo sumo, abre posibilidades –que hay que aprovechar al vuelo, o no– y éstas, en función de las opciones válidas en esos períodos de encrucijada, llevan a avanzar hacia más progreso o hacia más barbarie.[1]

Oslo fue, sin duda, uno de esos momentos, y –por razones descritas en los capítulos anteriores– la opción de Israel fue, después de un período de indecisión que no llegó a durar dos años, la de proseguir la colonización. En este sentido, con el asesinato simultáneo de Isaac Rabin y de las esperanzas de paz del Oriente Próximo, queda abierto un nuevo período, un período de reacción generalizada. La victoria electoral en 2001 de Ariel Sharon revela la opción política de una sociedad que no es capaz de romper con su historia colonialista, sus prácticas ilegales y su dinámica expansionista.

> La semana pasada vimos muchas fotos de niños muertos. Niños dedicados a sus juegos, inconscientes de los problemas en los que está inmersa su existencia en este país. Y otro niño se quitó la vida al mismo tiempo que aquellos, como para decir con Sansón: «Muera yo con los filisteos». Pero ni los unos ni el otro eran filisteos. Filisteos son aquellos que desde hace más de cuarenta años envían a sus hijos a la muerte. Niños con o sin uniforme, armados con fusiles o cócteles Molotov, niños de comandos israelíes o de la guerrilla palestina. Y todo eso para satisfacer las ambiciones criminales de los filisteos y de su avidez por una tierra que no les pertenece. Filisteos son aquellos que dejan a madres como yo sumidas en la aflicción, por guerras inútiles en las que nuestros hijos están obligados a participar. Guerras entabladas aparentemente por amor a la región, amor a Dios o amor a la patria. Pero la verdad es que estas guerras no son planteadas sino por la locura y la megalomanía de los jefes de Estado. Para ellos, los hijos son nociones abstractas: tú matas al mío, yo mataré a trescientos de los tuyos y las cuentas nos cuadrarán.[2]

En estos términos, Nurit Peled-Elhanan, hija de mi camarada el general Matti Peled y madre de Smadar, muerta en 1997 en el atentado de una calle peatonal de Jerusalén, describía la situación en Israel durante una manifestación de las Mujeres de Negro, el 8 de junio de 2001 en Jerusalén. Unas semanas después, el escritor David Grossman se preguntaba en una entrevista angustiosa en la

1. Véase, a este respecto, Daniel Bensaïd, *Walter Benjamin, sentinelle messianique*, París, Plon, 1990, págs. 220-225.
2. Cita de un comentario en la página web de Bah Shalom, julio de 2001.

©gedisa

televisión israelí: «¿En qué nos estamos convirtiendo?». El ejército israelí acababa de deportar a varias familias beduinas trogloditas, de rellenar sus grutas y de cegar sus pozos con piedras y arena, todo ello para crear una continuidad judía entre las colonias del sur de Cisjordania y el territorio israelí.

Todo ocurre como si los logros de los últimos veinticinco años hubiesen sido aniquilados en unos meses, no en pro de un retorno hacia los años del desierto consensual y de la negación del otro, sino, al contrario, para abrir vías a una nueva barbarie en la que el otro se convierte en objeto de una cruzada totalmente consciente y planificada, cuyo último objetivo es su desaparición como nación, e incluso su expulsión pura y simple al otro lado del Jordán. Es realmente trágico que Ehud Barak haya conseguido convencer a la mayoría de los israelíes de que los palestinos no quieren la paz, y que Ariel Sharon consiga hacer creer, como en la época de Golda Meir e Isaac Shamir, que los árabes no han renunciado a arrojar algún día a los judíos al mar. Somos de nuevo las víctimas, y aunque en la mayoría de los casos somos nosotros quienes matamos, estamos en nuestro derecho porque sabemos que ellos tenían, tarde o temprano, la intención de masacrarnos a todos.

Tal como antaño en el discurso paranoico de Golda Meir, el enemigo está en todas partes: los ciudadanos árabes son una quinta columna y cualquier forma de protesta se convierte en terrorismo, y de ahí la represión sangrienta de las manifestaciones de octubre de 2000, que causaron trece muertos. De ahí los nuevos proyectos de ley que apuntan a excluir del juego democrático a determinados partidos árabes y a limitar los derechos de los diputados árabes; de ahí una reanudación de la política de expropiaciones, la suspensión de los presupuestos y el carpetazo a los proyectos iniciados por el gobierno Rabin, que apuntaban a reducir la desigualdad entre ciudadanos judíos y árabes. Pero ¿alguien cree que será posible detenerse ahí? El estado de guerra virtual va a exigir que se incrementen las medidas de represión contra los judíos que se nieguen a sumarse a la sacra unión y persistan en creer que no sólo es posible una paz basada en el derecho y la justicia, sino que es también necesaria para garantizar la seguridad del pueblo israelí.

La militarización del discurso israelí en los albores del tercer milenio, la política de represión total en los territorios ocupados y el sabotaje sistemático de cualquier posibilidad de paz, corren parejos con un cuestionamiento de todo el proceso de liberalización que ha conocido Israel en el transcurso de las dos últimas décadas. Pero lo peor sigue estando en lo que un portavoz de la derecha ha llamado «la cicatrización de las fracturas» que aparecieron en el transcurso de este período, y en el taponamiento de las brechas que habían aparecido en el consenso nacional, es decir, el fin probable de un pluralismo político e ideológico cuyos efectos se pudieron sentir desde la guerra del Líbano hasta Oslo.

Si las tendencias actuales no se invierten rápidamente, Israel volverá a convertirse en la sociedad consensual que fue en el transcurso de las dos primeras décadas de su existencia, y además con una fuerte influencia de los partidos integristas y todo lo que de ello se desprende en términos de libertades públicas y derechos humanos.

A la esperanza de Oslo le siguió el desencanto, y luego, el odio. Ese odio, que pudo ser evitado milagrosamente durante más de tres décadas, está ahora aquí, denso y oprimente. Los israelíes habían optado por la separación, no por la paz; en cuanto a los palestinos, habían optado por el compromiso, no por la humillación. Ahora bien, ésta engendra odio. Nos alejamos a grandes zancadas de una batalla contra la ocupación, de una lucha entre colonización y emancipación nacional, para vernos enfrentados a lo que se parece cada vez más a una guerra interétnica. Palestinos contra israelíes, judíos contra árabes.

Se vinieron abajo los puentes transfronterizos, laboriosamente construidos durante la década de 1980. Nadie, o casi nadie, pasa por ellos. Cada cual, en su propia casa: el sueño de Ehud Barak y de Yossef Sarid se ha cumplido, ellos en su casa, nosotros en la nuestra, y pobre de aquel que se encuentre, por elección o por error, al otro lado de la frontera.

Una vez más, atravieso el claustro de una iglesia luterana para evitar las barreras que rodean el poblado de Belén. Tengo que dirigirme a una reunión del comité director de la AIC, o, mejor, a un encuentro con algunos miembros de esa estructura, porque para los que viven en Ramala o Nablus, Belén se encuentra de pronto a miles de kilómetros de sus casas, detrás de unas quince barreras, más allá del espacio real. Ahmad tiene que venir a recogernos al otro lado de la escuela, en la zona palestina formalmente autónoma. Felizmente, hay escuelas y monasterios a caballo de esta nueva frontera impuesta por la ocupación israelí, que recorta el territorio palestino en una veintena de bantustanes aislados entre sí. Cuando el acordonamiento se convierte en un verdadero estado de sitio, hasta los sacerdotes, luteranos, ortodoxos o católicos, se vuelven pasadores, para trabajadores que quieren ganar algo de dinero, para viejecillos que desean orar en El-Aqsa, para mujeres embarazadas a las que les gustaría dar a luz en el hospital, y, episódicamente, para soñadores, judíos o árabes, que se niegan a aceptar la dinámica del conflicto interétnico y no quieren renunciar a la alegría de actuar unidos.

Una vez más hay que remar a contracorriente, a destiempo. Las cosas que están en juego son terriblemente simples, nos explica el doctor Majed Nassar, director de la clínica de Beit-Sahur y copresidente de la AIC: «Ahora, nuestro único objetivo tiene que ser impedir la transformación de un conflicto nacional y anticolonialista en guerra étnica. Si fracasamos en esta tarea, será algo terrible. No sólo en términos de violencia, de destrucción y de víctimas inocentes, sino sobre todo para el porvenir de nuestras respectivas sociedades. Las guerras étnicas dan origen a sociedades étnicas, encerradas en sí mismas, represoras, estériles y degeneradas. En una guerra étnica nunca gana nadie. Nosotros somos el último batallón de los que se niegan a la etnicización del conflicto y los que sostienen una cooperación transnacional; y nuestro único objetivo consiste en mantener abierta, en la frontera, esta minúscula brecha que representamos, para hacer pasar a través de ella mensajes de solidaridad y de cooperación».

Terriblemente simple, ya que cualquier otra solución es simplemente terrible: una nueva guerra de religión, entre un Estado judío de menos de diez millones de habitantes y un mundo musulmán de más de mil millones de personas. Desde que el primer ministro israelí se atrevió a sugerir una soberanía judía sobre nada más ni nada menos que una parte de la explanada de las Mezquitas de Jerusalén, sé que esta visión apocalíptica del futuro entra dentro del dominio de lo posible. Desde el verano de 2000, me atormentan las frases pronunciadas por mi madre ante una delegación del CCFD de visita en Jerusalén: «Dos veces esta tierra nos ha arrojado de su seno porque nosotros no éramos moralmente dignos de ella; y nuestra intransigencia y nuestro desprecio por el otro nos amenazan con arrojarnos de aquí una tercera vez». Pero para la mujer practicante que ella es, lo que cuenta es la perennidad del pueblo judío, en Tierra Santa o en la diáspora; mientras que a mí los que me preocupan son los hombres y las mujeres de Israel, los amigos de Nissan y de Talila, mis vecinos, los hijos de los supervivientes del judeocidio nazi. ¿No se merecen ellos algo mejor que los generales Ehud Barak, Ariel Sharon, Fuad Ben Eliezer, Efraín Sneh o Shaul Mofaz? Por otra parte, la identificación cada vez más total e incondicional con Israel de los autoproclamados portavoces de los judíos de la diáspora, ya sean notables o intelectuales comunitarios, ¿no amenaza con arrastrar al judaísmo de la diáspora a la catástrofe hacia la que nos conducen nuestros dirigentes, cuya visión de corto alcance sólo es igual a su ausencia total de referencia a la historia? Su filosofía es la del «ahora», que ignora con patética suficiencia tanto el ayer como el mañana; su política no está motivada por el recuerdo del sufrimiento de los padres ni por la promesa del mañana radiante, sino por una voluntad de poder que no conoce límites y que corre el riesgo de no detenerse sino cuando choque de frente contra el muro del odio suscitado o sostenido durante décadas de arrogancia.

«¿Por qué no te vas antes de que sea demasiado tarde?», me preguntan a veces algunos amigos que, en el transcurso de los años, han optado por un nuevo exilio. Y cada vez más a menudo Léa se interroga por la suerte de esos judíos alemanes que supieron partir a tiempo, así como por la de aquellos otros que esperaron demasiado y no sobrevivieron. «¿Cuándo se sabe que es preciso partir?», se pregunta. A quienes me interpelan, les contesto fácilmente que yo no soy un desertor, que tengo responsabilidades frente a la comunidad en la que vivo y los valores por los cuales he luchado. No creo, en efecto, ser de los que abandonan el barco que el capitán, borracho, lanza hacia un arrecife. Pero esta respuesta es evidentemente insuficiente y por tanto falsa, lo sé. Pues si tal puede ser mi elección, ¿cuál debería ser la de Talila? ¿Tengo derecho a dejarla en el barco que parece avanzar sin remedio hacia la catástrofe, y por qué, si ella tiene verdaderas posibilidades, yo no hago nada para que opte por establecer su vida en otra parte? ¿Por qué no reunirme en París con mi hijo mayor, Dror, que no deja de repetir que nada bueno puede surgir de esta sociedad demasiado impregnada de religión? ¿O buscar el reencuentro con mis amigos Léa y Yakov que, desde la movilización de este último tras la Guerra de 1973, nos anunciaban que no querían ver crecer a sus hijos en un país condenado a ser Massada, y que, desde entonces, viven una vida de buenos americanos en Queens?

Si no me siento obligado a hacer lo que sea para convencer a mis allegados de que hay que irse de Israel ello se debe a que una

©gedisa

parte de mí se niega a creer que la catástrofe es inevitable, o incluso altamente probable, porque he elegido apostar por la sensatez. Y creo que no se trata aquí de un acto de fe arbitrario, sino de una apuesta razonable.

En las décadas de 1960 y 1970, atravesé el desierto del consenso nacional y de la sacra unión apostando por los intereses de clase bien entendidos. Apuesta finalmente ganada a medias: el consenso quedó efectivamente tocado después de la Guerra de 1973, y la sacra unión implosionó durante la guerra del Líbano. Desde luego, esto no ocurría por «intereses de clase bien entendidos», sino por un reflejo de supervivencia debido a una gran dosis de sensatez popular. Para mí, la sensatez tiene nombre y apellido: se llama Yakov Marciano. Yakov Marciano es cartero y militante activo del Likud en Jerusalén. Era también soldado en mi batallón de reservistas. Cuando en 1983 anuncié que había decidido negarme a ir con mi batallón al Líbano, Marciano se contó entre los que emplearon las palabras menos tiernas para denunciar a los traidores a la patria. Muchos meses después, cuando me negué por segunda vez, Marciano se ofreció voluntario para ejecutar a los desertores como yo, responsables de las dificultades con que se encontraba el ejército israelí en el Líbano. Y después de haberme negado por tercera vez, fui convocado al despacho del general que mandaba nuestra brigada y que, dado el número creciente de insumisos, había decidido juzgar por sí mismo a los objetores. Qué sorpresa entonces encontrar, entre los ocho soldados que esperaban ser juzgados, a mi amigo Yakov Marciano, militante del Likud y enemigo jurado del Yesh Gvoul.

–Bienvenido, Marciano, al campo de los insumisos; ya sabía yo que, en el fondo de tu corazón, eras de los nuestros...

–De eso, nada. No es por ideología que he decidido no ir allí, sino porque no tengo ganas de morir o de que me hieran en esta guerra de mierda. Así que, simplemente, he decidido no ir... La policía militar vino a arrestarme a casa, y si tengo que elegir entre el batallón del Líbano y la prisión militar, esta vez gana la prisión militar.

–Marciano, permite que te abrace. Tú eres el verdadero insumiso y objetor, y gracias a gente como tú ganaremos esta batalla.

La resistencia palestino-libanesa, conjugada con la sensatez de miles de Marcianos, puso fin a la guerra de Líbano antes de que el precio a pagar acabase siendo intolerable. Los jóvenes palestinos de Rafah y de Nablus, con sus hondas irrisorias, pero también con el apoyo creciente de miles de reservistas que no querían ser heridos o muertos por luchar por los colonos de Ofra y de Tapuah, impusieron el reconocimiento de la OLP y el comienzo de las negociaciones. La guerrilla de Hezbolá, junto con la determinación de Las Cuatro Madres,[3] impusieron la retirada del sur del Líbano en 2000.

La apuesta por la sensatez es una apuesta razonable, hay pruebas de ello. Es apostar por Yakov Marciano y el señor Shemesh, mi vecino, que sueña con poder regresar a Bagdad y allí volver a recorrer los paisajes de su infancia; por Maya, mi otra vecina, adolescente de diecisiete años, que quiere servir a su país, pero que se niega a vestir un uniforme que le da vergüenza, y que decide acudir en ayuda de jóvenes de origen etíope a una aldea perdida del Neguev; por Yehudith Harel, dirigente muy popular de ¡Paz Ahora! que, durante la primera Intifada, supo correr riesgos sobre los que todavía es preciso ser discreto: Yehudith acaba de darle un portazo a un movimiento que contribuyó a crear y a desarrollar, haciendo pública la traición moral de sus antiguos amigos, que se negaron a denunciar el asesinato, por parte del ejército israelí, del doctor Thabet Thabet, pionero de la cooperación palestino-israelí; es apostar por Nurit Peled e Izzat Ghazawi, que en este conflicto han perdido lo que más querían en el mundo, y que luchan por una paz basada en el derecho y la justicia; por los jóvenes de Indymedia Israel e Indymedia Palestina, que cruzan las barreras para intercambiar experiencias y trabajar juntos por un mundo que no sea una mercancía; por Majed Nassar y todos los otros camaradas palestinos dispuestos a ser escudos humanos ante la marejada de un integrismo devastador; apostar por la fe inquebrantable de mi amiga Leila Shahid en una verdadera reconciliación palestino-israelí, y por su lucha sin concesiones contra los promotores del odio en la comunidad, judíos o árabes, que, amparados en su confort parisino, echan leña al fuego de un conflicto a punto de abrasar a Oriente Próximo en el horror nuclear.

El grito de la sensatez es también el grito de Nurit Peled-Elhanan conjurando a las madres israelíes a que detengan la loca carrera hacia el abismo: «Hoy, cuando no hay casi ninguna oposición a

©gedisa

---

3. Organización de madres de soldados que reclamaba la retirada del ejército israelí del sur del Líbano.

las atrocidades del gobierno israelí, cuando el campo de la paz se ha evaporado en el aire enrarecido, tiene que elevarse un grito tan viejo como los hombres y las mujeres, y que supera las diferencias de raza, religión o lengua, el grito de la maternidad: ¡salvad a nuestros hijos!».[4]

Seffi Rachlevsky cita, al final de su libro, una sentencia talmúdica que dice: «El hombre tendrá que rendir cuentas por todo lo que sus ojos han visto y él no ha comido». Y el autor de *L'Âne du Messie* comenta: «El asno volverá un día a recobrar su vigor zampándose la hierba de los prados; porque el asno, y en especial el asno israelí, tiene un apetito notable. Con sólo abrir los ojos, el asno, libre nuevamente, podría galopar, galopar, galopar».[5]

©gedisa

4. Página web de Bat Shalom, *loc. cit.*
5. Seffi Rachlevsky, *Messiah's Donkey, op. cit.*, pág. 351.

21

IDENTIDADES FRONTERIZAS

Si bien he optado por situarme en la frontera que separa a judíos y árabes, israelíes y palestinos, resulta impensable proceder de igual manera en las fronteras internas de la sociedad israelí, las que desgarran a Israel y Judea, las que oponen al viejo Israel de los pioneros del sionismo con el que siguen soñando las clases medias occidentales u occidentalizadas, y el proyecto nacional-mesiánico e integrista de los excluidos de ayer y de hoy. El futuro de una existencia judía en el corazón mismo del Oriente Próximo árabe exige una tercera vía, que se oponga tanto al integrismo expansionista y militarista como al colonialismo blando, decoroso, pero no menos preñado de guerras futuras con el mundo árabe.

Ahora bien, para dar curso a esta tercera vía, hay que comenzar por ponerse en estado de resistencia. «Resistir es, ante todo y muy simplemente, no ceder, aun si la situación es comprometida, aun si la situación es mala, aun si se está acorralado en una posición de debilidad o de impotencia tal vez pasajera. Resistir implica reconocer la propia debilidad, admitir la relación de fuerzas desfavorable, pero sin nunca consentirla, sin consentir a la debilidad, sin aceptarla, sin suscribirla y sin resignarse a ella –escribe Daniel Bensaid, y añade–: siempre es posible ser vencido, pero lo importante es no confesarse vencido, no reconocerle al vencedor su victoria, no transformar la derrota en oráculo del destino o en capitulación vergonzante.»[1]

Resistir por todos los medios al taponamiento de las brechas abiertas en el transcurso de las últimas décadas y mantenerlas así, abiertas, cueste lo que cueste, con el fin de impedir que se reconstituya un consenso tribal que extinga todo pensamiento crítico y haga desaparecer cualquier posibilidad de cuestionamiento. Al igual

1. Daniel Bensaid, *Résistance. Essai de taupologie générale*, París, Fayard, 2001, págs. 39-40.

que las Madres de la Plaza de Mayo en Argentina, las Mujeres de Negro son resistentes que, entre insultos, golpes y escupitajos, manifiestan con tesón cada viernes, en las plazas de las ciudades de Israel, el rechazo a cualquier compromiso con la ocupación. Tal como supieron hacer años antes los reclutas del contingente francés o los demócratas surafricanos, los insumisos del ejército israelí, reclutas o reservistas, se niegan a colaborar con los crímenes de guerra y con las violaciones sistemáticas de las convenciones internacionales en los territorios ocupados; se resisten a los guiños seductores de la camaradería tribal y la fraternidad de las armas. Resistentes son esos rabinos que, en nombre de una ética judía, desafían la ley del César y reconstruyen las casas demolidas, porque aceptan ser puestos al margen de la sociedad de sus pares y verse señalados con el dedo en su comunidad. Y son resistentes, también, esos intelectuales, esos artistas, esos periodistas que no temen ir a contracorriente de los nuevos consensos y se niegan a ser los ideólogos y los portavoces de mistificaciones viejas o nuevas. «Esencial y fundamentalmente intempestiva, [la resistencia] no piensa ni actúa con su tiempo, en armonía con los vientos del tiempo, en paz con la época, sino al revés y a destiempo. Ser intempestivo es tomar el tiempo al revés, peinar la época a contrapelo», escribe Daniel Bensaid.[2]

Definir una tercera vía exige a continuación un trabajo de zapa y de apertura para horadar las fronteras que encierran a la comunidad israelí en sí misma, en un búnker armamentista, cuya potencia militar da ilusión de seguridad, cuando en realidad es una de las componentes de la creciente hostilidad del mundo árabe circundante que amenaza, finalmente, con comprometer para siempre la existencia misma de una comunidad judía en el Oriente Próximo.

Israel sólo tiene porvenir en la aceptación de su realidad propia en el Oriente Próximo y de su integración en el mundo árabe circundante. Este deseo de integración exige en primer término la apertura hacia el otro, como igual y como compañero en la construcción de un futuro en el que la seguridad y el bienestar de uno dependen de la seguridad y el bienestar del otro. Porque si la paz, tal como lo exige la sensatez, precisa de relaciones de reciprocidad, de igualdad y de respeto mutuo, se necesita una verdadera revolución cultural para pasar del estado de dominación al estado de paz.

©gedisa

2. *Ibíd.*

Una revolución de las mentalidades y los comportamientos, una toma de conciencia radical de la sociedad y de su dirección política, intelectual y espiritual.

La paz, tomada en el sentido más noble y en todo el contexto de Oriente Próximo, tiene que volver la espalda ostensiblemente a la filosofía de la separación que se halla en la base de la ideología (y de la praxis) sionista. Ésta parte del postulado según el cual la homogeneidad étnica y cultural es la única normalidad, siendo el mestizaje algo contra natura. Corolario de este postulado: un rechazo obsesivo de la alteridad. La opción de establecerse en un sitio en donde, contrariamente a un mito fundador, otro pueblo estaba arraigado, abre dos posibilidades, y únicamente dos: la de la exclusión y la expulsión, que ha marcado más de un siglo de sionismo y que, por definición, genera un conflicto inevitable; o la de la integración y la inclusión, la de la paz y la coexistencia. No se trata aquí de una elección entre otras, sino de la única oposición a un conflicto que conducirá, tarde o temprano, a un rechazo de cualquier forma de existencia judía en el mundo árabe.

El pleno reconocimiento de una legitimidad palestina en Palestina es, evidentemente, una de las condiciones, insuficiente pero ineludible, de una aceptación de Israel por parte del mundo árabe circundante. Pero quien dice legitimidad dice por ello mismo ilegitimidad del proceso de expoliación y de expulsión, y por consiguiente, reexamen radical de sí mismo y de la génesis de la existencia nacional judía en Palestina. El trabajo de apertura es también un trabajo intransigente de apertura de los asuntos del pasado, un trabajo de memoria. Porque no puede haber reconciliación sin reconocimiento por parte de Israel, sus dirigentes y su población, de la injusticia cometida por ellos en su nombre, en contra del pueblo palestino. Ni sin solicitud de perdón. No se trata solamente de una deuda moral que pagar a las víctimas de más de un siglo de colonización y de expoliaciones, sino también de la necesidad, para el pueblo israelí, de aprehender las raíces de su propia existencia. La paz y la reconciliación son incompatibles con la amnesia. Exigen, por el contrario, que se reevalúe la propia historia y que se tenga el valor de mirarse en el espejo, sin filtros y sin máscaras. Sólo una petición de perdón sincera y global por los crímenes cometidos puede crear las condiciones de una igualdad real entre quienes han perpetrado esos crímenes y sus víctimas. Es una condición ineludible para que la paz sea el punto de partida de una verdadera reconciliación.

©gedisa

Ineludible es también la toma de conciencia de que Israel se halla en el corazón del Oriente árabe, y no en el sur de Europa. La existencia de una fuerte población judeo-árabe posibilita y hace tangible esta toma de conciencia sobre la base de vínculos culturales y de una memoria que, a pesar de un deseo estatal de aniquilarlos, nunca dejaron de existir. Asimismo, el hecho de que una comunidad palestina haya seguido viviendo en el corazón mismo de la sociedad israelí, impregnándose en parte de sus rasgos, pero manteniendo su pertenencia a la nación árabe, puede servir de medio para una futura integración en el mundo árabe, de puente por encima de la frontera que separa a israelíes y árabes. Judíos de cultura árabe y árabes de ciudadanía israelí son comunidades fronterizas y, en tanto que tales, pueden desempeñar un papel esencial en un proceso de desalienación de Israel respecto a su entorno geopolítico y cultural.

¿Es acaso casualidad que, en mis momentos de desaliento, cuando me amenaza la desmoralización, me guste ir a pasar algunos días en Majdel Shams, en casa de mis amigos sirios del Golán ocupado? Me encantan los paisajes de esa llanura volcánica y fértil, y me gusta caminar por los *uadi* estrechos y verdosos, o trepar hacia las cumbres cubiertas de nieve del Jebel el Sheij al que los israelíes llaman monte Hermón. Para mí, los altos del Golán constituyen uno de los sitios más hermosos del mundo, pero, más todavía que la naturaleza, lo que me atrae de este sitio aislado, en el extremo norte del país, son los hombres y las mujeres que allí viven. Supervivientes de una expulsión masiva que en 1967 dio origen a más de ciento treinta mil refugiados, los residentes de las cuatro aldeas drusas del norte del Golán son una comunidad de resistentes a la vez que una comunidad fronteriza. La extraordinaria determinación de esta minúscula población siria del Golán, que en 1982 tomó la iniciativa de la primera verdadera Intifada, será, y así lo espero, objeto de un libro al que me gustaría dedicarme, no sólo para rendir homenaje a la valentía y a la inteligencia política de estas casi veinte mil personas, sino sobre todo para que esta experiencia, única en su especie, pueda servir de antídoto a la «depre» y de ejemplo a muchos otros.[3]

Pero evoco aquí a mis hermanos sirios del Golán como comunidad fronteriza: como realidad geográfica, acorralada entre Israel,

©gedisa

---

3. Véase Salman Fakhr-a-Din, *L'Action politique dans le Golan*, Jerusalén, publicación del Centro de Información Alternativa, 1999.

Siria y el Líbano, y, más aún, como realidad cultural. Sirios, y por tanto árabes, hasta lo más profundo de su ser, por patriotismo tanto como por afinidades culturales, han aprendido también a vivir en Israel y con los israelíes. Demasiado pequeña como para poder desarrollar una sociedad propia y totalmente separada del *hinterland* sirio, la comunidad del Golán ha tenido que abrirse a Israel, su economía, sus universidades, sus medios de comunicación. El hebreo que muchos de ellos hablan es mejor que el de los ciudadanos árabes de Israel, y con frecuencia incluso que el del israelí medio. Su conocimiento de Israel y su población, de sus costumbres y su cultura, de su escena política y la complejidad de su sociedad es sorprendente; y, más aún, han sabido utilizar sin mala conciencia las posibilidades ofrecidas por los espacios de democracia, abriéndose a lo mejor de todo lo que la sociedad israelí puede ofrecer. No es por casualidad que, en el equipo del Centro de Información Alternativa, contemos siempre con uno o dos camaradas del Golán como traductores, editores y, sobre todo, como personas de recursos en lo relativo al mundo árabe.

Más que con los palestinos, incluyendo a los que son ciudadanos israelíes, encuentro con mis amigos del Golán un lenguaje común, referencias y elementos de cultura compartidos. Puede que esto se deba también al hecho de que en tanto que sirios, y a pesar del aislamiento físico en el que se encuentran, son menos insulares y provincianos que los palestinos. Muchos israelíes han caído en la trampa llegando a creer que los drusos[4] del Golán fueron pacificados y, en resumen, israelizados. Grave error: son profundamente árabes y orgullosamente sirios, y nunca dejaron de luchar para verse reintegrados en su patria.

Lo que los convierte en fronterizos es el hecho de no haber permanecido impermeables a la sociedad israelí que los circunda desde hace más de treinta años. Y con ello se han enriquecido. Me gusta creer que en contacto con ellos también yo me he impregnado –aunque sólo fuese un poco– de su cultura y de su manera de ver el mundo y de vivir en él. Sea como fuere, me gusta estar en Majdel Shams o en Buqatha, porque en el transcurso de un fin de semana puedo sentirme en el mundo árabe; y proyectar, a partir de la fraternidad real que allí se experimenta, lo que podría ser nues-

---

4. Los israelíes definen a los sirios del Golán como drusos, lo que corresponde en efecto a su pertenencia confesional. Ellos se definen a sí mismos como sirios.

tro futuro en la región; y, cuando el cielo está despejado, divisar a lo lejos Damasco, la capital del mundo árabe, e integrarla en mi espacio imaginario. Amigos míos sirios del Golán, estáis cercados por campos minados, por campamentos militares y colonias, y, sin embargo, habéis sabido horadar las fronteras entre vosotros, entre vuestro país y vuestros hermanos sirios, y entre vosotros y nosotros. Nunca podré mostrar suficiente gratitud ante esta prueba concreta de que nuestra apuesta por la apertura y la transnacionalidad no es tan quimérica como pudiera parecer.

Si esta tercera vía implica horadar las fronteras que nos separan de lo que es nuestro entorno natural –y que aíslan a los seres humanos en función de su raza, su nacionalidad o su confesión–, requiere asimismo erigir otras, visibles y sólidas, en el seno del colectivo nacional en el que vivimos, con el fin de delimitar campos claramente asociados a sistemas de valores, una definición del bien y del mal, proyectos de sociedad. Fronteras para crear un «nosotros» y un «ellos» sobre las ruinas del «nosotros tribal» y consensual. Nadie ha descrito mejor esta tarea que Nurit Peled-Elhanan: «Cuando mataron a mi hijita, un periodista me preguntó cómo consentía en recibir condolencias del "otro lado". Le contesté sin la menor vacilación que no estaba de acuerdo. Y cuando los representantes del gobierno Netanyahu vinieron a presentarme sus condolencias, yo me retiré y me negué a sentarme con ellos. Para mí, el otro lado, el enemigo, no es el pueblo palestino. Para mí, la lucha no es entre judíos y árabes, sino entre los que procuran la paz y los que buscan la guerra. Mi pueblo está constituido por quienes buscan la paz; mis hermanas son las madres enlutadas, israelíes y palestinas, que viven en Gaza, en Israel y en los campamentos de refugiados. Mis hermanos son los padres que protegen a sus hijos contra la ocupación cruel. Aun cuando nosotros hayamos nacido con historias y lenguas diferentes, más son las cosas que nos unen que las que nos separan [...]. La derecha ha abusado del eslogan "No hay que dejar que nuestros hermanos caigan", pero a quienes no debemos abandonar es a nuestros hermanos y nuestras hermanas de los campos de refugiados y bajo ocupación, privados de alimentos y de medios de subsistencia así como de todos los otros derechos».[5]

Resistir, perforar las fronteras interétnicas, romper con el consenso y promover en su lugar una confrontación en el seno de la

5. Sitio Internet de Bat Shalom, *loc. cit.*

tribu, en torno a valores claros respecto a los cuales cualquier forma de compromiso está excluida: tales son los ingredientes de un proyecto alternativo al Israel que quiere a toda costa volver la espalda a Oriente e imponer un neocolonialismo mediante su dominio tecnológico, como en la Judea integrista y chovinista. Se trata aquí de una tercera vía, democrática, laica y solidaria, abierta hacia el otro y respetuosa de la diferencia; no depende sólo de una ideología nueva, de otra política, incluso de otra ética, sino, también y quizá sobre todo, de un cambio de identidad.

La identidad israelí se forjó en un proceso de colonización y mediante una doble destrucción: la de la existencia de la población árabe indígena y la de la identidad, o, mejor, de las identidades judías anteriores al sionismo. Así pues, es consciente y voluntariamente una identidad «en contra de». Ser israelí no significa únicamente compartir una misma lengua y algunas referencias culturales comunes; es, también, compartir privilegios comunes y participar, cotidianamente, en ese doble proceso de destrucción. Ser israelí es romper, mediante un acto voluntarista, toda continuidad con la historia de los abuelos, su cultura y los valores que los animaban, reduciéndose los vínculos con el pasado a una relación mítica con una historia de más de dos mil años. Ser israelí es, de alguna manera, negarse a la vez a ser judío y a ser árabe.

La identidad israelí es el resultado de una voluntad consensual, y se perpetúa en una praxis política unificada; en este sentido, identidad y política se ven totalmente mezcladas, y el ser y la manera de ser no constituyen sino una misma cosa. Rechazar esta política, situarse en disidencia ante ella, desafiar el consenso, supone cuestionar la pertenencia a la colectividad; y, paralelamente, desafiar el tribalismo es cuestionar la propia identidad israelí. ¿Cómo?

Cuando Mordejai Vaanunu, aquel técnico de la central atómica de Dimona, decidió romper el secreto que rodeaba al proyecto nuclear israelí, quería desmarcarse de la totalidad de la política israelí expresando una disidencia absoluta. Decidió entonces convertirse al cristianismo porque, para él, el único medio de desmarcarse totalmente era romper con la tribu, y el único modo de romper con la tribu sin arriesgarse a ser recuperado en el último momento, consistía en unirse a otra tribu. Elección idéntica fue la de Harun Susan, el héroe de *C'est un autre*, del escritor judío iraquí Simón Balas: «Para Susan –escribe Inbal Perelson en un interesante análisis de la literatura de los escritores israelíes de origen

260 / FRONTERAS INTERIORES

iraquí–, el rechazo del sionismo exige una ruptura con el judaísmo, así que decide adoptar el islam. No se trata de una elección religiosa, sino de la expresión de una ruptura radical».[6]

Adoptar la identidad árabe es quizás una elección posible para una parte de los israelíes cuya identidad y cultura son, parcialmente al menos, árabes. Pero difícilmente podrá ser la opción de aquellos cuyos abuelos son originarios de Europa occidental u oriental. Sin embargo, éstos pueden efectuar una elección análoga reemplazando su identidad actual por una americanización extremada de su cultura y de su identidad, convirtiéndose en ciudadanos de la ciudad global cuyos nuevos tótems son McDonald's y Nike y que tienen en CNN/MTV su soporte ideológico. Una parte de la juventud israelí parece haber tomado ya este camino.

Cien años después de los primeros pasos del sionismo, se vuelve a plantear los grandes términos de los debates que preocuparon al mundo judío laico europeo después de la Revolución Francesa, en especial la cuestión de saber si existía una identidad judía fuera de la religión, y si la asimilación –es decir, la pérdida de identidad específica– era la única respuesta al arcaísmo de los rabinos. Traducida a términos actuales, la cuestión a la que se enfrenta la sociedad israelí puede formularse del siguiente modo: entre una identidad israelí forjada por el sionismo e intrínsecamente ligada a esta ideología, y el rechazo total de una identidad específica de la comunidad judía de Israel, es decir, la elección de la asimilación por parte de la identidad dominante –árabe o globalizada–; ¿no hay también aquí una tercera vía?

En 1994, cuando muchos de nosotros creíamos que los acuerdos de Oslo iban a desembocar, si no en el fin del conflicto, sí al menos en una forma de coexistencia que, finalmente, podría abrir caminos a la paz y la reconciliación, fui invitado a participar en Tel Aviv en una mesa redonda sobre el tema «Después de Oslo, ¿tiene todavía la izquierda algún papel que jugar?». Y hace poco encontré algunas notas de mi intervención: «Ahora es cuando la izquierda va a poder entablar su principal batalla , por lo demás más ambiciosa y más difícil que la entablada en pro de los derechos de los palestinos y por la paz, porque esta lucha tenemos que llevarla a cabo a solas, sin el apoyo de nuestros amigos palestinos. Se trata de

6. Inbal Perelson, «Majorité et minorité – la dimension utopique», *Mitsad Sheini*, núm. 3, mayo-junio de 1993, pág. 32.

trabajar en la redefinición de aquello que somos, la redefinición de una identidad y de una cultura israelíes, en un marco que no es ya el del conflicto y la guerra, sino el de la paz y la coexistencia. Jamás antes nos enfrentamos a una tarea tan estimulante... ¿Qué es ser israelí fuera del contexto sionista, fuera de una definición en negativo, es decir, el conjunto de quienes se encuentran en conflicto con los palestinos y el mundo árabe? ¿Qué identidad construir –que se trata de construirla conscientemente y con voluntarismo– en lugar del «israelí feo», tal como se acostumbra decir entre nosotros, arrogante, violento, racista, maleducado, pero también provinciano hasta morir, aterrorizado por todo lo que no es él, y finalmente patético a más no poder? Si tuviese que darle nombre a esta nueva cultura, a esta identidad que debemos forjar para nuestros hijos, me decidiría por el término "identidad fronteriza"».

Fronterizo es aquel cuya identidad se forja en el intercambio, en una interacción permanente con sus vecinos. Tiene una identidad plural, permeable, mestiza. Vive en la frontera, pero no le gustan las fronteras, que para él constituyen un obstáculo que superar, un límite que transgredir. «Se confesaba judío –escribe George Steiner a propósito de Trotski– debido a su devoción instintiva por el internacionalismo, por su desprecio, a la vez personal e ideológico, de las fronteras.»[7]

Sin duda se habrá entendido: la identidad israelí reconstruida será primero una identidad judía y diaspórica. Requiere un retorno a una historia y a una herencia que el sionismo le ha negado, el redescubrimiento de raíces culturales y, también, de rasgos de carácter labrados por dos milenios de una relación compleja con el mundo circundante, a menudo dolorosa pero siempre cargada de una sensibilidad sin la cual la cultura –la occidental tanto como la árabe– no sería lo que es. Esta existencia particular le ha impuesto al judío diaspórico una manera de ser en el mundo que está en los antípodas de lo que los padres fundadores de Israel querían hacer de aquellos inmigrantes provenientes de los cuatro rincones del globo: «El judío echa anclas no en el espacio sino en el tiempo, en el sentido agudo de la historia vivida que lo posee como una experiencia individual. Seis mil años de introspección forjan una patria –sigue escribiendo George Steiner–. El desarraigo de los judíos, su carácter "cosmopolita" difamado por

7. George Steiner, *Lenguaje y silencio*, Barcelona, Gedisa, 2003.

Hitler, Stalin, Mosley, Maurras y todos los granujas de la derecha no es más que una cualidad impuesta por la historia [...]. Pero una vez asumida, esta situación, aun cuando sea extremadamente penosa, no por ello tiene que dejar de desembocar en más amplias perspectivas».[8]

Para Ben Gurion y sus sucesores, el «retorno» a Tierra Santa pone fin, por definición, al exilio. Por el contrario, para el judaísmo ortodoxo el exilio no es una situación espacial, perdura incluso después de la realización de una soberanía judía en Israel. Ésta es la identidad diaspórica que los israelíes tienen que reapropiarse, moderando su nacionalismo con una fuerte dosis de aquel cosmopolitismo que tanto ayudaron a desacreditar «los granujas de la derecha», pero también los ideólogos del sionismo; templando la obsesión por su propia seguridad mediante una empatía hacia el sufrimiento del prójimo; reemplazando el repliegue sobre sí mismo por una apertura sistemática hacia el otro.

En esta nueva identidad que cabe construir, es esencial restablecer capítulos enteros de la historia de los judíos de la diáspora: la buena convivencia que caracterizó a largos períodos de la existencia judía en Marruecos; aquellos revolucionarios de la Yidishland que no conocían fronteras, vivían «sin trabajo, sin familia y sin patria»,[9] pero con una identidad muy propia que, en su mayoría, no habrían aceptado reemplazar por el título de propiedad de una vieja casa solariega con retratos de antepasados enraizados en la historia de algún terruño.

Si se reapropiara de esta herencia, el israelí de mañana podría conformar la nueva identidad fronteriza, en la que se amalgamarían Varsovia y Casablanca, Alepo y Berlín, una identidad volcada hacia Damasco y Alejandría, abierta al mundo y permeable a la diferencia. El proyecto sionista creyó que la redención de la existencia judía sólo sería posible rompiendo con nuestro pasado judío y volviendo la espalda a nuestro entorno árabe. Por el contrario, sólo volviendo a encontrar sus raíces judías y abriéndose a la dimensión árabe de su identidad y de su entorno, la sociedad israelí

---

8. *Ibíd.*

9. Del título del libro de Gérard de Verbizier (París, Calmann-Lévy, 1993) sobre la brigada FTP-MOI de Toulouse. Le debo a Gérard, internacionalista francés de cultura protestante, el interés que comencé a tener, desde 1974, en la MOI y, a continuación, en los revolucionarios de cultura yídish.

©gedisa

podrá finalmente construir su vida con normalidad y proyectar serenamente el porvenir de sus hijos.

Ip'ha mistabra –«Hay que retomarlo todo al revés»–, se lee en el Talmud.

Ip'ha mistabra, acabará diciendo el talmudista del siglo XXI.

GLOSARIO

Al Fatah. Principal movimiento de la resistencia palestina.

Aliya. Literalmente, «subida», «ascensión». Este término designa la inmigración de judíos a Palestina, y luego a Israel.

Askenazí. Nombre dado a los judíos originarios de Europa central y oriental.

Bat Shalom. Organización Israelí de Mujeres por la Paz, fundada a inicios de la década de 1990.

Casher. Adecuado desde el punto de vista religioso para ser empleado o consumido.

Fedayin. Combatiente palestino que interviene en operaciones de guerrilla.

FPLP, FDPLP, FP-CG. Organizaciones de izquierda de la resistencia palestina.

Guiruch. Designa, en la Biblia, el repudio de la esposa; por extensión, significa el destierro, la expulsión.

Gush Emunim (Bloque de la Fe). Movimiento de colonos fundado en marzo de 1974, esencialmente por religiosos, que milita de manera agresiva por la extensión de la soberanía israelí hasta el Jordán y que multiplica las implantaciones de colonias a lo largo de los territorios ocupados.

Hanuka. Fiesta con la que se conmemora la «reinauguración» del Templo, después de su desacralización por parte de los grecosirios en el siglo II a.C.

Hashomer Hatsair (Joven Guardia). Movimiento de la juventud sionista socialista, fundado en Polonia antes de la Primera Guerra Mundial para educar a la juventud en la vida del *kibutz*.

Herut. Partido político de derecha creado en 1948 por Menajem Beguin. Hoy forma parte del Likud, principal formación de la derecha israelí.

Hezbolá. Organización de resistencia islámica.

Histadrut. Confederación General de Trabajadores fundada en 1920 con el nombre de Confederación General de Trabajadores Hebreos en Eretz-Israel, con el propósito de «formar un nuevo tipo de trabajador judío resultado de la colonización» (según estatuto adoptado en su congreso fundacional).

Jasidismo. Corriente mística que se desarrolla en Polonia a inicios del siglo XIX.

Jerosolomitano. Residente en Jerusalén.

Kach. Sigla electoral de la Liga de Defensa Judía, organización de extrema derecha dirigida por el rabino Meir Kahane; declarada ilegal por su ideología racista.

Kibutz (plural: kibutzim). Poblado basado en el colectivismo de la producción y del consumo. Al miembro del kibutz se lo llama kibutznik (plural: kibutznikim).

Knesset. El Parlamento israelí.

Ladino. Dialecto judeoespañol hablado por los judíos de la cuenca mediterránea.

Likud. Coalición de partidos de derecha formada en 1973.

Mapai. Partido de los Obreros de Eretz-Israel, fundado en 1930 por David Ben Gurion. Partido sionista socialista, hegemónico en el movimiento sionista y en el Estado de Israel hasta 1977. Después de una serie de fusiones con otros partidos sionistas socialistas en la década de 1970, tomó el nombre de Partido Laborista.

Mapam. Partido Obrero Unificado, fundado en 1948 tras la unificación del Hashomer Hatsair, el partido Ahduth Ha-Avoda y el ala izquierda de los Poalei-Zion. Izquierda sionista.

Matzpen. Movimiento de extrema izquierda fundado en 1962 por disidentes del Partido Comunista Israelí. Antisionista.

Mellah. Designa, desde 1438, el barrio reservado a los judíos en Marruecos.

Meretz. Partido creado, en 1984, por la fusión del Mapam, el Movimiento por los Derechos Cívicos (Rats) y el Shinuy.

©gedisa

MIR. Movimiento de Izquierda Revolucionaria, partido de extrema izquierda chileno.

Mizrahi. Partido sionista religioso creado en 1902, convertido en Israel en el Partido Nacional Religioso.

MOI. Mano de Obra Inmigrada. Organización de los trabajadores inmigrados, en especial judíos, del Partido Comunista Francés.

Moshav (plural: moshavim). Poblado cooperativo que combina explotación individual y propiedad colectiva de los medios de producción.

Mufti. Dignatario religioso musulmán.

Naqba. Literalmente, «catástrofe»; término que designa la expulsión de más de 700.000 palestinos y la destrucción de sus ciudades y sus aldeas en 1948.

Palmach. Acrónimo de «brigadas de choque», tropas de élite de la Haggana creadas en 1941, y que habrían de desempeñar un papel esencial en la guerra de 1948.

Rakah. Acrónimo de Nueva Lista Comunista; nombre tomado por el Partido Comunista Israelí después de la escisión de 1965.

Rats. Movimiento por los Derechos Cívicos fundado por Shulamit Aloni. Acabaría fusionándose con el Mapam y el Shinuy para fundar, en 1984, el Meretz.

Sabbat. Séptimo día de la semana, reservado al descanso.

Sefardí. Nombre dado a los judíos originarios de la cuenca mediterránea y del mundo árabe. Algunos prefieren utilizar el término «mizrahim» (orientales), o ser llamados judíos árabes.

Shadai. «Todopoderoso», uno de los atributos de Dios; representado a menudo en medallones con las letras SH.

Shass. Partido religioso (fundado en 1984) que representa a la mayoría de los judíos sefardíes. En las elecciones de 1999, el Shass consiguió 17 diputados, o sea el 15 por ciento de los electos.

Shin Beit. Servicios de Información Interior.

Shinuy. Partido antirreligioso fundado en 1999 por el periodista de derecha Yossef Lapid y la mayoría de los miembros del Shinuy que habían rechazado, en 1998, su disolución en el Meretz.

Schtetl. Palabra yídish (emparentada con la palabra alemana *Stadt*, «ciudad», en su forma diminutiva *Städtle*, o sea, «ciudadilla»), que designa la aldea o el barrio judío en Europa central.

Talmud. Código de la Ley oral.

Torá. Los cinco primeros libros de la Biblia.

Tsahal. Ejército israelí.

Tsomet. Partido laico de extrema derecha fundado en 1983 por el antiguo jefe de Estado Mayor Rafael Eitan. Se disolvió después de su derrota electoral en 1999.

Yeshiva. Literalmente, «aquí donde uno se sienta», instituto de estudios talmúdicos.

©gedisa

CRONOLOGÍA

1896	Theodor Herzl redacta *El Estado de los judíos*.
29 agosto 1897	Primer Congreso Sionista en Basilea.
1906	Segunda inmigración judía a Palestina.
1916	Acuerdos Sykes-Picot sobre la división del Oriente Próximo en zonas de influencia francesa y británica.
1917	Declaración Balfour que promete el establecimiento de «un hogar judío en Palestina».
1922	Inicio del mandato británico en Palestina.
1933	Hitler toma el poder.
1933-1939	Inmigración masiva de Alemania y de Europa central.
1936-1939	Primer levantamiento palestino y sangrienta represión por parte del poder británico.
1937	Plan de partición de la comisión Peel.
1941-1945	Genocidio de los judíos europeos.
Abril 1943	Rebelión del gueto de Varsovia.
29 noviembre 1947	Resolución 181 de las Naciones Unidas sobre la partición de Palestina.
14 mayo 1948	Israel declara su independencia. Guerra árabe-israelí y depuración étnica de los territorios conquistados por Israel (la Naqba).
1949	Acuerdos de armisticio entre Israel y los Estados árabes.
1952	Nasser y los Oficiales Libres toman el poder en Egipto.
1956	Nacionalización del Canal de Suez. Guerra franco-británica-israelí contra Egipto. Primera ocupación del Sinaí por parte de Israel.
1957	Retirada del Sinaí.
1964	La Liga Árabe funda la OLP.

1965	Primera operación militar de Al Fatah.
1967	Guerra árabe-israelí y ocupación de Cisjordania, de la franja de Gaza, de los altos del Golán y del Sinaí.
1968	Batalla de Karamé (Jordania), en la que los comandos palestinos derrotan a las fuerzas israelíes. Al Fatah toma la dirección de la OLP.
1969-1971	Guerra de desgaste entre Israel y Egipto por el Canal de Suez.
1970	Septiembre negro: los palestinos son arrasados por el ejército jordano.
1970-1973	Inmigración en masa desde la Unión Soviética y Movimiento de los Panteras Negras en Israel.
1973	Guerra árabe-israelí en el Sinaí y el Golán.
1974	Tratado de «separación de fuerzas»: Israel devuelve una pequeña parte de los territorios ocupados a Siria y a Egipto.
30 marzo 1976	Jornada de la Tierra: violentos enfrentamientos entre los palestinos de Israel y la policía.
1977	Visita de Sadat a Jerusalén. Acuerdos de Camp David.
1982	Fin de la retirada del Sinaí. Invasión israelí del Líbano. Masacres de Sabra y Chatila: 300.000 israelíes se manifiestan en contra de la guerra del Líbano.
1985	Retirada de la mayor parte del territorio libanés.
1987-1991	Segundo levantamiento palestino (la Intifada).
1988	Consejo nacional palestino en Argelia: aceptación de un principio de «compromiso histórico» con Israel.
1989	Inicio de la segunda gran ola de inmigración desde la ex URSS.
1991	Conferencia de Madrid entre Israel, los Estados árabes y los palestinos.
1992	Negociaciones de Washington entre Israel y los palestinos. Sin resultados. Comienzo del acordonamiento de los territorios ocupados.
13 septiembre 1993	Firma de la Declaración de Principios de Oslo en Washington.

1994-1999	Negociaciones palestino-israelíes y reorganizaciones limitadas en Cisjordania.
1 julio 1994	La Autoridad Palestina se instala en Gaza y en Jericó.
20 enero 1996	Elección del Consejo Legislativo Palestino y de Yaser Arafat como presidente de la Autoridad Palestina.
2000	Negociaciones en Camp David sobre el estatuto final. Fracaso de las negociaciones.
28 septiembre 2000	Inicio del tercer levantamiento palestino (la segunda Intifada).
Enero 2001	Negociaciones palestino-israelíes en Taba. Se definen acuerdos sustanciales, pero no desembocan en un acuerdo tras haber anunciado elecciones Ehud Barak.
Febrero 2001	Ariel Sharon es elegido, con fuerte mayoría, jefe del Gobierno israelí.
Octubre 2001	Ariel Sharon declara que Yaser Arafat está «fuera de juego», y enterrado el proceso de Oslo.